Edouard Sinayobye

Unsere Liebe Frau von Kibeho

D1214329

Edouard Sinayobye

Unsere Liebe Frau von Kibeho

Ein Weckruf für unsere Zeit

Vorwort von
Vittorio Messori

Nachwort von
Bernard Peyrous

meDia
maRia

Bibliografische Information: Deutsche Nationalbibliothek.
Die Deutsche Nationalbibliothek verzeichnet diese Publikation in der
Deutschen Nationalbibliografie; detaillierte bibliografische Daten sind im
Internet über http://dnb.ddb.de abrufbar.

Die Originalausgabe erschien unter dem Titel:
»IO SONO LA MADRE DEL VERBO«
Nostra Signora di Kibeho, risveglio per i notri tempi
© 2015 by Edizioni Ares, Milano

Titel der deutschen Ausgabe:

Edouard Sinayobye
UNSERE LIEBE FRAU VON KIBEHO
Ein Weckruf für unsere Zeit
© Media Maria Verlag, Illertissen 2019
Übersetzung: Barbara Wenz, Jonas Wernet

ISBN 978-3-9479310-6-4
Alle Rechte vorbehalten

www.media-maria.de

Inhalt

Vorwort

Das Evangelium vom Kreuz und von der Freude

»Sterne in der Nacht des Glaubens«: ein Leuchten, das die nicht immer leichte Beziehung des Menschen zum Göttlichen erhellt und in dem sich Licht wie Finsternis ineinander verwoben finden. So lautet die Definition von René Laurentin, dem führenden Experten in Sachen Marienerscheinungen.

Wir könnten sie auch als Glockenschläge bezeichnen, die ab und zu in der Welt widerhallen, um uns aus unserer Erstarrung zu wecken, von unseren Illusionen zu befreien und um uns daran zu erinnern, dass es sehr wohl einen Zusammenhang zwischen der Sünde gibt, die wir ignorieren wollen, und den vielen Übeln, über die wir uns ständig beklagen. Es sind Glockenschläge, um die Götzendienste offenzulegen, denen wir aus unserem Bedürfnis nach Gott anhängen, aber dabei doch gleichzeitig teilweise oder ganz vor Gott fliehen.

Nun, wenn dies alles wahr ist, dann ist das, was in Kibeho zwischen 1981 und 1989 geschehen ist, ein solch heller Lichtblitz, den wir nicht übersehen, ein Gongschlag, den wir nicht überhören können: Und dafür gibt es viele Gründe, wie uns Don Edouard Sinayobye, ein Priester aus Ruanda, in wahrem marianischen Geist im vorliegenden Buch sehr gut erläutert.

Zunächst ist an Kibeho natürlich besonders, dass es sich überhaupt um die erste Marienerscheinung in Afrika handelt, seit sich der Kontinent in den letzten beiden Jahrhunderten zum Evangelium bekehrt hat. In Afrika gibt es sehr unterschiedliche

Kulturen und Probleme, die mit den unseren nicht vergleichbar sind: Ruanda ist im Besonderen eines der ärmsten Länder der Welt. Möglicherweise stellen wir uns dieses Land deswegen sogar als ursprünglicher und einfacher vor im Vergleich zu unseren Ländern im Westen, die wir als alt und müde geworden wahrnehmen. Afrika ist ein Kontinent, der erst, wie bereits erwähnt, jüngst das Christentum kennengelernt hat und der deshalb nach meiner Meinung empfänglicher für den Glauben und das Evangelium ist.

Gerade hier greift die Muttergottes jedoch noch einmal ein, wie sie es schon oft in anderen Teilen der Welt getan hat, um die menschlichen Illusionen hinwegzufegen und aufzuzeigen, wie groß die Sünde überall dort ist, wo auch immer sich Menschen befinden.

Wenn wir tatsächlich Probleme haben, die aus der zweitausendjährigen Geschichte des Christentums herrühren, das sich jetzt einer Moderne gegenübersieht, die es eliminieren möchte, so sind die Schwierigkeiten in diesem weit entfernten Erdteil nicht geringer. Zum Beispiel jene, die sich daraus ergeben, dass die relativ junge christliche Wurzel Anstrengungen unternehmen muss, um eine Verbindung mit den vielfältigen angestammten Traditionen herzustellen. Unterdessen trifft die Kultur des Westens, die weder religiös und schon gar nicht christlich sein will, immer massiver auf diese Völker, sodass sich diese Verbindung immer schwieriger und komplizierter gestaltet. Wie dem auch sei, eine echte und tief greifende Bekehrung ist jedenfalls notwendig.

Wenn also unsere Mutter, die selige Jungfrau Maria, auch in Afrika das vordringliche Anliegen hatte, an das »vergessene Evangelium« zu erinnern, um uns zu helfen, es wiederzuentdecken, so war es, wie es auch bei ihren anderen Erscheinungen der Fall war, ihr weiteres und spezielles Ziel, gerade in Ruanda einzugreifen. Eine ungeheure Tragödie zog sich über diesem Land zusammen.

Don Edouard Sinayobye, ein Ruander, berichtet, dass man nicht wirklich von einem Konflikt unter den Ethnien sprechen kann, um zu beschreiben, was sich dort in jenen Jahren zutrug.

Es handelte sich tatsächlich um eine Reihe von Umständen, die mit den politischen Machtverhältnissen verknüpft waren, die Konflikte und Auseinandersetzungen zwischen Tutsi und Hutu schürten, welche dann zwischen April und Juli 1994 in den schrecklichen Genozid mündeten, der eine Million Opfer forderte. Dies war damals mehr als ein Zehntel der Gesamtbevölkerung Ruandas.

Deshalb handelte die selige Jungfrau Maria in prophetischer Weise, als sie aus mütterlicher Fürsorge alle zur Umkehr aufrief. Sie zeigte den Seherinnen Ströme von Blut, die durch das Land flossen, Gewalttaten jeglicher Art, Berge von Leichen, die überall verstreut lagen. Wie in Fatima rief sie unaufhörlich zum Gebet auf, damit das sich abzeichnende Massaker abgewendet und das Böse ferngehalten werden könnte, das sich bereits immer stärker abzeichnete. Vielleicht hat nie zuvor in der Geschichte der Marienerscheinungen eine Prophezeiung eine derart präzise und tragische Bestätigung durch die Realität bekommen. Wir wissen nun, wie sich die Dinge entwickelt haben. Im Nachhinein können wir besser verstehen, was die Gottesmutter sagen wollte. Es war ein furchtbarer Schock, mit dem die Ruander sich immer noch auseinanderzusetzen haben und der mit Sicherheit nicht in Vergessenheit geraten wird.

Don Edouards tiefgründige Überlegungen bringen uns zu der Überzeugung, dass es sich hier nicht nur um die Tragödie eines einzelnen Volkes handelt, sondern auch um ein symbolisches Ereignis, ein Beispiel, aus dem man schließen kann, wohin es führt, wenn die Geschichte von Ideologie, Hass und Machtgier bestimmt wird.

Aber es gibt noch einen anderen Aspekt, der sofort auffällt, wenn man sich mit dem Fall Kibeho näher auseinandersetzt. Das ist die Schnelligkeit, mit der die Verantwortlichen auf diözesaner

Ebene reagierten, die Umsicht, mit der sie dabei vorgingen, jedoch auch mit einem Sinn für das Übernatürliche, dem sie offen und empfänglich gegenüberstanden. Diese Bereitschaft ermöglichte auf bewundernswerte Art die Entscheidung, die Fakten sorgfältig zu sammeln, sie eingehend zu prüfen und sich zu ihrer Echtheit zu äußern. Wenn wir an die Verzögerungen, die Unsicherheiten, manches Mal an den Mangel an Mut, wenn nicht sogar den zähen Widerstand denken, die zahlreiche europäische Fälle betrafen und immer noch betreffen, dann kann man sich nur darüber freuen.

Trotzdem war es wie immer nicht einfach, ein Urteil zu fällen, weder über die Seherinnen noch über die Botschaften. Diese Erscheinungen von Kibeho wiesen tatsächlich einige charakteristische Besonderheiten auf. Zunächst gab es eine unglaubliche Anzahl von Menschen, die behaupteten, die Jungfrau Maria zu sehen. Dies ist ein Phänomen, das häufig echte Erscheinungen begleitet, aber nicht in dem Ausmaß, wie es in Kibeho geschah – vergleichbar vielleicht bis zu einem gewissen Grad nur mit Lourdes und Bernadette Soubirous. Dann gab es die sehr langen Ekstasen der Seherinnen, alles junge Schülerinnen, die sich von ihren Altersgenossinnen weder durch besondere Frömmigkeit noch durch besondere schulische Leistungen unterschieden. Diese Ekstasen, die begleitet waren von plötzlichen und heftigen Stürzen – die auch zahlreich im Verlauf derselben Erscheinung auftraten –, die jedoch keine Verletzungen hinterließen. Eine weitere Besonderheit dieser Erscheinungen war, dass die Anwesenden nicht nur hören konnten, was die Seherinnen sagten – etwas, was nicht immer bei Erscheinungen geschah –, sondern dass sie auch die Worte erfahren konnten, die Maria gesprochen hatte, weil diese von den Mädchen nach und nach laut wiederholt wurden, wie sie gerade von der Jungfrau Maria gesprochen worden waren.

Die Botschaften selbst waren, wie wir sehen werden, inhaltlich sehr dicht bis hin zu dem Namen, mit dem die Jungfrau Maria sich vorstellte: »Mutter des Wortes« – ein Hinweis auf die Grundlagen des Christentums. Und schließlich ist es das, wozu die Gottesmutter aufforderte: nicht nur hier und da unser Leben ein wenig neu auszurichten, sondern sie wies auf die Notwendigkeit hin, zum Kern des Glaubens zurückzukehren, das Kreuz, das Jesu getragen hat, wieder zu entdecken und zu umarmen. All das nicht etwa als eine mögliche Option, sondern als unbedingten Schritt, um den himmlischen Weisungen Folge zu leisten, als entschlossenes Handeln, worauf Maria ausdrücklich in Form einer eigenen Katechese bestanden hat.

Der damalige Bischof, der für das Gebiet verantwortlich war – Kibeho gehörte damals zu der Diözese Butare –, Msgr. Jean-Baptiste Gahamanyi, reagierte schnell und gründete 1982, einige Monate nachdem die ersten Erscheinungen stattgefunden hatten und während diese sich fortsetzten, zwei Kommissionen, eine medizinische und eine theologische, um die Faktenlage zu untersuchen. Gleichzeitig trug er Sorge dafür, dass die Bevölkerung den ungewöhnlichen Ereignissen folgen und sie verstehen konnte, indem er drei Hirtenbriefe zum Thema verfasste und den Kult ab dem 15. August 1988 erlaubte.

Im Jahr 1992 wurde Msgr. Augustin Misago, Bischof der Diözese Gikongoro, Nachfolger von Bischof Gahamanyi. Er war der Bischof der Diözese Gikongoro – zu der Kibeho zwischenzeitlich gehörte –, der im Verlauf der furchtbaren Tage des Völkermords ein Jahr lang eingekerkert war. Misago erkannte die Erscheinungen am 29. Juni 2001 offiziell als echt an, nachdem Rom die Erlaubnis dazu erteilt hatte. Es ist ein Beispiel von Ernsthaftigkeit, Kompetenz und bemerkenswerter Ausgewogenheit, wenn man die Verhältnisse bedenkt, unter denen das Land immer noch zu leiden hatte. Dieses Verhalten versäumte auch René Laurentin nicht, in seinem Buch zu loben.

Aber es gibt noch einen dritten sehr wichtigen Punkt, um den Erscheinungen von Kibeho näherzutreten und sie zu betrachten. Dieser Punkt dreht sich um den Namen, mit dem Maria sich selbst als »Mutter des Wortes« vorgestellt hat. Aus Bescheidenheit zog sie diesen Namen dem ähnlichen Titel »Gottesmutter« vor. Es ist bekannt, mit welch großem Misstrauen die Theologie Erscheinungen betrachtet. Dieses Misstrauen ist begründet, wenn es sich auf die Möglichkeit bezieht, dass man dadurch versuchen könnte, etwas zur Offenbarung der Heiligen Schrift hinzuzufügen, auf deren Höhepunkt Gott Mensch geworden ist, der somit das vollendete und abschließende Wort Gottes ist. Gleichwohl hat die beachtliche Zunahme von Erscheinungen gerade zu Beginn der heutigen Zeit – in einer sehr deutlichen Parallele zur Zunahme der Gefährdung des Glaubens, welche die Mentalität der Aufklärung mit sich brachte – zu einer neuen und immer deutlicher werdenden Perspektive geführt. Es geht darum, das Ereignis einer Erscheinung als besonderes Charisma zu betrachten: als ein Geschenk des Himmels, der durch Maria eingreift, um den Gläubigen in einem konkreten historischen Moment beizustehen. Das geschieht, wie bereits erwähnt, indem sie an das »vergessene Evangelium« erinnert werden und die Konsequenzen, die sich daraus ergeben. All das vollzieht sich aus prophetischer Perspektive mit Blick auf künftige, schwere und schmerzhafte Ereignisse – die innerhalb dieser Erscheinungen ihre Schatten werfen, um die Menschen vorzubereiten.

Im Fall von Kibeho habe ich auf die prophetischen Aspekte bereits hingewiesen. Was jedoch das »vergessene Evangelium« betrifft und Maria, die sich als »Mutter des Wortes« vorstellte, so handelt es sich dabei im Gegenteil um eine Rückkehr zum Ursprung, zum Herzen selbst. Für uns scheint dies heute selbstverständlich zu sein. Doch wenn wir uns an den Platz eines Christen der ersten Jahrhunderte versetzen, stellen wir fest, wie mühsam, schwierig, kompliziert und langwierig der Prozess sich gestaltet hat, der zur Formulierung der christlichen Dogmen – und damit verbunden der ersten beiden marianischen Dogmen führte. Dies geschah durch die lange Reihe der großen Kirchenväter, denen ein regelrechter Strauß von theologischen, exegetischen und spirituellen Charismen anvertraut war. Dies alles, um der Offenbarung und der darin enthaltenen Wahrheit einen dogmatischen Rahmen zu geben und sie zum Leuchten zu bringen.

Es war sicher keine leichte Aufgabe, die zu vielen Streitigkeiten und Konflikten, nicht nur theoretischer Art, geführt hatte, um die Möglichkeit, sich zu verlaufen, auszuschließen. Es gab Häresien, die nur unter größten Schwierigkeiten zu überwinden waren, wenn sie, wie es beim Arianismus der Fall war, sich schon stark ausgebreitet hatten. Dann erschien endlich das unglaubliche Meisterwerk: jene Dogmen, die heute von einigen als Gitterstäbe eines Gefängnisses betrachtet werden, stattdessen aber der sichere und leuchtende Weg zur vollen und wahren Begegnung mit der Dreifaltigkeit sind, dem Sohn, Wort des Vaters, der für uns als Immanuel gekommen ist. Es ist ein Geheimnis der Liebe und Gnade, das wir niemals aus eigenen Kräften hätten entdecken können, wenn es uns nicht offenbart worden wäre. Es ist ein Geheimnis, in das Maria, eine junge Frau, die zu jener Zeit um ihre Zustimmung zum göttlichen Plan gefragt wurde, wesentlich mit eingeschlossen ist. Danach ist sie eine Frau, die sich in ganzer Demut ihrer eigenen Rolle bewusst war, die am Ende nicht nur die Mutter Jesu, sondern auch die Mutter seines mystischen Leibes werden sollte, somit eines jeden Gläubigen.

Doch zuerst gibt es in Kibeho diesen wichtigen Begriff, der stark geprägt ist: Maria, »Mutter des Wortes«. In diesem Titel ist das gesamte Geheimnis des Christentums inbegriffen: Jesus von Nazareth, der zwei Naturen in sich trägt und wahrer Gott und wahrer Mensch ist. Gerade die göttliche Natur des Sohnes ist es, die Maria zur »Gottesmutter« macht. Zugleich ist es die menschliche Natur Mariens – er wurde geboren von einer Frau, wie uns der Apostel Paulus berichtet –, die dafür bürgt, dass diese Fleischwerdung des Logos wirklich stattgefunden hat.

Wenn wir dies nicht klar im Blick behielten, könnte es dazu führen, dass auch die Eigenschaften des Sohnes verschwimmen würden, die er uns doch selbst bestätigt hat, indem er Mensch geworden ist, obwohl er dann verherrlicht wurde im Himmel, in den auch Maria mit Leib und Seele aufgenommen wurde, um uns daran zu erinnern, wie bedeutend ihr menschlicher Beitrag an der Seite ihres göttlichen Sohnes gewesen ist.

Deshalb bedeutet es, ein wertvolles Geschenk abzulehnen, wenn man den Erscheinungen Mariens nicht die angebrachte Aufmerksamkeit beimisst. Selbstverständlich müssen diese Erscheinungen sorgfältig überprüft werden, um ihre Echtheit festzustellen. Sobald dies jedoch geschehen ist, müssen sie intensiv studiert und in ihrer ganzen Tiefe ausgelotet werden, wie es der Autor dieses Buches auch tut. Denn sie bieten eine wertvolle Hilfe, das unendlich große Geheimnis der Liebe wiederzuentdecken, in das wir eingetaucht sind, und darin inbegriffen ist die entscheidende Rolle der Muttergottes.

Und schließlich kommen wir nicht zuletzt auf den spirituellen Hintergrund der Botschaften von Kibeho. Häufig handelte es sich bei den Erscheinungen, die auch viele Stunden lang dauerten, um wirkliche Katechesen der Gottesmutter. Es fällt auf, dass sie sich vor allem immer wieder auf einen Punkt bezogen hat: das »Evangelium vom Kreuz«. Dies wird vom Autor dieses Buches als das besondere Charisma von Kibeho bezeichnet. Es kann auch eine gewisse Angst hervorrufen und erinnert an frühere wie auch moderne Vorwürfe gegenüber dem Christentum als einer Art masochistischer Religion, welche auf Sünde, Schmerz und Buße beruhen, das Leben ihrer Anhänger freudlos, grau und trist machen würde. Jedoch ist es dieser Aspekt, der von der Gottesmutter in Kibeho bei jeder Erscheinung immer wieder unterstrichen und betont wird. Doch sollten wir diesem Umstand tiefer auf den Grund gehen, um die Bedeutung besser zu verstehen.

Es ist sicher, dass sich Maria an die afrikanischen Seherinnen in mütterlicher Sprache gewandt hat, jedoch ohne jegliche Sentimentalität. Wie dies übrigens auch Jesus im Evangelium tut, wenn er uns ermahnt, nicht in Heuchelei zu verfallen: »Eure Rede sei: Ja, ja, nein, nein; was darüber hinausgeht, stammt vom Bösen.« Indem die Gottesmutter für unsere modernen Ohren hart klingende Worte wie »Sünde, Bekehrung, Buße, Vereinigung mit dem Sühneopfer Christi« benutzt, möchte sie uns nur daran erinnern, dass Gott existiert, dass wir ihn nicht ignorieren, oder noch schlimmer, uns gegen ihn stellen dürfen, wenn wir nicht Leid in unser Leben bringen wollen. Treten wir dagegen in eine Liebesbeziehung mit ihm ein, eine Liebe, die er uns immer wieder anbietet, dann werden wir zur Quelle des Friedens, der Gelassenheit und der Freude finden. Auf der gleichen Linie findet sich auch die Einwilligung zum Kreuz, das Jesus freiwillig trug. Denn es enthält das Geheimnis des Lebens und nicht des Todes, indem Jesus über den Kalvarienberg ging bis zur Auferstehung. Ist es denn nicht wahr, dass Leiden und Schmerz zum Leben dazugehören, weil es schon seinen Gegensatz, den Tod, in sich trägt? Und die Liebe wiederum, nach der wir uns so sehr sehnen und ohne die uns das Leben sinnlos erscheint, braucht sie nicht ihren Gegensatz, um sich zu verwirklichen und auszudrücken: indem sie jedes Mal aufs Neue beweist, dass sie den Hass besiegen kann?

Ein gewisses Maß an Leid – seltsam, aber gelebte Erfahrung – ist für uns notwendig, um zu wachsen, unser Gewissen zu verfeinern, um das menschliche Schicksal besser zu verstehen und um das Bedürfnis nach Gott zu entdecken. Und endlich, um ihm zu begegnen als jener vollkommenen und absoluten Liebe, die notwendig ist, um unserem Leben und Sterben einen Sinn zu verleihen. In diesem Zusammenhang kann Leid die Bedeutung von Sühne annehmen, worauf die »Mutter des Wortes« in Kibeho hingewiesen und wozu sie auch aufgerufen hat: Mit dem höchsten Wert der Passion Jesu, die ja bereits vollkommen in sich ist, können wir unsere Leiden vereinen, um Gutes für uns und für andere Menschen zu bewirken. Das »Evangelium vom Kreuz« schließt somit die Freude nicht aus, sondern vielmehr ein. Genauso wie bei den Erscheinungen von Kibeho, bei denen Zeiten der Katechese, des Gebets, der Meditation der Passion Jesu oder der Schmerzen Mariens sich abwechseln mit Elementen der Freude, des Lobpreises durch Lieder, welche die selige Jungfrau selbst den Seherinnen beigebracht hat, oder auch durch Tänze entsprechend den örtlichen Bräuchen.

Nichts davon ist wirklich neu, denn – um es mit den Kartäusern zu sagen, deren Motto es ist – *Stat crux dum volvitur orbis* – »Während das Kreuz fest steht, dreht sich die Welt«. Sie dreht und dreht sich, diese Welt, diese moderne Welt, für die Maria eine beunruhigende Diagnose hat. Gleichzeitig macht sie ein altes und doch immer neues Angebot, denn sie ist imstande, zum menschlichen Herzen zu sprechen, uns nachdenklich zu machen, um unsere eigenen Fehler zu erkennen. Kurz also, um uns zu einer echten Umkehr zu bewegen, uns dabei zu helfen, am göttlichen Leben teilzuhaben und uns immer mehr dem erstgeborenen Sohn anzugleichen, dem großen Bruder, diesem Jesus von Nazareth, welcher einzig und allein der Weg, die Wahrheit und das Leben ist. Das alles ist Kibeho und noch vieles mehr.

Wir haben also allen Grund, diesem noch jungen, doch zugleich weisen ruandischen Priester Don Edouard zu danken für seine Wiedergabe dieser außerordentlichen Ereignisse, die er uns mit ebenso klarer Entschiedenheit wie hingebungsvoller Seele als eine Quelle der Spiritualität für unsere Zeit vorstellt.

Vittorio Messori

Einführung

Von Afrika aus in die ganze Welt

Anlässlich des Ad-limina-Besuches der ruandischen Bischöfe in Rom lud Papst Franziskus am 6. April 2014 die ganze Weltkirche ein, um die Fürsprache der »Mutter des Wortes« zu bitten, die in Kibeho erschienen ist. Es ist klar, dass der Heilige Vater nicht nur dazu einladen wollte, dass wir ein einfaches Gebet zu Unserer Lieben Frau sprechen, sondern dass wir uns mit dem Kern der Botschaften beschäftigen sollen, die sie uns in Kibeho überbracht hat.

Pater René Laurentin, marianischer Theologe und Experte für Marienerscheinungen, der sich auch intensiv mit Kibeho beschäftigt und entsprechende Untersuchungen vorgenommen hat, hält die Erscheinungen für ein Charisma, das den spirituellen Herausforderungen unserer modernen Welt entspricht:

>»Die Erscheinungen von Kibeho sind eine Heilsbotschaft für Afrika [...] zur Stärkung Afrikas. Sie helfen, die Abirrungen des Westens auszugleichen, darunter die systematische Säkularisation, welche die wesentlichen Dinge zugunsten von Wissenschaft und Technik beiseitegeschoben hat, womit bisweilen auch Afrika infiziert worden ist. Unsere Kirchen in Europa haben allzu häufig die Inspiration durch Technokratie, die geistliche Kraft durch Bequemlichkeit, die christliche Liebe und den unumgänglichen Aufstieg zum Kreuz, den tiefsten Grund aller christlichen Werke, durch das Freud'sche Lustprinzip ersetzt. Kibeho ist keine spezifisch afrikanische Botschaft, obwohl es in seiner Form afrikanisch ist. Ich bin der Ansicht, dass Kibeho eine globale Dimension beinhaltet.«

Die »Mutter des Wortes« selbst hat immer wieder wiederholt, dass sie gekommen sei, um die ganze heutige Welt zu erneuern.

»Ich bin nach Kibeho gekommen, um mich an die ganze Welt zu wenden. Ich bin gekommen, weil ich gesehen habe, dass ihr meinen Beistand braucht.« Dies bestätigt auch Vittorio Messori im Vorwort zu diesem Buch, demzufolge die Erscheinungen ein Charisma für unsere Zeit sind, durch welche die »Mutter des Wortes« uns in prophetischer Weise an das »vergessene Evangelium« erinnert, indem sie sich mit einem Herzen voller mütterlicher Hingabe ganz verschenkt, um unsere Bekehrung zu bewirken. Ich freue mich, mit der vorliegenden Arbeit dem Volk Gottes dieses Charisma von Kibeho vorzustellen, welches die Dunkelheit in unserem Leben erhellen und eine geistliche Wiedererweckung gemäß dem Wunsch Unserer Lieben Frau bewirken kann.

Die Vorsehung hat mich zum Augenzeugen außergewöhnlicher Ereignisse in Kibeho gemacht. Ich bin Ruander und stamme aus einer Region, die an den Erscheinungsort angrenzt. Kibeho habe ich seit dem Beginn der Erscheinungen besucht. Ich bin in einer Atmosphäre der geistlichen Wiederbelebung des Glaubens aufgewachsen. Außerdem muss ich bekennen, dass mein Berufungsweg zum Priester sich substanziell aus der besonderen christlichen Atmosphäre Ruandas gespeist hat. Meine Ausbildung in spiritueller Theologie habe ich in Rom erhalten und sie hat mir vor Augen geführt, mit welchen Charismen es dem Heiligen Geist gelingt, seine Kirche zu beleben und zu heiligen.

Der Text ist eine Überarbeitung eines Teils meiner Doktorarbeit in Spiritueller Theologie, welche ich an der Theologischen Fakultät der Hochschule Päpstlichen Rechts »Teresianum« in Rom am 17. Januar 2013 unter dem Titel »Kibeho als theologischer Ort der christlichen Erfahrung mit der ›Mutter des Wortes‹« verteidigt habe. Nach der Verteidigung meiner Dissertation wurde mir vorgeschlagen, sie zu einem allgemein verständlichen Text für ein breiteres Publikum umzuarbeiten, welches sich nicht nur über die Erscheinungen in Kibeho informieren möchte, sondern im Geschenk von Kibeho vor allem eine Quelle geistlichen Lebens und ein Charisma des Wiederbelebens des Glaubens, angepasst an die geistlichen Herausforderungen der modernen Welt, erfahren möchte.

Die Erscheinungen von Kibeho sind voller Fakten, Zeichen und Symbole, die eine kostbare Botschaft in sich tragen. Ich werde sowohl die wesentlichen Punkte dieser Botschaften darstellen wie auch ihre geistliche Bedeutung. Einen besonderen Raum möchte ich den tragischen Visionen einräumen, die einen prophetischen Charakter in Bezug auf die heutige Welt beinhalten, darüber hinaus noch einen geistlichen Blick auf den schrecklichen Völkermord an den Tutsi werfen, der bei den Erscheinungen angekündigt worden ist.

Zunächst geht es darum aufzuzeigen, dass die Welt in Gefahr ist und sie droht, in den Abgrund zu stürzen, wie es bei den Erscheinungen angekündigt wurde. Die »Mutter des Wortes« erinnert daran, dass die heutigen Menschen sich gegen Gott auflehnen, und sie brandmarkt die Heuchelei im christlichen Glaubensleben. Die Themen Konversion, aufrichtiges Gebet und Glauben stehen in einer engen Verbindung zueinander, denn durch einen wahrhaften Glauben und durch aufrichtiges Gebet kann der Jünger Jesu zu einem authentischen christlichen Leben gelangen. Das Thema des Sühneleidens, zusammen mit dem Thema des Segens, gelangt im Leben der Gläubigen zum Einsatz, die mit dem Wort verbunden sind. Die Darstellung der Botschaften schließt mit einem weiteren Thema, welches bei den Erscheinungen von Kibeho immer wieder auftaucht, nämlich die eschatologische Dimension des christlichen Lebens. Die »Mutter des Wortes« erinnert uns daran, dass diese Welt einmal zu Ende gehen wird, und sie lädt die Kirche ein, ernsthaft auf das ewige Leben vorzubereiten.

Im Buch sind die Ergebnisse der Untersuchungen wiedergegeben, die ich unter theologischen Aspekten in Bezug auf die spirituelle Ausrichtung zusammengefasst habe. Für die Ausarbeitung konnte ich auf Quellen aus erster Hand zurückgreifen: die Notizbücher und Tagebücher der Seherinnen, die Berichte der Untersuchungskommissionen und darüber hinaus private Dokumente, zu denen mir der Bischof von Gikongoro in großzügiger Weise Zugang verschafft hatte. All diese Dokumente habe ich sorgfältig geprüft. Im Hinblick auf äußerste Genauigkeit, vor allem was die Übersetzung der Punkte der Botschaften betrifft, die in der Nationalsprache Ruandas erfolgt sind, habe ich auf die Zeugnisse zurückgegriffen, die durch sorgfältige und genaue Befragungen entstanden sind: die der Seherinnen Nathalie und Alphonsine, jene von Msgr. Augustin Misago seligen Angedenkens und anderer Mitglieder der Untersuchungskommissionen, die noch am Leben sind, ebenfalls von anderen Zeugen, die während der Erscheinungen anwesend waren. All diese Nachforschungen haben mich in die Lage versetzt, mich nicht nur von der Richtigkeit der Fakten zu überzeugen, sondern auch einen genaueren Eindruck vom Inhalt der Botschaften zu erhalten.

Bei der Ausarbeitung dieses Textes wurde ich, neben der Kompetenz meiner Betreuer an der Hochschule, besonders durch die Autorität und Erfahrung von P. René Laurentin und Vittorio Messori unterstützt. Pater Laurentin hat mich besonders auf methodischem Gebiet inspiriert. Vittorio Messori, italienischer Journalist und Autor von Weltrang, bekannt vor allem durch seine Werke, die er in Zusammenarbeit mit Johannes Paul II. und Benedikt XVI. geschrieben hat, unterstützte mich dabei, die Komplexität der geistlichen Herausforderungen unserer heutigen Welt zu verstehen und andererseits den Blick darauf zu richten, dass die Botschaften von Kibeho eine geeignete Abhilfe dafür sind.

Dieses Buch, obwohl es die Frucht von zuverlässigen Recherchen ist, umfasst nicht sämtliche Einzeldaten der berichteten Ereignisse: Um den Text allgemeinverständlicher zu machen,

24

entschloss ich mich, einige weniger wichtige Daten, wie zum Beispiel biografische Informationen, herauszunehmen. Zur vollständigen und genaueren Information empfiehlt es sich, die komplette Dissertation zu lesen. Sie ist in allen Bistümern und größeren Seminaren in Ruanda erhältlich sowie in Rom an der Päpstlichen Theologischen Fakultät »Marianum« und der Theologischen Fakultät der Hochschule Päpstlichen Rechts »Teresianum«.

Ich möchte mit meinen Lesern den Wunsch teilen, der »Mutter des Wortes« zuzuhören, zusammen mit der Freude, zu jenen zu gehören, die mit großer Hingabe die Botschaften, die sie in Kibeho übermittelt hat, weiterverbreiten.

Edouard Sinayobye

1. Ruanda, seine Kultur und sein Glaube

Die Erscheinungen von Kibeho in Ruanda sind, wie jedes andere Phänomen dieser Art, Ereignisse, die sich an einem ganz bestimmten Ort und zu einer ganz bestimmten Zeit ereignet haben. Um den Inhalt der Botschaften zu verstehen, muss man vor allem den Hintergrund betrachten, welchen die Seherinnen hatten, die die Zeuginnen dieser außergewöhnlichen Ereignisse waren. Wir würden das, was in Kibeho geschehen ist, tatsächlich nur oberflächlich verstehen, wenn wir nicht die Eigenheiten des ruandischen Volkes berücksichtigten, den kulturellen Kontext und nicht zuletzt die mehr oder weniger starke Neigung zur Marienverehrung. Zudem sind die Ruander ein Volk, das erst in jüngster Zeit christianisiert worden ist. Dies sollte man wissen, um zu berücksichtigen, welchen Bezug die Menschen dort zum Zeitpunkt der Erscheinungen zum Evangelium hatten und welchen Herausforderungen die christliche Gemeinschaft in Bezug auf den Glauben gegenüberstand, die dazu bestimmt war, die Erscheinungen Mariens aufzunehmen.

1.1 Das Land und sein sozioökonomischer Hintergrund

Im Zentrum Afrikas gelegen ist Ruanda ein Land der Ebenen, der Savannen und der Berge mit zahlreichen Seen und einem gemäßigten Klima. Es erstreckt sich über 26 338 Quadratkilometer. Zum Ende des Jahres 2011 wurde seine Bevölkerung auf rund 10 Millionen Einwohner geschätzt. Im Norden grenzt es an Uganda, im Osten an Tansania, im Westen an die Demokratische Republik Kongo und im Süden an Burundi. Ruandas erste Regierungsform war zunächst die Monarchie, bis das Land am 1. Juli 1962 seine Unabhängigkeit erklärte. Seit diesem Datum und bis zum heutigen Tage ist Ruanda eine Republik. Traditionell setzt sich die Bevölkerung aus drei ethnischen Volksgruppen zusammen: den Hutu, den Tutsi und den Twa. Das Zusammenleben dieser Volksgruppen war nicht immer ungetrübt. Im Jahr 1994 haben sich die internen Konflikte, die die Geschichte des Landes geprägt haben, entladen und zu dem Völkermord der Hutu gegen die Tutsi geführt. Ein grauenvolles Ereignis, auf das ich im Verlauf dieses Buches noch ausführlich zurückkommen werde, und zwar zu dem Zeitpunkt, an dem dies mit eindrucksvollen Einzelheiten bei den Erscheinungen vorhergesagt wurde.

Was die wirtschaftliche Lage betrifft, so gehört Ruanda zurzeit zu den ärmsten Ländern der Welt. Seine Wirtschaftskraft beruht hauptsächlich auf Ackerbau und Viehzucht. Trotzdem besitzt das ruandische Volk einen großen kulturellen Reichtum. Zwei Dinge davon sind hervorzuheben, denn sie stehen in engem Zusammenhang mit den Erscheinungen von Kibeho: die privilegierte Stellung der Frau in der ruandischen Gesellschaft und die Bedeutung des Begriffs *ijambo*, »Wort«.

1.2 Eine Kultur, in der die Frau verehrt wird

In der ruandischen Kultur genießen Frauen hohes Ansehen, insbesondere in Bezug auf Mutterschaft. Die Frau gilt als die »Hüterin des Herdes«, *umugore ni umutima w'urugo*. Eine ihrer Hauptaufgaben ist die Erziehung der Kinder, die ihren Müttern Respekt und Gehorsam schulden. Obwohl sich die Tätigkeiten der Frauen eher im Hintergrund abspielen, haben sie immer eine wichtige Rolle im gesellschaftlichen Leben innegehabt. Zur

Zeit der Monarchie musste zum Beispiel jeder Monarch eine »Königinmutter« haben, entweder die leibliche oder eine Adoptivmutter, die einen uneingeschränkten Einfluss auf den Sohn ausübte. Auch in der gegenwärtigen politischen Verwaltung des Landes nehmen Frauen eine wichtige Rolle ein. Das Parlament von Ruanda bestand im Jahr 2008 als erstes Parlament der Welt zur Mehrheit aus Frauen (56 Prozent der Abgeordneten).

Solch ein tiefer Respekt, den die Ruander den Frauen entgegenbringen, bleibt nicht ohne Einfluss auf die Verehrung der Jungfrau Maria. Dem folgen die Gedanken von Msgr. Alexis Bigirumwami, dem ersten Bischof des Landes und Experten für die Inkulturation des Christentums in Ruanda. »Ich weise darauf hin, dass die ›Mutter des Wortes‹, *Nyina wa Jambo*, von uns mit Begeisterung und Dankbarkeit aufgenommen wurde, weil die tiefe Liebe in das Herz jedes Ruanders eingeprägt ist, mit der er seine Mutter betrachtet. Deshalb ist es in der ruandischen Tradition auch nicht möglich, dass ein König den Thron besteigt ohne seine Mutter.« Diese kulturelle Disposition, die die Ruander übrigens mit den anderen Afrikanern teilen, hat dem Erscheinen der Jungfrau Maria sicherlich noch eine Verstärkung gegeben, auf die sie sich stützen konnte, indem sie sich als »Mutter des Wortes« vorgestellt hat.

1.3 Ein vom gesprochenen Wort geprägtes Volk

Zu den Umständen, die das Volk von Ruanda für die Aufnahme der Erscheinungen vorbereitet haben, muss der Begriff *ijambo*, »Wort«, erklärt werden. Sämtliche wichtigen Momente im privaten und gesellschaftlichen Leben werden in Form von Erzählungen weitergegeben. Diese gehören zur Tradition der mündlichen Weitergabe der Geschehnisse. Das Volk von Ruanda bewahrt seine ganze Kultur in dieser Form der Erzählung. Dies beinhaltet einen Schatz des Wissens und des Kulturerbes. Jedes gesellschaftliche Ereignis wird durch Worte geprägt und beschrieben, die ihm dann auch seinen eigenen Sinn verleihen. Das Wort trägt in sich einen Wert. All unsere Ausdrucksweisen sind diesem untergeordnet. Dazu gehören zum Beispiel die Gesänge und die Tänze. Sie hängen mit dem Erzählten immer zusammen, um die Worte zu verdeutlichen und zu unterstreichen. Man könnte sagen, es sind vielmehr getanzte und gesungene Erzählungen.

Für die Ruander ist *ijambo*, »das Wort«, jedoch nicht nur ein Kommunikationsmittel, sondern es ist eine Form des Ausdrucks, mehr noch eines Wesens, das denkt und lebt. So könnte man sagen, für die Ruander gilt, sprechen heißt existieren, *loquor ergo sum*, »Ich spreche, also bin ich«. Wenn *ijambo* somit die Bestätigung der Existenz des Seins ist, dann können wir auch sagen, dass es eine Beziehung zu der Person herstellt, die es definiert. Es gibt eine Redewendung, die genau dies ausdrückt: *Izina niryo muntu* – »Der Name ist die Person«. Wenn etwa ein Kind während einer Zeit des Friedens zur Welt kommt, nennt man es *Mahoro*, was eben »Frieden« bedeutet. In diesem Zusammenhang können wir annehmen, dass, wenn die selige Jungfrau Maria sich in Kibeho als *Nyina wa Jambo* – »Mutter des Wortes« vorgestellt hat, ihre Absicht möglicherweise war, die Zuhörer von Beginn an im Innersten anzurühren, indem sie die Beziehung zwischen dem Namen und der Identität nutzte, die im kulturellen ruandischen Zusammenhang klar ist, somit zwischen der Mutter und dem Wort selbst.

Im Bereich des Ethischen führt *ijambo* zur Tat. Somit wird nicht nur gesprochen, um etwas auszudrücken, sondern vor allen Dingen, um eine gewisse Wirkung zu erzielen. Das gesprochene Wort ist immer eine Zusage, die man um jeden Preis einhalten muss, weil »sagen« gleichbedeutend mit »handeln« ist. Diese ganz praktische Dimension des Sprechens bei den Ruandern steht, wie man klar erkennen kann, ganz im Einklang mit der biblischen Tradition, bei der das Wort Gottes mit dem Handeln in Verbindung steht (vgl. Gen 1,1–27, Lk 22,19–20). Und die Ruander besitzen auch die Begabung, dem Wort eine reale Auswirkung beizugeben. Das Wort ist aus sich selbst heraus wirksam, da es eine geheimnisvolle Macht besitzt. *Ijambo* übertrifft daher seine Rolle, die nur dazu nützt, eine gewisse Macht auszudrücken: Zu sprechen, einen Namen zu geben bedeutet, Einfluss zu nehmen auf die Menschen und Dinge. Man könnte noch ergänzen, dass das Wort nicht nur eine Wirkung erzielt, sondern sogar imstande ist, etwas zu »erzeugen«. Somit können wir also annehmen, dass Maria, da sie sich in Kibeho mit dem Titel *Nyina wa Jambo*, »Mutter des Wortes«, vorgestellt hat, sich genau auf diesen starken Punkt stützen wollte, indem sie die Ruander zum notwendigen Brückenschlag von *Ijambo*, das die Ruander so sehr lieben, zum göttlichen Logos eingeladen hat (vgl. Joh 1,1).

1.4 Ein junges Christentum in der Gefahr des Niedergangs

Das Christentum hat erst in jüngster Zeit in Ruanda Fuß gefasst: vor etwas mehr als einem Jahrhundert. Um das Jahr 1900 begannen die »Weißen Väter« mit der Evangelisierung des Landes. Zuvor praktizierten die Ruander eine traditionelle Religion und glaubten an einen einzigen und transzendenten Gott, den sie *Imana* nannten. Zu dieser Religion gehörte auch der Glaube an die Unsterblichkeit der Seele.

Das Volk der Ruander nahm den christlichen Glauben bereitwillig und rasch an. Die Geschichte ihrer Missionierung verzeichnet Momente großen Glaubenseifers, aber auch Zeiten des Glaubensabfalls. In der Gesamtschau ist Ruanda ein größtenteils christliches Land: Die letzten Daten wurden im Jahr 1992 erhoben. Zu diesem Zeitpunkt zählte man 9 Diözesen, 117 Pfarreien, 278 ruandische Priester und 280 ausländische Priester, 253 393 Katechumenen und 2 954 875 Getaufte.

Gemäß dieser Zahlen erscheint Ruanda soziologisch betrachtet als ein weitgehend christianisiertes Land: Mehr als 70 Prozent der Bevölkerung bestehen aus Christen, darunter Katholiken, Protestanten und Adventisten.

Doch diese Anzeichen einer lebendigen Religiosität verschleiern eine lange Zeit der großen Sündhaftigkeit. In der zweiten Hälfte des letzten Jahrhunderts wurde der Glaube durch einen subtilen und heimtückischen spirituellen Niedergang bedroht. In der Liturgie und der Ausübung des Glaubens gab es ziemlich viel Heuchelei neben der Kultur des Todes und einer antireligiösen Mentalität, die sich auch unter den Gläubigen immer mehr verbreitete und sich radikalisierte.

Genau während dieser instabilen und gefährlichen Verhältnisse begannen die Erscheinungen von Kibeho, die acht Jahre lang andauerten, mit dem Ziel, durch die Gottesmutter den Glauben an das fleischgewordene Wort wiederzuerwecken, neu zu stärken, zu reinigen und auch, falls möglich, die fürchterliche Tragödie zu verhindern, auf die sich das Land, ohne sich dessen bewusst zu sein, Tag um Tag mehr zubewegte.

1.4.1 Ein schwaches Christentum, reduziert auf Äußerlichkeiten

Die geistliche Situation war demzufolge unklar und voller Widersprüche. Die religiöse Praxis schwand in den Gemeinden in gleichem Maße wie der lebendige christliche Glaube. Die Widersprüchlichkeit und die Gegensätze schienen als normaler Zustand toleriert und akzeptiert zu werden. Ein spiritueller Niedergang und eine subtile Entchristlichung hatten bereits begonnen, sich zu verbreiten. Tatsächlich beteten die Menschen, füllten die Kirchen und empfingen die Sakramente, während die Priester mit effektvollen liturgischen Zeremonien beschäftigt waren. Es gab allerdings auch Menschen, die sich fragten, wie tief denn der Glaube sei, der alledem zugrunde lag. Einigen Konvertiten erschien das alles eher wie ein »besticktes Kleid, linksherum getragen« – nach einer lokalen Redewendung –, also ein kostbares Kleidungsstück, das nicht korrekt angezogen war.

Zweifellos war der Glaube für eine große Zahl der Christen nur noch ein »gesellschaftlicher Konformismus« ohne ernsthafte religiöse Überzeugung. Das ruandische Christentum beinhaltete für jenen Teil der Gläubigen eine geistliche Zweigleisigkeit. Pater van der Meersch, der die ruandischen Verhältnisse gut kannte, weil er lange dort lebte und als Missionar tätig war, hat die Glaubensschwäche wie folgt zusammengefasst: »Ein Streben nach dem Schein, ein Glaube, der von magischem Denken durchtränkt ist, eine religiöse Gleichgültigkeit oder ein Synkretismus.«

Viele Christen empfingen die Sakramente schon gar nicht mehr. Sie gingen zwar gelegentlich an den Feiertagen zur Messe, aber die restliche Zeit lebten sie wie Ungetaufte. Andere Christen wiederum zweifelten an ihrem christlichen Glauben. In ihrem täglichen Leben gab es weder Gebet noch eine sakramentale Praxis, vor allem keinen Empfang der Beichte. All diese Personen waren keine echten Ungläubigen oder gar Atheisten, sondern einfach nur schlechte Christen.

Die ruandische Kirche schien sich ihrer Schwäche gar nicht bewusst zu sein. Es waren Verhältnisse, die ein echtes geistliches Leben verhinderten und die bei den Erscheinungen von Kibeho auch mit Vehemenz beklagt wurden. Gleichzeitig soll hier nochmals betont werden, dass die »Mutter des Wortes« sich mit ihrer Botschaft der geistlichen Wiederbelebung nicht nur an das ruandische Volk, sondern an die ganze Welt gewandt hat, die ebenfalls der Bekehrung bedarf.

1.4.2 Eine mörderische Ideologie

Ich habe bereits den schrecklichen Völkermord an den Tutsi im Jahr 1994 erwähnt, der bei den Erscheinungen auch vorhergesagt wurde. Es ist angebracht, zunächst ein Verständnis dafür zu bekommen, wo die Wurzeln für diesen Völkermord lagen, indem wir die gefährliche Ideologie betrachten, die diesem zugrunde lag. Wenn es zutrifft, dass diese Ideologie zu dieser grausamen Tragödie führte, dann trifft es auch zu, dass sie nicht auf dieses Land beschränkt ist. Sie fällt in den allgemeinen Rahmen der »Kultur des Todes«, auf die Maria ausführlich Bezug genommen hat und die wir in unserer modernen Welt immer häufiger antreffen.

Da jedoch das, was in Ruanda geschehen ist, als Paradebeispiel angesehen werden kann, müssen wir zunächst die Dynamik betrachten, die dazu geführt hat. Um diese Tragödie besser zu verstehen, müssen wir untersuchen, wie es geschehen konnte, dass ein Problem der verschiedenen Ethnien – oder besser: gesellschaftlichen Gruppen – des Landes dermaßen außer Kontrolle geraten konnte, dass es zu diesem Völkermord führte.

Zunächst möchte ich darauf eingehen, weshalb diese Frage von der schlecht informierten Öffentlichkeit so häufig missverstanden wird und somit zu gefährlichen Interpretationen führen konnte. Tatsächlich ist es notwendig, zuerst der Frage nachzugehen, ob es sich bei den Hutu, Tutsi und Twa, aus denen sich die Gesellschaft von Ruanda zusammensetzt, um verschiedene Rassen oder verschiedene Ethnien handelt. Eine Ethnie ist eine Gruppe von Menschen, die über homogene familiäre, ökonomische und soziale Strukturen verfügt und deren Einheit auf einer eigenen Sprache und Kultur beruht. Von diesem Gesichtspunkt aus betrachtet kann man sagen, dass es sich bei der gesamten Bevölkerung von Ruanda um eine einzige Ethnie handelt. Folglich wäre es vom anthropologischen Standpunkt aus falsch, bei den Hutu, Tutsi und Twa von drei Ethnien in Ruanda zu sprechen. Sie als »soziale Gruppen« zu bezeichnen, dürfte richtig sein. Ungeachtet der morphologischen (die äußere Gestalt betreffenden, Anm. d. V.) Unterschiede, die jede der drei Gruppen seit langer Zeit auszeichnen, sind sie als eine einzige Ethnie zu betrachten. Es gibt einige Gründe, die dafür sprechen, dass es sich um ein Problem handelt, welches aus einer Reihe von geschichtlichen Umständen entstanden ist, die auf politischer Ebene benutzt wurden, bis sie schließlich eine Spaltung zwischen diesen gesellschaftlichen Gruppen verursachte. Diese Spaltung nahm immer weiter zu, bis sie sich in einer unkontrollierbaren Tragödie entlud. Die Konsequenzen dieser spalterischen und mörderischen Ideologie, die auch Christen auf der einen wie der anderen Seite betraf, waren erschreckend: Der Hass wuchs zu einer Spirale der Gewalt an, die in einem Genozid ihren Höhepunkt erreichte, der innerhalb von drei Monaten fast eine Million Opfer gefordert hatte.

1.4.3 Eine seltsame Plage: gestohlene und zerstörte Statuen der Jungfrau Maria

Von 1979 bis 1981, dem Jahr, in dem die Erscheinungen von Kibeho begannen, breitete sich in Ruanda zunehmend ein weiteres sehr seltsames und skandalöses Phänomen aus: Es waren noch nie da gewesene Vorfälle, die gegen religiöse Symbole, insbesondere gegen Darstellungen der Jungfrau Maria, gerichtet waren. In allen Regionen des Landes wurden Marienstatuen gestohlen und zerstört. Der französische Missionar Pater Gabriel Maindron, der nur drei Jahre nach dem Beginn der Erscheinungen das erste Buch über Kibeho geschrieben hat, fasste diese Vorkommnisse wie folgt zusammen:

»[In jenen Jahren] wurden fast alle Marienstatuen, die an den Eingängen der Pfarrkirchen aufgestellt waren, verstümmelt, ganz zerstört oder gestohlen. Die Katholiken waren von diesen Angriffen tief getroffen und gedemütigt. Und in diesem Klima der Entmutigung entschloss sich Maria, uns in Ruanda zu erscheinen. War es denn für Maria nicht der beste Augenblick, nun in unseren Herzen wieder ihren Platz einzunehmen? Es war eine traurige Zeit, in der sie beinahe in Vergessenheit geraten war und in der man sie nur noch selten um ihre Fürsprache bat, in der wir versucht waren, sogar ihr Bild zu zerstören! Wir wollten sie verschwinden lassen, indem alles vernichtet wurde, was an sie erinnerte. Doch nun kommt sie als Königin zu uns zurück und ist wieder die tröstende Mutter aller und der Weg, der uns zu ihrem Sohn Jesus führt.«

Man hat vergeblich versucht, die Täter zu ermitteln und somit auch ihre Motive zu verstehen. Alles war im Schutz der Dunkelheit geschehen. Was die Hintergründe betraf, so waren die Menschen der Meinung, dass die Täter dafür gut bezahlt worden waren, andere glaubten wiederum, dass es sich um einen Angriff des Teufels handelte. Denn Ruandas junges Christentum konnte auf eine wunderbare Geschichte der Verehrung der Jungfrau Maria zurückblicken.

Die Missionsgesellschaft der Afrika-Missionare, die das Land als Erste evangelisiert hatte, legte großen Wert auf eine marianisch geprägte Spiritualität, die sie den Neubekehrten vermittelt hatte. Die Verehrung der Gottesmutter war somit ein wichtiges Merkmal bei der Evangelisierung Afrikas und insbesondere auch Ruandas. In diesem Zusammenhang sind auch die wiederholt von den Missionaren durchgeführten Marienweihen zu verstehen. So wurde die erste Kathedrale Ruandas, die im Bistum Kabgayi errichtet wurde, am 8. April 1923 der Unbefleckten Empfängnis geweiht. Die für Ruanda-Urundi bestimmte Kathedrale in Astrida wurde *Notre Dame de la Sagesse* – »Unserer Lieben Frau von der Weisheit« geweiht.

Noch bedeutender war die Weihe des ganzen Landes an die selige Jungfrau Maria anlässlich der 50-Jahr-Feier der Evangelisierung Ruandas am 15. August 1950. Zu diesem Anlass wurden vierzig Marienstatuen geweiht und den vierzig bereits bestehenden Missionsstationen übergeben, um zu unterstreichen, dass alle ruandischen Christen und das Land als Ganzes der Muttergottes geweiht werden sollten.

1.5 Die religiöse Situation in Kibeho

Nachdem ich zumindest im Großen und Ganzen den Gesamtzusammenhang dargestellt habe, befassen wir uns nun genauer mit Kibeho, dem Ort, an dem die Erscheinungen stattgefunden haben. Kibeho befindet sich im Süden des Landes, in der ehemaligen Präfektur Gikongoro, der heutigen Südprovinz. Die am 29. November 1934 errichtete Pfarrei wurde dem Patrozinium »Maria, Muttergottes« unterstellt. Es ist eine besondere Fügung, wenn man bedenkt, dass Maria sich dort, wie bereits erwähnt, gerade als »Mutter des Wortes« vorgestellt hat. Zum Zeitpunkt der Erscheinungen zählte die Pfarrei, zu der ein großes Einzugsgebiet gehörte, 35 000 getaufte Katholiken bei einer Gesamtbevölkerung von 52 433 Einwohnern. Die Pfarrei von Kibeho war das einzige religiöse Zentrum in dem Gebiet. Zu diesem Bereich gehörten auch soziale Einrichtungen, eine kleine Krankenstation, Grundschulen, ein landwirtschaftliches und handwerkliches Ausbildungszentrum (CERAI) und ein Mädcheninternat, das die drei Seherinnen besuchten.

Was das christliche Engagement betrifft, so wurde die große Pfarrei Kibeho als eine der lebendigsten Pfarreien der gesamten Kirche von Ruanda betrachtet. In jenen Jahren gab es auch einige geistliche Bewegungen in der Pfarrei: die Xaveri-Bruderschaft (ein katholischer Jugendverband) mit über 200 Mitgliedern, die Gruppe JOC mit neunzig Mitgliedern, die Legio Mariens mit 1500 Mitgliedern. Die Berufungen waren zahlreich: ein Bischof, achtzehn Priester, dreißig Ordensleute, zehn Brüder und ein Diakon.

Das Internat von Kibeho, in dem sich die Erscheinungen ereigneten, war im Jahre 1967 gegründet und der Kongregation der Töchter Mariens, den Benebikira-Schwestern, anvertraut worden. Es war eine armselig ausgestattete Schule: Die bauliche Substanz war schlecht und es gab keine Trinkwasserversorgung. Die Schülerinnen mussten deshalb täglich zu einer zwei Kilometer entfernten Quelle ins Tal gehen, um von dort Wasser zu holen. Zu Beginn des Schuljahres 1981, dem Jahr, in dem die Erscheinungen begannen, gab es dort 120 Schülerinnen. Sie wohnten alle im Internat und waren in drei Klassen aufgeteilt, die sich auf den Eintritt in den kaufmännischen Zweig oder in die normale Grundschule vorbereiteten. Der Lehrkörper war gemischt: Ordensleute und Laien gehörten dazu. Im Internat gab es außerdem drei Ordensfrauen, die nicht zum Kollegium gehörten: Schwester Germaine Nagasanzwe, von 1975 bis 1984 Direktorin der Schule, Schwester Blandine, verantwortlich für die Disziplin, und Schwester Matilde, die mit der Verwaltung und Buchhaltung betraut war.

Man kann sich die Frage stellen, wie es um die religiöse Praxis in der Schule von Kibeho vor den Erscheinungen bestellt war. Die meisten Schülerinnen waren katholisch, siebzehn waren protestantisch und zwei muslimisch. Die religiösen Aktivitäten waren auf ein Minimum reduziert. Das Fach Religion wurde ganz regulär unterrichtet, es gab kein besonderes Programm zum Thema »Erscheinungen«, also nichts, was die Schülerinnen hinsichtlich der außergewöhnlichen Ereignisse, die bevorstanden, irgendwie hätte beeinflussen können. Es war überhaupt kein außergewöhnlicher Eifer für das Religiöse festzustellen. Da es keine eigene Kapelle für die Schülerinnen gab, wurde das gemeinsame Gebet im Schlafsaal oder im Speisesaal verrichtet. Wer sonntags an der heiligen Messe teilnehmen wollte, musste in die Pfarrkirche gehen. In den Räumlichkeiten der Schule gab es an den Wochentagen eine heilige Messe. Die Schülerinnen im Internat gehörten zum Teil den verschiedenen Jugendbewegungen an. Neben der bereits erwähnten Xaveri-Bruderschaft und der Legio Mariens waren auch die Katholische Studentenbewegung JEC, die Pfadfinder und die Charismatische Erneuerung dort vertreten. Die protestantischen und muslimischen Schülerinnen hatten die Möglichkeit, ihren eigenen Glauben frei auszuüben. Es war also ein ganz gewöhnlicher Rahmen, in den, wie wir bald sehen werden, plötzlich die beunruhigende Neuigkeit hereinbrach, dass die »Mutter des Wortes« im November 1981 einer Schülerin zum ersten Mal erschienen war.

2. Allgemeine Erwägungen zum Phänomen der Erscheinungen

Bevor wir uns dem Ereignis von Kibeho zuwenden, ist es nützlich, einige genauere Betrachtungen vorzunehmen, die uns helfen können, das außergewöhnliche und zugleich jedoch auch komplexe und schwierige Phänomen der Erscheinungen und einiger Aspekte, die charakteristisch dafür sind, generell zu verstehen. Dazu gehört zum Beispiel das Problem, wie ihre Echtheit eingeschätzt werden kann und wie die Ekstasen der Seher bei den Erscheinungen zu beurteilen sind. Wir fragen uns aber auch, welches Gewicht den Erscheinungen in Bezug auf die Seher im Glauben der Kirche beizumessen ist. Ganz konkret: Warum und inwieweit müssen wir die von den Sehern übermittelten Botschaften ernst nehmen, die sie, wie sie selbst behaupten, von oben empfangen haben?

2.1 Wie Sterne in der Nacht des Glaubens

Um diese Art von Phänomenen in geistlicher Hinsicht gut verstehen zu können, ist es notwendig, ihre Komplexität ebenso wie ihre Begrenzungen zu berücksichtigen. Da die Erscheinungen subjektiver Natur sind, weisen sie immer einige Mehrdeutigkeiten auf, die entschlüsselt werden müssen. Diese Mehrdeutigkeiten, die jedoch die Tragweite und Relevanz der Botschaften keineswegs schmälern, sind dadurch zu erklären, dass bei den Erscheinungen zwei entgegengesetzte Aspekte zusammentreffen, die in einem gewissen Sinne nicht vergleichbar sind.

Tatsächlich ist die begrenzte menschliche Natur im Verlauf dieser Ereignisse dazu berufen, das Übernatürliche, das sie bei Weitem übersteigt, zu empfangen und weiterzugeben. Auch bei den Botschaften von Kibeho, die ich später genauer analysieren werden, sind diese Relativität und Komplexität zugleich zu berücksichtigen, ebenso wie auch die theologischen Normen, die den Umgang mit dieser Art von Phänomenen regeln. Auch wenn bei jeder Erscheinung das Wort Gottes wiedergegeben wird, das die Jungfrau Maria den Sehern übermittelt, so sind dennoch die menschlichen Grenzen der Person des Sehers in Betracht zu ziehen, der die Botschaften empfängt und weitergibt.

Deshalb ist es angemessen, an die Bedeutung zu erinnern, welche die Theologie den Erscheinungen zumisst, die im Bereich des Glaubens hierfür die Grundlage bildet. Die Erscheinungen sind »Gnadengaben mit prophetischem Charakter«. Schon der heilige Thomas von Aquin stellte fest, dass es sich dabei um Gnadengaben handelt, die zu einem praktischen Zweck umsonst gewährt werden. Sie sollen die Nähe, die Macht und die Treue Gottes im Bund mit seinem Volk bezeugen. Da sie im Dienst des Glaubens stehen, ist jede Erscheinung, um es mit Pater Laurentin zu sagen, dem Mariologen, der sich wohl am intensivsten mit diesem Thema beschäftigt hat, »ein Stern in der Nacht des Glaubens«. Diese besonderen Erscheinungen Mariens stellen somit einen Moment der Heilsgeschichte dar, die nicht vor 2000 Jahren zu Ende gegangen ist, sondern sich in der Geschichte der Kirche fortsetzt. Es sind gewisse Zeiten, die der dreifaltige Gott ausgewählt und verwirklicht hat, um den Menschen durch die Vermittlung Mariens zu helfen, sich wieder an das allzu oft vergessene Evangelium zu erinnern. So sollen die Menschen neu erkennen, wie sehr Gott sie liebt und wie sehr er sich danach sehnt, sie an dieser Liebe teilhaben zu lassen.

2.2 Ekstasen und ihre möglichen Nachahmungen

Auch in Kibeho haben die Seherinnen während der Erscheinungen die Erfahrung von Ekstasen durchlebt. Es empfiehlt sich, darauf näher einzugehen, um die mystische Tragweite dieses Begriffes zu klären. »Ekstase« stammt von dem griechischen Wort *ék-stasis*. Es bedeutet »aus sich heraustreten«, »außer sich sein«. Dabei ist zu beachten, dass es sich dabei um eine Erfahrung handelt, die nicht auf das Göttliche oder das Übernatürliche beschränkt ist. Es gibt auch andere natürliche Faktoren, die ebenfalls psychosomatische Effekte hervorrufen können, die einer Ekstase göttlichen Ursprungs ähnlich sind.

Somit gibt es drei verschiedene Arten von Ekstasen: Sie kommen von Gott, vom Teufel oder werden durch eine Krankheit verursacht. Zu diesen drei Ursachen können wir auch die Möglichkeit der Vortäuschung einer Ekstase durch die betroffene Person selbst hinzuzählen; allerdings lassen sich solche vorgetäuschten Zustände heute durch medizinische Untersuchungen leicht feststellen. Hier werden wir ausschließlich mystische Ekstasen betrachten, die von Gott stammen.

Die übernatürliche Ekstase ist ein Zustand, der zwei wichtige Elemente beinhaltet: Das erste Element ist innerlich und unsichtbar und zeigt sich in einer starken Fixierung auf ein religiöses Subjekt (oder Objekt), das zweite Element ist körperlich und sichtbar und zeigt sich in der Entäußerung der Sinne. Die anderen Körperfunktionen gehen während der Ekstase nicht verloren; Verdauung, Blutkreislauf, Herzschlag und Atmung bleiben bestehen, auch wenn diese Funktionen sich abschwächen und mit einer außergewöhnlichen Langsamkeit ablaufen. Der Herzschlag verlangsamt sich und die Atmung wird so flach, dass sie kaum noch wahrnehmbar ist.

Auf dem Höhepunkt einer Ekstase ist die bewusste Wahrnehmung betäubt wie im Schlaf. Nichts dringt ins Bewusstsein, nicht einmal starkes Hungergefühl. Während der mystischen

Ekstase verlässt die Seele den Leib und nach ihrer Rückkehr besitzt die betreffende Person keine Erinnerung an das, was in ihrer unmittelbaren Umgebung geschehen ist. Gleichzeitig verfügt sie über eine exakte Erinnerung an die innerlich erlebte, unsagbare Vision. Es sind also immer diese drei Merkmale, die eine mystische Ekstase begleiten: ein vorübergehender Ausfall der äußeren Sinne, eine innerlich eindrücklich erlebte Vision und die exakte Erinnerung daran. In Kibeho bemerkten die Zeugen, dass die Seherinnen völlig von der irdischen Welt gelöst und in die übernatürliche Welt der Erscheinungen eingetaucht waren. Sie konnten weder sehen noch hören, was um sie herum geschah. Die Ekstase war ein Zustand der vollständigen »Entrückung«.

Ich habe bereits darauf hingewiesen, dass ekstaseähnliche Zustände auch pathologische Ursachen haben können. Eine solche psychische Störung ist zum Beispiel die Halluzination, die im Bereich des Hörens und Sehens und auch des Geschmacks- und Geruchssinnes auftreten kann. Es ist nicht leicht, die Erscheinungen von psychischen Störungen wie Halluzinationen zu unterscheiden, weil es sich bei beiden um Wahrnehmungen ohne ein Objekt handelt. Dennoch gibt es einige typische Kennzeichen. Zum Beispiel ist im Falle einer Halluzination die betreffende Person so fest davon überzeugt, wirklich Visionen zu haben, Stimmen zu hören oder Menschen zu sehen, dass sie nicht einsieht, dass sie sich auch irren könnte, und deshalb eine psychiatrische Behandlung ablehnt. Zudem nimmt eine solche Person alles, was ihr widerfährt, ausschließlich auf sich bezogen wahr. Der echte Seher hingegen stimmt bereitwillig zu, dass er untersucht, beobachtet und geprüft wird. Außerdem gibt er zu erkennen, dass er genau weiß, dass die Botschaften, die er erhalten hat, nicht nur für ihn, sondern für die Gemeinschaft bestimmt sind.

Die Hysterie, um ein anderes Beispiel zu nennen, kann Zustände hervorrufen, die der Ekstase ähnlich sind. Es handelt sich dabei um eine Neurose, die durch vorübergehende Störungen der Sinnesorgane und des Bewegungsapparates charakterisiert ist. Gerade die für die Hysterie bezeichnende Unempfindlichkeit ist es, die sie der mystischen Ekstase ähneln lässt. Gleiches gilt auch für Lethargie oder Katalepsie, welche den Patienten bewegungsunfähig macht und zur Bewusstlosigkeit führt. Mit Wahnvorstellungen sind schließlich falsche Überzeugungen gemeint, die auf fehlerhaften Rückschlüssen bezüglich der eigenen Umgebung basieren. Der Betroffene hält an seinen Überzeugungen unverrückbar fest, obwohl sie im Gegensatz dazu stehen, was die anderen Personen darüber denken. Weder durch Argumente oder Gegenbeweise lässt er sich von seiner Überzeugung abbringen. Zu den verschiedenen Arten von Wahnvorstellungen gehört auch die mystische Wahnvorstellung, bei der der Patient davon überzeugt ist, direkt von Gott Botschaften zu erhalten, oder glaubt, selbst Teil der Gottheit zu sein.

Natürlich wurden auch in Kibeho all diese verschiedenen pathologischen Ausformungen in Betracht gezogen und sorgfältig geprüft, doch am Ende gelangte man zu dem Ergebnis, dass die Ekstasen der Seherinnen alle Merkmale echter mystischer Ekstasen aufwiesen. Aus den soeben dargelegten Einzelheiten ist jedoch zu entnehmen, dass eine Erscheinung ein Phänomen subjektiver Art und deshalb in sich selbst nicht überprüfbar ist. Das besondere Interesse des untersuchenden Arztes liegt folglich darin, von außen auf objektive Weise festzustellen, was die betreffende Person gerade erlebt. Heute stehen zu diesem Zweck eine Reihe von Hilfsmitteln zur Verfügung. Es gibt jedoch noch eine weitere Dimension der Prüfung des Geschehens, die von grundlegender Bedeutung ist: die Dimension des Glaubens. Aus diesem Grund ist das medizinische Fachwissen niemals ausreichend, sondern muss immer durch eine klärende Untersuchung auf theologischer Ebene ergänzt werden. Genau dies ist, wie wir sehen werden, im Falle von Kibeho auch geschehen.

2.3 Ein Charisma zum Wohl aller

Es war noch nie einfach, ein Seher zu sein. Die biblische Überlieferung berichtet, dass sie zusammen mit den Propheten immer verdächtigt, wenn nicht gar verfolgt wurden. Es ist nicht
schwer, sich vorzustellen, warum das so war, denn die Seher
behaupteten, etwas zu sehen und zu hören, was alle anderen
nicht sehen und hören konnten. Hinsichtlich der Verurteilung
falscher Propheten und vorgetäuschter Visionen sind die Aussagen im Alten Testament zwiespältig. Indem falsche Propheten angeprangert werden, wird dort gleichzeitig die systemati-
sche Unterdrückung des Prophetentums verworfen (vgl. Am 2,11–
12; Jes 30,10; Jer 11,21; Sach 1,5; Neh 9,30), die darauf abzielt,
die Prophezeiungen und Visionen der Propheten im Gottesvolk
zu dessen Schaden auszulöschen (Klgl 2,9–10; Ez 2,2–6; Ps 74,9;
Dan 3,38). Das Ziel ist immer, den Glauben vor einem möglichen Missbrauch der Prophetie zu schützen.

Trotz dieser repressiven Haltung gegenüber der Berufung des
Sehers betrachtet das Volk Gottes ihn im Allgemeinen als einen
Boten, zu dem die Menschen in Scharen kommen. Andererseits
besteht auch immer die Gefahr, den Seher für einen Magier oder
falschen Wundertäter zu halten. Deshalb ist eine sorgfältige Unterscheidung der Geister immer notwendig, wenn es um das Pro-
phetentum geht, da sonst die Gnadengaben des Heiligen Geistes
ausgelöscht werden können (1 Thess 5,19–20). Bei der Untersuchung von prophetischen Charismen, wie sie sich bei Marienerscheinungen zeigen, ist auch die sittliche und moralische Recht-
schaffenheit des Sehers entscheidend. Denn die Autorität einer
Erscheinung basiert ganz auf dem Zeugnis der Person, die sie
übermittelt, und diese Person ist bekanntlich nicht unfehlbar.
Deshalb hat die Kirche genaue Regeln aufgestellt, die bei der Untersuchung solcher Phänomene befolgt werden müssen.

Auch bei den Erscheinungen von Kibeho hat die Prophetie
einen hohen Stellenwert. Deshalb ist es erforderlich, ihre Trag-

weite und Stellung innerhalb der Lehre der Kirche zu bestimmen. Dabei hilft die biblische Überlieferung, den Wert des prophetischen Charismas im Allgemeinen zu verstehen. Das Wiederauftreten der prophetischen Gabe gehört zu den Verheißungen der Wiederherstellung Israels (vgl. Jes 59,21; Hos 12,10–11; Joel 3,1) und setzt sich im Neuen Testament fort (vgl. Mt 23,37; Apg 2,16–18). Deshalb ist die Geschichte des Christentums nicht ohne das prophetische Element vorstellbar. In diesem Sinne wäre die Verneinung der Prophetie folglich gleichzusetzen mit der Verneinung der Vorstellung, dass Gott, der sich in seinem Wort offenbart, in der Geschichte handelt. Deshalb muss die Prophetie in Beziehung gesetzt werden mit den anderen Gnadengaben, die auf das Wohl der Gemeinschaft hingeordnet sind. Prophezeiungen, die von den anderen Charismen isoliert sind oder ihnen gar widersprechen, können nicht glaubwürdig sein.

Das Ziel der Prophetie ist immer das Wohl der Gemeinschaft, die Erbauung der Christen (vgl. 1 Kor 12,1–12) und ihre Bekehrung. Zuweilen kann eine Prophezeiung auch die Warnung vor einer drohenden Gefahr sein, auf die Gott seine Kinder hinweist, um sie auf eine Haltung der Treue vorzubereiten. So sind die prophetischen Worte Jesu im Evangelium eine Aufforderung, im Unglück treu zu bleiben und sich nicht in Versuchung führen zu lassen (vgl. Mt 23,13–25,46).

Das Ziel der Prophetie ist es daher, den rechten Glauben zu erkennen und ihn vor den Aussagen falscher Propheten zu schützen (vgl. Apg 13,10; 1 Kor 12,10; 14,29) und so eine Umkehr zu bewirken. Die Vorhersage eines unheilvollen Ereignisses, das eintreffen soll, ist darauf ausgerichtet, die Menschen vor den Gefahren zu warnen, die sie durch ihre Sünden selbst hervorrufen, und bedeutet andererseits die Ankündigung von glücklichen Zeiten, wenn das Volk Gottes zur Umkehr bereit ist.

Das Zweite Vatikanische Konzil erinnert daran, dass alle Christen am prophetischen Amt Christi teilhaben (*Lumen Gentium*, 12). In der modernen Theologie hat die Prophetie ihren eigenen spirituellen Geltungsbereich. Dabei geht es darum, die Menschen, vor allem die Christen, dazu einzuladen, sich mit freiem Willen der barmherzigen Liebe Gottes anzuvertrauen, indem sie den heilenden Weg der Umkehr und sühnenden Buße beschreiten. In diesem Sinne ist auch der prophetische Aspekt bei Marienerscheinungen aufzufassen. Denn die Jungfrau Maria steht im Zentrum der Verheißung (vgl. Lk 1,26–38.46–56). Sie ist selbst Prophetin im wahrsten Sinne des Wortes, weil sie selbst im Namen Gottes und nur von ihm spricht. Die Geschichte der Marienerscheinungen kennt viele Botschaften mit prophetischem Charakter. Auch die Botschaften von Kibeho gehören dazu.

In diesem Sinn sind die Erscheinungen der Gottesmutter, wie Pater Laurentin verdeutlicht hat, eine »Weiterführung ihrer prophetischen Sendung«. Papst Benedikt XVI. hat noch als Kardinal bekräftigt, dass der prophetische Aspekt der Marienerscheinungen keinesfalls unterschätzt werden darf, weil dieser prophetische Aspekt den Gläubigen hilft, den Willen Gottes für die gegenwärtige Zeit zu erkennen, und ihnen auch den richtigen Weg in die Zukunft weist. Diese Überlegungen helfen uns zu erkennen, dass prophetische Botschaften auf die Bekehrung des Menschen abzielen, wobei sie ihm jedoch Raum für seine freie Entscheidung lassen. Gott bestimmt unsere Zukunft nicht im Voraus, sondern er verwebt die freien Willensentscheidungen des Menschen in sein künftiges Leben.

2.4 Welchen Stellenwert haben die Botschaften?

Bei einer Erscheinung muss die Wahrnehmung des Sehers aufmerksam betrachtet werden, da bei ihm das prophetische Licht aufstrahlt und immer noch verbleibt, wenn er den Übermittlungsprozess durchführt. Es ist jedoch notwendig, die einzelnen Übermittlungsstufen zu betrachten, die die Botschaft durchläuft, bis sie die Empfänger erreicht. Der Seher ist die letzte Stufe in diesem Prozess. Die ursprüngliche Quelle der Botschaft ist immer das Wort Gottes, das den Vater offenbart. Dann folgt die Jungfrau Maria, die in ihrer Eigenschaft als Mutter sich in den Dienst des Wortes Gottes stellt und den Sehern die Botschaft anvertraut, welche diese ihrerseits den Empfängern mitteilen. Bevor man sich mit den Worten befasst, die die Jungfrau Maria den Sehern anvertraut hat, ist es also nötig, sich den inneren Bezug zwischen diesen drei Übermittlungsstufen des Wortes Gottes ins Gedächtnis zu rufen.

Jesus Christus, das ewige Wort, ist der Vermittler des Vaters schlechthin. Wer ihn gesehen hat, hat auch den Vater gesehen (vgl. Joh 14,10). Er ist das Bild des unsichtbaren Gottes (vgl. Kol 1,15), der den Menschen das ewige Wort des Vaters offenbart (vgl. Joh 17,8). Der Ursprung der Botschaften, die die Jungfrau Maria den Sehern im Laufe ihrer Erscheinungen anvertraut, ist also Jesus Christus, durch den Gott sich den Menschen mitteilt (vgl. Lk 4,18; 10,21; Mt 11,5). Doch nach ihm kommt Maria, die auf einzigartige Weise durch den Heiligen Geist im Moment der Menschwerdung das ewige Wort des Vaters, Jesus Christus, empfangen hat.

So kommen wir vom Wort Jesu zum Wort Mariens. Sie hat dieses ewige Wort, das sie in ihrem Schoß empfangen hat, umgestaltet, und er hat Wohnung bei ihr genommen (vgl. Joh 14,20). Das Wort verlässt sie nicht mehr: »Der Herr ist mit dir« (Lk 1,28), und auch sie verlässt das Wort nicht mehr: »Siehe, ich bin die Magd des Herrn« (Lk 1,38). Darum sagt die Lehre der Kirche, dass Maria von Nazareth wie ihr Sohn und durch ihn das Wort ist, das nicht vergeht (vgl. Mt 24,35), weil sie zu dem Ort der Menschwerdung des Wortes wurde, das somit hörbar und sichtbar geworden ist. Wenn Maria bei ihren Erscheinungen zu den Menschen spricht, dann tut sie nichts anderes, als dieses Wort weiterzugeben, das in ihr Fleisch geworden ist (vgl. Joh 1,14).

Die Worte der Gottesmutter, die bei den Erscheinungen den Sehern anvertraut werden, sind der Widerhall des Wortes Gottes, das Mensch geworden ist. Die Botschaften, welche die Jungfrau Maria den Sehern übermittelt, befinden sich somit auf der zweiten Stufe, auf der das Wort durch die Menschen verbreitet wird. Denn aus der Selbstmitteilung Gottes durch das Wort geht die Sendung Mariens hervor: In ihr und durch sie wird das Wort Gottes vermittelt, das durch die Seher den Menschen übergeben wird. Bei ihren Erscheinungen wiederholt die Gottesmutter in ihrer mütterlichen Sprache nur das »vergessene Evangelium« ihres Sohnes. Da sie mit dem fleischgewordenen Wort eng vereint ist, sind die Worte, die sie den Sehern anvertraut, nicht ihre Worte, sondern jene des ewigen Wortes.

Die Seher, angeleitet von der Gottesmutter, werden auf diese Weise zu einer Art Sprecher, Boten und Diener des Wortes. Diese dritte Stufe der Übermittlung weist, wie bereits erwähnt, ambivalente Elemente auf, die genau abzuwägen sind, weil es sich um eine Übertragung handelt, die mithilfe der Wahrnehmung einer begrenzten Person, die eine himmlische Botschaft erhält, vorgenommen wird. Selbst wenn die Worte der Seher nicht dem Rang der Gottesoffenbarung, wie in der Heiligen Schrift wiedergegeben, gleichzusetzen sind – sie werden schließlich als Privatoffenbarungen behandelt –, so können wir doch feststellen, dass sie ein Ausdruck besonderer Glaubenstreue zum Wort Gottes sind, denn die Gottesmutter kann niemals in irgendeiner Weise dem Wort des Sohnes widersprechen. Deshalb besitzen die bei Erscheinungen übermittelten Botschaften eine besondere Bedeutung, wenngleich sie nicht zum Glaubensgut gehören.

Auch die von den Seherinnen von Kibeho übermittelten Botschaften müssen im Licht dieser Selbstmitteilung des Wortes, das in Maria Fleisch geworden ist, verstanden werden. Das ewige Wort ist die Quelle dieser Botschaften, der Heilige Geist ist der inspirierende Hauch Gottes, während Maria als »Mutter des Wortes« in gewissem Sinne die Mission fortsetzt, die sie in Kana begann: Sie fordert die Menschen auf, das zu tun, »was er euch sagt« (Joh 2,1–11).

3. Die »Mutter des Wortes« erscheint in Kibeho

In diesem Kapitel werden wir untersuchen, was in Kibeho vom 28. November 1981, an dem Tag, an dem alles begann, bis zum 28. November 1989, dem letzten Tag der Erscheinungen nach genau acht Jahren, geschehen ist. Wir werden nur die Erscheinungen der Jungfrau Maria betrachten. Jene Visionen, bei denen Jesus der Seherin Nathalie erschien, hatten eher einen privaten Charakter, weshalb sie hier nicht berücksichtigt werden. Die drei Seherinnen, über die hier berichtet wird, wurden durch die Kirche offiziell anerkannt. Es handelt sich um Alphonsine Mumureke, Nathalie Mukamazimpaka und Marie Claire Mukangango.

Weitere »mutmaßliche Seher«, die sehr zahlreich auftraten, aber nicht anerkannt wurden, werden nur zur Information erwähnt. Um eine gründliche Kenntnis der Ereignisse zu erlangen, die für die Erscheinungen in Kibeho charakteristisch sind, ist es angebracht, zunächst deren tatsächlichen Verlauf zu betrachten und danach die Gründe zu erhellen, wie sie die selige Jungfrau selbst dargelegt hat. Dann will ich versuchen, das Bild der »Mutter des Wortes«, das aus den Zeugnissen der Seherinnen hervorgeht, mit all seinen Facetten so getreu wie möglich wiederzugeben, und schließlich von den komplexen – und in gewissem Sinne auch neuartigen – mystischen Erfahrungen der Seherinnen berichten.

3.1 Die wesentlichen Merkmale

Alles begann am 28. November 1981 um 12.35 Uhr. Eine Schülerin der Sekundarschule von Kibeho, Alphonsine Mumureke, die zu diesem Zeitpunkt sechzehn Jahre alt war, fiel vor ihren Mitschülerinnen in Ekstase, während sie im Speisesaal Dienst hatte. Wie sie berichtete, sei ihr eine »Dame« erschienen, deren Schönheit nicht in Worte zu fassen sei und die sich ihr als *Nyina wa Jambo*, »Mutter des Wortes«[1], vorgestellt habe. Es muss betont werden, dass dieser Titel »Mutter des Wortes« im religiösen Leben Ruandas nicht bekannt war. In den folgenden Monaten erschien die schöne Frau zwei weiteren Schülerinnen dieser Schule: Nathalie Mukamazimpaka ab dem 12. Januar 1982 und Marie Claire Mukangango ab dem 2. März 1982.

Während der Exstasen standen die Seherinnen manchmal aufrecht, manchmal knieten sie, aber ihre Augen waren immer nach oben gerichtet und sie blickten auf ein und dieselbe Stelle. Doch fielen nie alle drei gleichzeitig in Ekstase. In der Regel wechselten zwei oder drei der Seherinnen sich bei den Ekstasen ab, jedoch kam es auch vor, dass nur eine von ihnen sich allein in Ekstase befand, während die anderen sich zu den Anwesenden gesellten. Die Erscheinungen fanden an verschiedenen Orten statt: zuerst im Speisesaal der Schülerinnen, in den darauffolgenden Monaten dann auf dem Schulhof und schließlich auf einem Podium, damit die Anwesenden das Geschehen besser

---

[1] Um den Text nicht zu stark zu belasten, werden die Quellen, die die Erscheinungen in Kibeho betreffen, nicht einzeln im Text aufgeführt. Es handelt sich hauptsächlich um die folgenden Quellen: A. Misago, *Les apparitions de Kibeho au Rwanda*, Kinshasa 1991; G. Maindron, *Des apparitions de Kibeho: Annonce de Marie au cœur de l'Afrique*, O.E.I.L., Paris 1984; die Tagebücher der Seherinnen Alphonsine Mumureke, Nathalie Mukamazimpaka und Marie Claire Mukangango; den Brief vom 24. Juni 1982 von Alphonsine an Msgr. Gahamanyi; die verschiedenen Berichte der Untersuchungskommission; A. Misago, »Predigt vom 15. August 1992«, in: *Dialogue 161* (1992); N. Mukamazimpaka, *Ubutumwa bwite*, 2003 (dies ist eine Broschüre, die die Seherin auf Bitte von Msgr. Misago geschrieben hat).

verfolgen konnten. Der genaue Zeitpunkt der Erscheinungen wurde angekündigt entweder im Verlauf einer privaten oder einer öffentlichen Erscheinung.[2] Dadurch waren die Menschen immer darüber informiert, wann die nächste Erscheinung sein würde. Die Anwesenden konnten während den Erscheinungen die Stimme der betreffenden Seherin hören und so mitverfolgen, was die selige Jungfrau Maria durch sie mitteilen wollte. Manchmal nahm das Gespräch die Form einer richtigen katechetischen Unterweisung oder einer Predigt an. Der Inhalt der Botschaften schien ganz klar für die geistliche Unterweisung der Menschen zu sein.

Es ist anzumerken, dass die selige Jungfrau Maria sich im Vergleich zu den bekannten Erscheinungen in Fatima oder Lourdes ungewöhnlich verhielt. Hier in Kibeho war tatsächlich die lange Dauer und die Fülle der Worte für diese Erscheinungen charakteristisch. Eine Erscheinung konnte, wie im Fall von Nathalie am 30. Oktober 1982, fünf Stunden am Stück dauern. Es gab jedoch noch weitere Faktoren, welche im Verlauf der Erscheinung die Dauer beeinflussen konnten: kürzeres oder auch längeres Schweigen, Gesänge, Tänze, das Gebet des Rosenkranzes oder andere Fürbittgebete, Segnungen, Heilungen und auch Stürze der Seherinnen. All diese Merkmale waren einzigartig.

3.2 Warum und wie ist die Jungfrau Maria in Kibeho erschienen?

In Kibeho offenbarte die »Mutter des Wortes« den Seherinnen, dass sie in Ruanda erschienen sei, um die Menschen an das

---

[2] Die »privaten Erscheinungen« geschahen ohne die Anwesenheit von Zeugen, weil der Inhalt jeweils nur die Seherin allein betraf. Die öffentlichen Erscheinungen erfolgten in Anwesenheit von Zeugen, weil die Botschaften für alle Menschen übergeben wurden.

Wort Gottes »zu erinnern und ihnen zu helfen«. Alle drei Seherinnen bestätigten, dass die Erscheinungen der Jungfrau Maria das Ziel verfolgten, eine geistliche Erneuerung zu bewirken angesichts dessen, dass die Welt sich gegen Gott aufgelehnt hat und ihrem Untergang entgegengeht. Am 21. Mai 1983 hat die selige Jungfrau Nathalie den Grund ihres Kommens mit diesen Worten erklärt:

> »Ich bin gekommen, um euch an das zu erinnern, was ihr vergessen habt, um euch anzukündigen, dass es schlecht um die Welt steht, um euch zu sagen, dass ihr beten sollt, um euch auf den rechten Weg zurückzuführen und euch aufzufordern, die christlichen Tugenden zu praktizieren, vor allem die Demut und die Liebe. Ich bin gekommen, um euch zu sagen, was ihr tun müsst, damit der Leib nicht die Oberhand über den Geist gewinnt. Ihr müsst euch kasteien *(kwihana),* Buße tun *(kwibabaza)* und fasten *(kwigomwa).*«

Wie überall an den anderen Orten, so ist die Jungfrau Maria auch in Kibeho nicht erschienen, um neue Unterweisungen zu geben, sondern um an das »vergessene Evangelium« zu erinnern und die Menschen auf den rechten Weg zurückzuführen.

Was das Gesicht der Jungfrau Maria betrifft, so haben die Seherinnen bestätigt, dass die Hautfarbe weder schwarz noch weiß war, sondern farblich dazwischenlag. Sie kannten keine Farbe auf der Erde, mit dem sie die Hautfarbe genau beschreiben konnten. Was das Alter betraf, so war sie weder jung noch alt. Die Jungfrau Maria war beinahe immer mit einem weißen Gewand ohne Gürtel bekleidet, das ihr bis zu den Füßen fiel und lange Ärmel hatte, die bis zu den Handgelenken reichten. Sie hatte keine Schuhe an. Auf dem Kopf trug sie einen weißen Schleier, der zwar ihre Haare, aber nicht ihr Gesicht verbarg. Es sah so aus, als ob der Schleier mit dem übrigen Gewand verbunden wäre: Er bedeckte ihren Kopf ganz und reichte bis zu den Füßen. Nathalie ist die einzige der drei Seherinnen, welche die selige Jungfrau zweifarbig gekleidet gesehen hat: in einem weißen Kleid mit einem himmelblauen Schleier, ansonsten war die Bekleidung gleich, wie Alphonsine und Marie Claire sie beschrieben haben.

Was die Körperhaltung betraf, so sahen Alphonsine und Marie Claire die Jungfrau Maria immer mit vor der Brust gefalteten Händen, während Nathalie sie manchmal auch mit leicht nach unten geöffneten Händen sah. Die erste Haltung bedeute gemäß der Erklärung, welche die Jungfrau Maria der Seherin Nathalie gab, dass sich in ihr die ganze Gnade Gottes vereine. Die zweite Haltung bedeute dagegen, dass sie Spenderin der göttlichen Gnaden sei. Während der gesamten Dauer der Erscheinungen verblieb die Jungfrau Maria immer in der gleichen Haltung, ohne sich zu bewegen, außer im Moment der Segnung. Dann legte sie ihre linke Hand auf die Brust und mit der rechten Hand machte sie ganz sachte das Kreuzzeichen. Während des Gesprächs mit den Seherinnen schwebte sie in der Luft, ihre Füße stützten sich nirgends ab.

Wenn die Jungfrau Maria erschien, sahen die Seherinnen zunächst ein blendendes Licht, über das sie am Anfang erschraken, aus dem die Jungfrau Maria hervortrat. Beim Kommen oder Gehen machte sie keinen Schritt. Bei diesem Punkt gibt es jedoch abweichende Aussagen. Alphonsine zum Beispiel sah sie kommen, wie sie »wie auf Schienen gleitend« sich bewegte. Marie Claire beschrieb ihr Kommen und Gehen so, als ob sie schwebend wie von einem sanften Wind getragen wäre. Nathalie benutzte hingegen den Vergleich mit einem Vogel: Sie sah sie von Weitem kommen wie einen Adler, der sich schnell näherte. Diese Einzelheiten haben sich bei manchen Erscheinungen verändert, wenn die Seherinnen in Ekstase fielen und die Jungfrau Maria sahen, als sie sich bereits an Ort und Stelle befand und zunächst von Blumen umgeben war.

Wenn die Jungfrau Maria wieder wegging, verschwand sie manchmal sofort, manchmal ging sie, wie sie gekommen war, langsam, ohne der Seherin den Rücken zuzudrehen, bis diese sie nicht mehr erkennen konnten. Üblicherweise kam sie allein, außer am 22. Mai 1982, als Nathalie sie in Begleitung von vier weiß gekleideten Engeln sah, die jedoch keine Flügel hatten. Die Seherinnen bestätigten, dass sie mit ihnen in ruhigem Ton und mit unvergleichlicher Zartheit redete, ihre Stimme war so süß wie Musik. Sie beschrieben es so, als ob die Jungfrau Maria beim Reden den Mund nicht öffnete, sodass keine Zähne zu sehen waren.

Sie sagten, sie seien berührt gewesen von der unendlichen Zärtlichkeit der seligen Jungfrau Maria, die bei ihnen ein Gefühl von Geborgenheit hervorrief, das von großer Vertrautheit geprägt war. Ihrerseits wandten sie sich an die Jungfrau Maria mit Worten, die von großem Vertrauen zeugten. Häufig sahen die Seherinnen, wie sie lächelte. Manchmal sahen sie sie jedoch auch sehr traurig und in tiefem Schmerz, und einmal, am 15. August 1982, weinte sie sogar vor übergroßem Kummer. Vor allem Nathalie und Marie Claire erlebten die Gottesmutter bei Erscheinungen sehr schmerzerfüllt.

3.3 Wer sind die Seherinnen?

Wenn Erscheinungen untersucht werden, ist zunächst ein Kennenlernen und eine Einschätzung der jeweiligen Seherpersönlichkeit notwendig gemäß dem thomistischen Prinzip *quidquid recipitur ad modum recipientis recipitur* (»Was auch immer wahrgenommen wird, wird durch die Art des Wahrnehmenden bestimmt«). So wollen auch wir es halten.

Die drei Seherinnen von Kibeho waren gut in ihrem familiären und schulischen Umfeld integriert. Sowohl die Untersuchungskommissionen, die das Leben der Seherinnen auch außerhalb der Erscheinungen überprüft haben, als auch die Personen, die sie sehr gut kannten, wie die Lehrer an der Schule oder ihre Familienmitglieder, haben bestätigt, dass die Seherinnen im Verhalten so natürlich waren wie die anderen Mädchen ihres Alters. Die klinischen Untersuchungen und Tests haben ergeben, dass ihr körperlicher und mentaler Zustand völlig normal war. Im Folgenden werde ich auf jede einzelne Seherin eingehen.

3.3.1 Alphonsine Mumureke

Die erste Seherin, Alphonsine Mumureke, stammte aus der heutigen Ostprovinz, aus dem Dorf Cyizihira. Sie wurde am 21. März 1965[3] als drittes Kind ihrer Eltern geboren. Am 27. Juli 1977 wurde sie im Alter von zwölf Jahren getauft und am 28. Juli 1978 gefirmt. Ihre Eltern Thaddée Gakwaya und Marie Immaculée Mukarasana hatten am 23. August 1956 in Zaza kirchlich geheiratet. Bei der Geburt von Alphonsine waren sie bereits getrennt, wurden aber erst 1972 amtlich geschieden. So war die Mutter für ihre Kinder allein verantwortlich. Alphonsine wuchs deshalb in einer familiär schwierigen Umgebung auf.

Was den Charakter und die Persönlichkeit Alphonsines betraf, so war sie extrovertiert, emotional, mitteilsam und spontan im Gespräch und ihren Reaktionen. Hinter ihrer direkten Art war jedoch von Kindheit an eine gewisse Impulsivität verborgen. Deshalb genoss sie keine große Sympathie bei ihren Mitschülerinnen. Ihre Frömmigkeit war ganz normal, von ihren Altersgenossinnen unterschied sie sich weder durch besondere christliche Tugendhaftigkeit noch durch besonderen Eifer. Sie war Mitglied des Chores *Pueri cantores,* besuchte die heilige Messe und betete wie die anderen Mitschülerinnen. Erst in der Zeit des Katechumenats hatte sie gelernt, den Rosenkranz zu

---

[3] Das Datum 21. März 1965 ist im Bericht der theologischen Kommission vom Juli 1993 (über die Seherinnen) erwähnt, während aus Alphonsines Tagebuch ein anderes Geburtsdatum hervorgeht, und zwar der 2. März 1965.

beten. Ihr Intellekt kann nicht als besonders brillant bezeichnet werden. In ihrem ersten Schuljahr erreichte sie ein mittleres Niveau: 56,7 Prozent im ersten Trimester, 50 Prozent im zweiten und 65,5 Prozent im dritten. Nach dem Bericht der medizinischen Kommission verfügte Alphonsine über eine ausgezeichnete Gesundheit. Psychisch und sozial gab es bei ihr keine Auffälligkeiten.

Am 28. November 1981 erlebte sie, wie bereits erwähnt, die erste Erscheinung. Bevor sie in Ekstase fiel, empfand sie ein Gefühl von Freude, gemischt mit Angst, und in dieser Gemütslage hörte sie eine Stimme, die nach ihr rief. Hier ist der Bericht über diese erste Erfahrung, wie Alphonsine sie in ihrem Tagebuch festgehalten hat:

»Ich hörte eine zarte Stimme, die rief: ›Kind.‹ Ich antwortete: ›Hier bin ich!‹ Auf einmal wurde ich an einen anderen Ort versetzt, der ganz hell war, und ich sah eine ganz weiße Wolke auftauchen. Aus dieser Wolke trat eine geheimnisvolle Person hervor, eine mir nicht bekannte Dame, die sehr schön und ganz in Weiß gekleidet war. Auf dem Kopf trug sie einen weißen Schleier, der mit dem Rest des Gewandes verbunden zu sein schien. Diese Frau kam auf mich zu, aber ohne dabei Schritte zu machen wie wir Menschen. Sie hatte die Hände vor der Brust gefaltet. Sie näherte sich mir ganz ruhig und bewegte sich über dem Boden, als ob sie von einer leichten Brise geschoben würde. Ich ging zum Flur und machte eine Kniebeuge und das Kreuzeichen und fragte: ›Frau, wer bist du?‹ Die Dame antwortete mir: ›Ich bin *Nyina wa Jambo*‹, die ›Mutter des Wortes‹. Ich fiel auf die Knie, machte das Kreuzeichen, und auch die Frau bekreuzigte sich.«

Alphonsine, aber auch die Augenzeugen waren der Auffassung, dass diese erste Erscheinung ungefähr eine Viertelstunde gedauert hat. Die Augenzeugen berichteten, dass Alphonsine während der Ekstase in mehreren Sprachen gesprochen hatte: Ruandisch, Französisch, Englisch, Latein und anderen Sprachen, die die Anwesenden nicht kannten.

Zunächst wurden die Erscheinungen mit Misstrauen und sogar offenem Widerstand aufgenommen, einige empfanden jedoch auch gewisse Sympathien mit Alphonsine. Viele stellten natürlich Hypothesen auf, um das ungewöhnliche Phänomen zu erklären: Täuschung, diabolische Besessenheit, eine Inszenierung vonseiten der Schulschwestern usw. Anfangs, so wie es übrigens in solchen Fällen immer ist, litt die Seherin sehr unter den subtilen Verfolgungen, denen sie sich ausgesetzt sah. Doch schließlich, trotz aller Widerstände, konnte sich Alphonsine mit der Zeit als eine tragende Rolle im weiteren Verlauf der Erscheinungen behaupten: Sie erhielt von der Gottesmutter Botschaften für Einzelpersonen, darunter höchste politische Persönlichkeiten. Die Seherin bestätigte, von der »Mutter des Wortes« drei Geheimnisse erhalten zu haben, die zu einem geeigneten Moment veröffentlicht werden sollen. Das erste Geheimnis, das sie von der Jungfrau Maria empfangen hat, war für sie selbst bestimmt. Die beiden anderen betreffen die ganze Welt und sollen nach Alphonsines Tod veröffentlicht werden.

Alphonsine durfte als Erste eine »mystische Reise«[4] machen, die von Samstag, 20. März 1982, von 13.30 Uhr bis früh um 6 Uhr des folgenden Tages dauerte. Ihre Erscheinungen, die recht häufig aufeinanderfolgten, wurden ab dem 15. August 1982 immer seltener und hörten am 28. November 1989 ganz auf. Sie trat danach in ein Kloster des Klarissenordens ein und legte ihre ewige Profess am 15. Juli 2006 ab. Derzeit lebt sie in einem Kloster in Europa.

3.3.2 Nathalie Mukamazimpaka

Die zweite Seherin, Nathalie Mukamazimpaka, stammte aus dem Dorf Ntwari in der Gegend von Nyaruguru und wurde 1964

---

[4] Unter einer »mystischen Reise« versteht man hier länger andauernde Ekstasen, wie sie die Seherinnen von Kibeho, Alphonsine und Nathalie, erlebt haben.

geboren. Ihr Vater Laurent Ngango war ein ehemaliger Gemeindepolizist. Seine zweite Frau hatte ihm sieben Kinder geschenkt. Mit seiner ersten Frau, Gaudence Kabaziga, Nathalies Mutter, hatte er acht Kinder, wobei Nathalie das vierte Kind war. Sie wurde im Alter von vier Jahren am 2. Februar 1968 getauft und am 23. August 1979 gefirmt, am Ende ihres ersten Schuljahres in der Sekundarschule, die sie seit dem Schuljahr 1978/79 besuchte. Zum Zeitpunkt, als die Erscheinungen begannen, war sie 18 Jahre alt. Sie war eine ziemlich mittelmäßige Schülerin. Vom Temperament her war Nathalie schüchtern, nicht sehr mitteilsam, wortkarg, sehr zurückhaltend und ruhig. Sie besaß eine Abneigung gegen lautstarke Aktivitäten oder solche, bei denen sie im Vordergrund stand. Sie war eher schweigsam, vielleicht ein wenig phlegmatisch. Nie hat sie jemand in Aufregung erlebt. Sie war eher verschlossen und zeigte ihre tiefen Gefühle nicht nach außen.

Was ihre Religiosität betrifft, so war ihre Frömmigkeit überdurchschnittlich. Bei ihrem Eintritt in die Sekundarschule hatte sie sich der Legio Mariens angeschlossen. Als die ersten Erscheinungen in Kibeho geschahen, war sie die Verantwortliche für diese geistliche Bewegung. Die befragten Zeugen bestätigten einstimmig, dass sie ein reiches inneres Leben führte und ein hohes moralisches Ansehen bei ihren Mitschülerinnen genoss, von denen sie den Spitznamen »Gebetsexpertin« erhalten hatte. Was ihre Gesundheit betraf, so bestätigten die Ärzte der medizinischen Kommission Nathalie sowohl im physischen wie auch psychischen Bereich einen ausgezeichneten Gesundheitszustand.

Die Erscheinungen begannen bei Nathalie am 12. Januar 1982 nach dem Abendessen. Nach ihrem eigenen Bericht verspürte sie an diesem Abend, während die anderen Schülerinnen frei hatten, das tiefe Bedürfnis, sich zurückzuziehen, um zu beten. Sie ging in den Schlafsaal, der auch als Kapelle diente, um den Rosenkranz zu beten, wie es ihre Gewohnheit war. Kurz darauf schlossen sich einige Schülerinnen ihr an, um gemeinsam den Rosenkranz zu beten. An einem bestimmten Punkt hörte Nathalie auf, die Worte zu sprechen und den Rosenkranz durch ihre Finger gleiten zu lassen, so als ob sie eingeschlafen wäre. Dann verspürte sie eine Angst, die immer stärker wurde und unüberwindlich und unerklärlich war. Ihr ganzer Körper begann zu zittern und zu beben. Gleichzeitig hatte Nathalie das Gefühl, ihren normalen Bewusstseinszustand mehr und mehr zu verlieren und von Kibeho weg an einen anderen Ort zu gelangen. Sie befand sich schließlich ganz allein auf einer ihr unbekannten grasbewachsenen Ebene. Zunächst war es dunkel, von einem gewissen Moment an sah sie jedoch rote Kugeln, die in der Dunkelheit erschienen und eine nach der anderen vor ihren Augen zerbarsten.

Nach einer Weile sah Nathalie ein helles Licht, aus dem eine traurige Stimme zu ihr sprach: »Kind, ich bin traurig. Es betrübt mich, dass ich euch eine Botschaft übermittelt habe, die ihr nicht aufgenommen habt, wie ich es mir gewünscht hätte.« Bei diesen Worten voller Trauer verspürte die Seherin einen so großen und tiefen Schmerz, dass sie zu weinen begann. Und in diesem Moment fügte die Stimme hinzu: »Ich habe dich bestraft und deshalb weinst du. Das bedeutet aber nicht, dass du eine schlimmere Sünderin als die anderen bist. Aber es ist ein Exempel für die anderen, um ihnen zu zeigen, dass ich sie in gleicher Weise bestrafen kann.«

Diese ersten Sätze scheinen die Ankündigung der besonderen Mission Nathalies zu sein: zu leiden, um für die Sünden der Welt Sühne zu leisten. Die Jungfrau Maria hat mit einer Stimmung des Leidens in ihr Leben eingegriffen, um sie einzuladen, an ihrem Schmerz teilzuhaben und ein sühnendes Leiden auf sich zu nehmen. Sie gab Nathalie den Auftrag, eine Passage in dem Buch »Nachfolge Christi« zu lesen, damit sie ihre Mission verstehen konnte. Das Buch lag in einer Ecke der kleinen Kapelle. Der Inhalt jener Passage enthüllte ihr die Absicht der

Gottesmutter für ihr Leben. »Die Dinge dieser Welt sind vergänglich, doch die des Himmels sind ewig.«[5]

Nach dieser ersten Erfahrung, die die Lehrkräfte und die Schülerinnen befremdete, bat Schwester Blandine, eine der Betreuerinnen, die Alphonsine bereits als authentische Seherin betrachtete, dass diese die Jungfrau Maria bitten sollte, einen Hinweis zu dieser neuen Situation betreffend Nathalie zu geben, die sie für zwiespältig hielt. Alphonsine war bereit, diesen Wunsch der Schwester zu erfüllen. Die Jungfrau Maria erschien ihr daraufhin unerwartet und forderte sie auf, Nathalie zu rufen, den Arm um ihre Schulter zu legen und sie zu ermutigen, gemeinsam mit ihr zu ihr aufzublicken. Alphonsine gab Nathalie dann ihren Rosenkranz, den sie gemeinsam in der Hand hielten, während sie ein Marienlied sangen.

Alphonsines Miteinbeziehung bei Nathalies erster Erscheinung ist bedeutsam, weil dies darauf hindeutet, dass die himmlische Mutter durch die Vermittlung der ersten Seherin Nathalie als Seherin implizit bestätigte. Entsprechend dem Zeugnis von Nathalie hatte sie selbst während der kurzen Erscheinung, die Alphonsine hatte, zunächst weder etwas gesehen noch etwas gehört. Aber nach einigen Augenblicken bemerkte sie plötzlich, dass sie weder die anderen Schülerinnen noch das Buch »Nachfolge Christi«, welches sie in ihren Händen hielt, erkennen konnte, da ihre Ekstase wieder begonnen hatte. An diesem Punkt sah sie neben sich nicht mehr nur Alphonsine, sondern auch eine zweite menschliche Gestalt mit unscharfen Konturen, die aber sogleich wieder verschwand. Erst während ihrer zweiten Erscheinung am 13. Januar 1982 war es Nathalie möglich, die selige Jungfrau klar zu erkennen und zu verstehen, um wen es sich handelte: »Nathalie, meine Tochter, hab keine Angst, ich, die zu dir spricht, bin die Muttergottes.«

---

[5] Thomas von Kempen, *Nachfolge Christi*, Feldkirch 2013, S. 7–14.

Später kam es des Öfteren vor, dass Nathalie auf Bitten der Jungfrau Maria nachts aufstand, um zu beten, und während ihres Gebetes war sie teuflischen Versuchungen jeglicher Art ausgesetzt.

Der besondere Auftrag, der ihr anvertraut wurde, schien in einem Leben in Demut, der vollkommenen Verfügbarkeit und Selbsthingabe und in der Aufopferung ihrer selbst zu bestehen und dies nicht nur im Sinne von körperlichem Leiden, sondern auch von anderen Arten des Schmerzes: Unverständnis, Kritik, Verfolgungen vonseiten anderer Menschen, ungelösten persönlichen Problemen usw. So betete Nathalie, opferte sich selbst auf und fastete, wie wir sehen werden, für die ganze Menschheit, immer mit einem Lächeln, das einen Großteil des Leidens verdeckte, das ihr von der seligen Jungfrau aufgetragen worden war. Nathalie ist die einzige der drei Seherinnen, der auch Jesus einige Male erschien, vom 29. Juni 1982 bis 31. Mai 1983, jedoch stets privat.

Das Schuljahr 1982/83 sollte sie mit einem Diplom abschließen, das ihr ermöglichte, als Lehrerin an einer Grundschule zu unterrichten. Doch die Jungfrau Maria gab ihr die Anweisung, ihre Ausbildung abzubrechen und in Kibeho zu bleiben. Zurzeit lebt Nathalie immer noch dort in einer kleinen Wohnung, die ihr von der Diözese Gikongoro zur Verfügung gestellt wurde. Sie widmet sich ganz dem Dienst für die Pilger und das Heiligtum. Ihr Leben besteht aus Gebet, Dienst an der Wallfahrtsstätte und Kasteiungen.

3.3.3 Marie Claire Mukangango

Marie Claire Mukangango, die dieselbe Schule wie Alphonsine und Nathalie besuchte, war die dritte Seherin. Sie wurde 1961 in Rusekera in der Region Nyaruguru geboren. Ihr Vater, der wenige Wochen nach ihrer Geburt gestorben war, hieß

Baseka, ihre Mutter Véronique Nyiratuza. Das Paar hatte insgesamt sieben Kinder. Ihre Mutter hatte in der Folge noch mindestens zweimal geheiratet, zum Zeitpunkt der Erscheinungen war sie mit einem protestantischen Mann verheiratet.

Während sie die Grundschule besuchte, lebte Marie Claire bei ihrer Großmutter. Sie wurde am 12. August 1966 getauft, empfing die Erstkommunion am 15. August 1969 und die Firmung am 22. August 1975. Seit dem Jahr 1977 besuchte sie das Internat von Kibeho als Klassenkameradin von Nathalie. Marie Claire besaß ein aktives, lebhaftes, unternehmungslustiges, aufgewecktes, einfaches und fröhliches Temperament und war ein geselliges und mitteilsames Mädchen. Wie alle bestätigten, hatte sie eine klare und offene Persönlichkeit und war unfähig, sich zu verstellen. Wie die beiden anderen Seherinnen gehörte Marie Claire nicht gerade zu den besten Schülerinnen. Sie war jedoch wie die beiden anderen bei bester Gesundheit.

Was ihre religiöse Praxis anbetraf, so war diese nicht weiter auffällig und auch nicht beispielhaft, ihre Frömmigkeit erschien recht gewöhnlich. Auf die Nachricht von Alphonsines Erscheinungen reagierte Marie Claire mit offener und leidenschaftlicher Ablehnung. In Bezug auf die Jungfrau Maria hatte sie eine Art von Mitgefühl geäußert, und sie betete den Rosenkranz »für Alphonsine«. Sie hielt Alphonsine für eine Pseudoseherin, weil jene ihrer Ansicht nach Dinge sagte, die ganz und gar nicht zusammenpassten. Aus diesem Grund frage sie sich, weshalb denn nur die echte Muttergottes nicht einschritt, um endlich dieser Verwirrung ein Ende zu setzen.

Doch es sollte der Tag kommen, an dem ausgerechnet sie, die den Erscheinungen so heftigen Widerstand entgegensetzte, selbst zur Seherin werden sollte – und dies geschah auf ziemlich überraschende Art und Weise ...

Am 1. März 1982 gegen 10 Uhr vormittags lud Marie Claire eine Freundin während der Pause zu einem Spaziergang im Garten der Schule ein. Ab einem bestimmten Moment fühlte sie sich selbst wie abgeschnitten von ihrer Umgebung, sie konnte auch ihre Freundin nicht mehr sehen. Gemäß ihrer Aussage hatte sie in diesem Augenblick den Eindruck, in eine fremde Welt versetzt worden zu sein, in der alles sehr dunkel war. Auch nahm sie einen widerwärtigen und erstickenden Gestank wahr, der sie dazu drängte zu fliehen, ohne dass sie jedoch wusste, wohin. Von einer geheimnisvollen Macht getrieben, fing sie an zu laufen. Sie machte sich auf den Weg und kam in diesem Zustand der Verwirrung im Schlafsaal an. Diesen betrat sie, um dort Zuflucht zu finden, und sie legte sich an diesem Ort der Erscheinungen nieder, das heißt in dem für Alphonsine reservierten Bereich, der in der Zwischenzeit zu einer behelfsmäßigen »Kapelle« umgewandelt worden war. Nachdem sie sich auf den Boden gelegt hatte, zuckte sie unter Krämpfen zusammen und stieß Schreie der Erregung aus. Ihre Mitschülerinnen, die inzwischen herbeigeeilt waren, besprengten sie mit Weihwasser aus Lourdes und gaben ihr eine kleine Statue Unserer Lieben Frau von Lourdes und ein Kruzifix in die Hände.

Diese Rituale des Exorzismus hatten eine heilsame Wirkung, denn Marie Claire erholte sich nach ungefähr einer halben Stunde wieder.

Doch am selben Tag nach dem Abendessen wiederholte sich der Vorfall. Die Schülerin ging in den Klassenraum, um einen dringenden Brief an ihre Familie zu schreiben und sie über diesen Vorfall zu informieren. Noch bevor sie den ersten Satz beendet hatte, zeigten sich ihr zwei geheimnisvolle und erschreckende Wesen, die sie nicht identifizieren konnte, die aber eine menschliche Gestalt hatten, ganz schwarz und schmutzig und mit dunklen Gewändern gekleidet waren. Mit drohenden Gebärden spuckten sie auf Marie Claire und beschimpften sie. Die Wesen vermittelten ihr den Eindruck, dass sie ihr wehtun wollten. Sie umringten sie, um sie zu ergreifen und auf sie einzuschlagen, jedoch ohne dass es dazu kam. Sie bedrängten Marie Claire mit immer größerer Bösartigkeit und verlangten von ihr ein Stück Stoff. Es ist nicht ganz klar, was diese Forderung bedeuten sollte. Bevor sie verschwanden, drohte ihr einer der beiden mit den Worten: »Ich habe dich durch Dinge und Menschen geprüft und du hast mir widerstanden, aber du sollst wissen, dass ich jederzeit zurückkommen kann.«

Weil die Seherin weiter Schreie ausstieß und unter Krämpfen zusammenzuckte und sich wand, musste man sie erneut in die Kapelle tragen. Erst nach einigen Minuten kam Marie Claire, die man dort auf den Boden gelegt hatte, nach und nach zu sich. Es war, als ob sie aus einem Albtraum erwachte.

Am folgenden Tag, dem 2. März 1982, konnte Marie Claire die Stimme der Jungfrau Maria hören und wurde von der Angst befreit, die ihr die beiden schrecklichen Dämonen am Abend zuvor eingejagt hatten. Die Stimme gab einige Anweisungen: Sie solle ihren Rosenkranz in das Wasser eintauchen, das sich vor ihr befand, das Kreuzzeichen machen und das Wasser zu der Betreuerin bringen, damit jene mit dem Wasser Marie Claires Stirn berühre und sie segne. Am Tag darauf, dem 3. März 1982, offenbarte ihr dieselbe Stimme, welches ihr besonderer Auftrag werden sollte: der »Rosenkranz der Sieben Schmerzen« …

Schließlich konnte Marie Claire am 6. März 1982 zum ersten Mal die himmlische Frau, die seit dem 2. März mit ihr gesprochen hatte, mit eigenen Augen sehen. Marie Claires Erscheinungen waren von kurzer Dauer: vom 2. März bis zum 15. September 1982. Nach ihrem Schulabschluss erhielt sie eine Anstellung als Lehrerin in ihrer Pfarrgemeinde in Mushubi. Kurze Zeit darauf heiratete sie Elie Ntabadahiga. Das Ehepaar blieb kinderlos. Marie Claire und ihr Mann wurden während des Genozids 1994 unter immer noch ungeklärten Umständen ermordet.

3.3.4 Gefäße, die die Mitteilungen weitergeben

Nachdem wir nun jede einzelne Seherin näher kennengelernt haben, will ich einige Aspekte hervorheben, die diese drei miteinander verbinden. Berücksichtigt werden soll dabei vor allem die Tatsache, dass genau diese drei von der Gottesmutter als Werkzeuge ausgewählt worden sind und keine anderen. Diese Frage ist deshalb wichtig, weil, wie bereits erwähnt, zu derselben Zeit einige andere Seher auftraten, die jedoch nicht als authentisch anerkannt wurden. Die Tatsache, dass stattdessen diese drei jungen Seherinnen als authentisch anerkannt wurden, ist auch dem Umstand geschuldet, dass die Gottesmutter diese bei mehr als einer Gelegenheit bestätigt und miteinander in Beziehung gebracht hat, zum Beispiel anlässlich der Erscheinung vom 8. Mai 1982. Alphonsine hatte der Jungfrau Maria berichtet, dass Nathalie krank sei, und von ihr daraufhin diese Antwort bekommen: »Ihr drei sollt euch nicht wegen Krankheiten sorgen. Nichts wird euch gegen meinen Willen geschehen. Ihr sollt eure Krankheiten und eure Leiden nicht nach außen zeigen. Ihr habt das Glück, mich zu sehen, und deshalb braucht ihr keine weitere Freude in eurem Leben. Ich bin immer bei euch.« Ab dem Zeitpunkt, an dem Alphonsine gegenüber der Jungfrau Nathalie erwähnt hat, können wir davon ausgehen, dass die drei Seherinnen, von denen bei den Erscheinungen die Rede ist, genau die drei Mädchen des Internats waren, die im Zentrum dieser Marienerscheinungen standen.

Ebenfalls nannte die Jungfrau am 1. Mai 1982 in einem Gespräch mit Alphonsine den Namen Nathalies: »Warum besteht deine Freundin Nathalie darauf, mich um das nie versiegende Wasser zu bitten?« Diese namentliche Erwähnung geht in dieselbe Richtung wie die soeben zitierte. Jedoch hörte auch Marie Claire bei der Erscheinung vom 28. Mai 1982, wie die Gottesmutter von den beiden anderen Seherinnen sprach: »Sie sagte mir, dass Alphonsine und Nathalie uns einige Tage zuvor die

Botschaft mit dem Aufruf zur Umkehr weitergegeben hätten, doch wir hätten nicht darauf gehört.« Es scheint also klar zu sein, dass die Gottesmutter diese drei Mädchen als ihre bevorzugten Kontaktpersonen betrachtete.

Doch es gibt noch einen weiteren wichtigen und interessanten Aspekt der Gemeinsamkeit zwischen diesen drei Mädchen, nämlich das geschichtliche Band. Sie waren wirklich »Gefäße, die die Mitteilungen weitergaben«. Wie bereits erwähnt, wurde Alphonsine bei Nathalies Erscheinung miteinbezogen: Die Botschaften Mariens für Nathalie waren durch Alphonsine übermittelt worden. Bei Nathalies erster Erscheinung, als Alphonsine auf Bitte von Schwester Blandine, der Betreuerin der Schule, die Gottesmutter bat, Nathalies Rolle klarzustellen, die ihr ambivalent erschien, hatte diese geantwortet: »Die selige Jungfrau Maria hat mich aufgefordert, dass ich Nathalie rufe und mich mit ihr der Gottesmutter zeige.«

Nathalie hatte ihrerseits bei der Erscheinung vom 2. März 1982, also noch vor dem Zeitpunkt, als Marie Claires Erscheinungen begannen, im Verlauf ihrer Ekstase direkt neben sich ein Mädchen gesehen und erkannt, dass es sich um Marie Claire handelte. Darüber hinaus hatte die selige Jungfrau Maria sie dazu aufgefordert, ihren Arm um Marie Claires Schulter zu legen und für sie zu beten. Nachdem Nathalie von Alphonsine bei der Erscheinung miteinbezogen worden war, wurde auch sie dazu aufgefordert, Marie Claire bei ihrer Erscheinung teilnehmen zu lassen. Am 6. März 1982 war eine besondere Einheit zwischen den drei Seherinnen festzustellen. Maria erschien ihnen zur selben Zeit, jedoch kann man nicht von einer Gruppenvision sprechen, sondern es handelte sich vielmehr um eine Überschneidung von einzelnen Ekstasen. Diese Einheit zwischen den drei Seherinnen machte es leichter, ihre Positionen zu untersuchen. Die Bestätigung der Echtheit der einen Seherin brachte auch Klarheit über die anderen beiden und umgekehrt.

Es gibt noch eine abschließende Beobachtung, die in Betracht gezogen werden muss: Wenn der Ruf der »Mutter des Wortes« die drei Seherinnen auch verbindet, so unterscheiden sie sich jedoch auch untereinander, indem jede einzelne einen genauen und unterschiedlichen Auftrag von der Jungfrau Maria zugedacht bekam. Alphonsine, die erste, wurde besonders dazu aufgefordert, ihr Wirken für die Heiligung der Familie und der Kirche einzusetzen und dafür zu beten. Ihre Mission bestand auch darin, das Vertrauen zur »Mutter des Wortes« zu fördern und zu verbreiten. Nathalie hingegen wurde gebeten, ein Christentum zu verkünden, in dessen Mittelpunkt das Kreuz steht, nicht als eine selbstgefällige und unterwürfige Haltung, verbunden mit einem pathologischen Masochismus, sondern als Wiederentdeckung von Jesu Liebe, mit der wir uns verbinden dürfen, um Sühne zu leisten für die Sünden der Welt. Der Auftrag, eine »Mutter der Gläubigen« zu werden, den die Gottesmutter ihr vorgeschlagen hat, gehört zu diesen Überlegungen dazu. Marie Claire wiederum hatte den besonderen Auftrag erhalten, die Verehrung des »Sieben-Schmerzen-Rosenkranzes« der Jungfrau Maria zu verbreiten, um die Gnade der Reue zu erlangen.

3.3.5 Echte und vermeintliche Seher

In Kibeho gab es auch zahlreiche vermeintliche Seher. Dies deutete ich lediglich an. Es ist bekannt, dass es sich hier keineswegs um ein neuartiges Phänomen handelt, sondern um eine Tatsache, die häufig im Umkreis von echten Erscheinungen auftritt. Wie bereits erwähnt, können sich sowohl Betrug als auch Krankheiten mit diesem Phänomen vermischen und die Dinge verkomplizieren. In Lourdes entdeckte zum Beispiel Pater Laurentin, der die Ereignisse dort lange und gründlich untersucht hatte, dass es sogar etwa fünfzig Mädchen gab, die behaupteten, die gleichen Erscheinungen wie Bernadette zu haben. In Kibeho war es so, dass unter den vermeintlichen Sehern einige behaupteten, dass ihnen die Jungfrau Maria erschienen sei, andere wiederum, dass ihnen sowohl Jesus als auch seine Mutter erschienen seien, und wieder andere sprachen davon, dass ihnen ausschließlich Jesus erschienen sei.

In seiner abschließenden Erklärung zur Anerkennung der Erscheinungen wies Bischof Msgr. Misago auf dieses Problem hin: »Die Zunahme von vermeintlichen Sehern sowohl in der Gegend um Kibeho als auch im ganzen Land war so stark, dass dadurch nicht nur die Pilger verwirrt wurden, sondern auch die Personen, die damit beauftragt waren, die Entwicklung dieser Ereignisse aus der Nähe zu beobachten.« Der gesunde Menschenverstand in Verbindung mit dem *sensus fidei* jedes Getauften teilte alle Seher einfach in zwei große Gruppen ein: jene, die ernst zu nehmen waren, und jene, die unglaubwürdig waren. In vielen Fällen herrschte jedoch auch eine Leichtgläubigkeit unter den Christen oder ein Übermaß an religiösem Respekt gegenüber dem vermeintlichen »Propheten«, was zur Vermehrung des Phänomens beigetragen zu haben scheint.

Der interessanteste Punkt bei dieser Sache ist, dass die selige Jungfrau Maria selbst die Gelegenheit ergriff, auf dieses Thema einzugehen: Während der Erscheinung vom 22. Dezember 1982 fragte Nathalie die Gottesmutter, was man von den vielen Sehern zu halten habe, die in immer größerer Zahl auftraten und für Unruhe sorgten und Verwirrung säten. Obwohl die Jungfrau nicht direkt auf diese Frage antwortete, warnte sie Nathalie und folglich auch die Gemeinde mit den folgenden Worten: »Sei nicht so neugierig, wissen zu wollen, was es mit diesen neuen Sehern auf sich hat. Beschäftige dich mit dem, was dich betrifft. Ich werde mich um alles andere kümmern. Es muss dir bewusst sein, dass von einem Moment zum anderen Menschen auftreten werden, die sich fälschlicherweise auf meinen Namen berufen werden.«

Zu den ältesten vermeintlichen Sehern von Kibeho zählt Valentine Nyiramukiza, welche weiterhin behauptet, Erscheinungen zu haben, auch in Brüssel, wo sie seit einigen Jahren lebt. Ihre Erscheinungen, von denen der verstorbene Bischof von Gikongoro sich jedoch offiziell distanziert hatte, haben einige Verwirrungen gestiftet in Bezug auf die offiziell anerkannten Erscheinungen in Kibeho.

3.4 Ekstasen, Visionen und mystische Reisen

Die Ereignisse von Kibeho sind von zahlreichen Fakten, Riten und Symbolen geprägt. Bei der Vorstellung ihres spirituellen Gehalts beschränke ich mich auf die wichtigsten, vor allem auf die Ekstasen, die im Vergleich zu anderen Erscheinungen in gewisser Hinsicht neuartige Aspekte aufweisen, dann die besonders intensiven und interessanten Visionen und schließlich die »mystischen Reisen«, die zwei der Seherinnen gemacht haben, wenngleich mit unterschiedlichen Wahrnehmungen.

3.4.1 Besonders lange und ereignisreiche Ekstasen

Ich habe das Problem bereits erwähnt, die Wahrhaftigkeit des Phänomens der Ekstasen festzustellen, und über die Ergebnisse der medizinischen Kommission berichtet, die bestätigt haben, dass die klassischen Merkmale einer echten Ekstase vorliegen. Diese sind: keine Wahrnehmung der Umgebung, verklärter Gesichtsausdruck und Unempfindlichkeit gegenüber Schmerz oder Lärm. Doch auch eine Körperstarre und ein höheres Gewicht können dazugehören, und zwar in dem Moment, in dem eine andere Person eine Seherin in Ekstase hochheben oder zu einer Bewegung veranlassen möchte, während sie sich auf der »mystischen Reise« befindet. Weiterhin: Missachtung von Hindernissen, eine ungewöhnliche Kraft, wenn sich der Seher durch eine dichte Menschenmenge bewegt oder nach einem schweren Sturz wieder aufsteht, ferner hohe Konzentriertheit und Bewegungslosigkeit während des Gesprächs mit der unsichtbaren Person, ein wirklich bemerkenswertes Durchhaltevermögen, das vor allem während lange andauernden Erscheinungen festzustellen ist.

In Kibeho kam es oft vor, dass eine Seherin nach einer Erscheinung im Zustand der Ekstase verblieb. Dies konnte sich in Form einer »mystischen Reise« fortsetzen, bei denen die Seherinnen wie tot erschienen. Während einer solchen Erfahrung seien sie nach ihrer eigenen Aussage in eine andere Welt versetzt gewesen, in »die Welt der Erscheinungen«. Sie beschrieben diesen Ort als eine Art Wiese, wo es nichts weiter gab als sehr weiches und sehr kurz geschnittenes Gras. Während der gewöhnlichen Ekstasen konnten sich Visionen von allen möglichen Dinge zeigen: Gegenständen, Personen, Heiligen, Visionen, die das persönliche Leben des Sehers betreffen, oder Szenen aus dem Leben Jesu. Betrachten wir im Folgenden beispielhaft einige dieser Visionen in der Reihenfolge ihres chronologischen Auftretens.

Ab dem 16. Januar 1982 berichtete Alphonsine, Blumen oder Bäume verschiedener Arten gesehen zu haben, welche die Menschen symbolisierten, die die Botschaften von Kibeho aufnahmen. Am 30. April 1982 »sah« Nathalie die einzelnen Etappen und Schwierigkeiten, die ihren Leidensweg prägen würden. Zwei Wochen später, am 15. Mai, bestätigte dieselbe Seherin, in einer Vision eine Vielzahl von weißen Menschen mit weißen Gewändern gesehen zu haben, die von einer geheimnisvollen Person angeführt wurde. Dieser Vision folgte eine andere, in der ein Mann misshandelt und zuletzt gesteinigt wurde. Es gab auch Visionen, in denen verschiedene Menschengruppen auftraten. Nathalie hatte drei Erfahrungen dieser Art am 4. September 1982, vom 30. auf den 31. Oktober 1982 und am 2. April 1983.

Im Verlauf ihrer »mystischen Reise« vom 4. September, die wahrscheinlich vier Stunden ohne Unterbrechung dauerte, besuchte sie drei verschiedene Orte voller Blumen in jeglicher Art. Einer dieser Orte war sehr schön mit üppig blühenden frischen Blumen, am zweiten Ort befanden sich leicht verwelkte und am dritten Ort ganz vertrocknete Blumen. Diese drei Arten von Blumen symbolisierten die verschiedenen Kategorien von Christen, die sich insofern unterschieden, wie sie dem göttlichen Licht entsprachen. Am 22. Mai 1982 sah Nathalie auch vier Engel in Begleitung der seligen Jungfrau Maria. Am 30. April, 19. Mai und am 24. Juni 1982 sah sie die Kirche, um deren Bau Maria gebeten hatte: den Fußboden, den Grundriss, die Einrichtung, die Ausschmückung und den Namen, den sie erhalten sollte. Am 10. Juli 1982 sah sie eine kleinere Kapelle und schließlich, am 17. Juli 1982, beide Gotteshäuser zusammen.

Am 24. Juni 1982 sah Nathalie drei verschiedene Orte, die symbolische Namen trugen. Am 10. Juli 1982 wurde ihr eine Kapelle der Schmerzen Mariens gezeigt. Während der Erscheinung vom 17. Juli 1982 sah sie zwei Häuser: Das erste enthielt Bilder, die die Schmerzen Mariens wiedergaben, und das zweite, größere, enthielt fünf Statuen.

Am 10. und 27. Juli sowie am 9. Oktober 1982 sah Nathalie hingegen in einer Vision das Leiden Christi. Marie Claire hatte die gleiche Vision am 8. Mai 1982 und Alphonsine am 16. Januar 1982. Während der Erscheinung vom 28. August 1982 zeigte die Jungfrau Maria der Seherin Nathalie in einer Vision die drei Kategorien von Christen, während ihr am 4. September drei Arten von Blumen gezeigt wurden, welche die Menschen symbolisieren, so wie sie vor Gott sind: die sehr guten, die weniger guten, die mittelmäßigen.

3.4.2 Prophetische Visionen

Unter den Visionen, die den Seherinnen von Kibeho zuteilwurden, gibt es einige äußerst interessante, die einen prophetischen Charakter aufwiesen, denn diese bezogen sich auf die tragischen Ereignisse, die Ruanda (aber auch der ganzen Welt) bevorstanden, falls nicht eine ernsthafte Umkehr stattfinden würde. Ab den Erscheinungen vom 30. Mai 1982 sah Alphonsine die Tragödien, die sich ereignen würden. Ohne zu genau darzulegen, was geschehen würde, wird in der Botschaft in der Tat eine sehr düstere Zukunft vorausgesagt. Dank des Berichts der theologischen Kommission liegt ein vollständiges Protokoll darüber vor, was die Seherin im Zwiegespräch mit der seligen Jungfrau Maria sagte. Es folgen einige wichtige Passagen:

> Alphonsine (flüsternd): »Das ist furchtbar, es erschreckt mich, es macht mir Angst, es ist schrecklich!« (Wieder in normalem Ton): »Diese Dinge verlangen den Beistand des Heiligen Geistes, denn was ich gesehen habe, steht in einem Verhältnis, das keiner anderen Person angemessen wäre.« (Flüsternd): »Ja, das ist wahr! [...] Es ist absolut traurig! [...] Wirklich? ... Ja, ja! Willst Du es?« (Beinahe unverständlich flüsternd): »[Es ist] an dir, mir zu sagen, wann der geeignete Moment dafür gekommen ist, ansonsten ... [Die Aufnahme und das Protokoll haben hier eine Lücke – Anmerkung] ...« Ich spüre, dass das sehr schwierig ist! Aber was auch immer es sein mag, ich danke dir, denn immerhin kann ich es mir merken. [...] Jedenfalls, Gott sei wahrhaftig gelobt, er, der mir deine Gegenwart geschenkt hat, damit du mir diese Dinge offenbarst! Hat mich Gott wirklich für würdig gehalten?«

Es ist klar, dass diese Botschaft sich auf tragische Offenbarungen bezieht: Mehrmals ruft die Seherin aus: »Das ist schrecklich, es macht mir Angst!« Der Inhalt dieser Prophezeiung wird verständlicher im Licht der tragischen Visionen, welche die Seherinnen Nathalie und Alphonsine anschließend noch hatten. Im Nachhinein wurden diese Visionen so interpretiert, dass sie sich insbesondere auf die Tragödie des Völkermords an den Tutsi im Jahre 1994 bezogen – aber allgemeiner auch auf die ganze Welt.

Es gab weitere ähnliche Visionen. Am 6. Juli 1982 erklärte Nathalie, sie habe in einer Vision gesehen, wie Hügel und Bäume gegeneinander kämpften, Steine aufeinanderprallten, zerstückelte Körper und abgetrennte Gliedmaßen mit abgehackten Köpfen zusammenstießen. Am 15. August sah Nathalie in einer Vision ein großes schwarzes Loch. Sie sagte, sie habe rund um das Loch eine riesige Menschenmenge gesehen, die auf das Loch zudrängte, um sich dort hineinzustürzen. Ebenso sah sie Menschen, die sich gegenseitig mit Lanzen töteten. Am selben Tag berichtete auch Alphonsine von derselben Vision mit den tragischen Ereignissen: ein Strom von Blut, Menschen, die sich gegenseitig abschlachteten, abgehackte, blutige Köpfe, eine gewaltige Anzahl von nicht bestatteten Leichen und ein großes Glutbecken in Flammen. Am 4. September sah Nathalie in einer Vision erneut sehr viele Schädel, die vom Körper abgetrennt waren. Am 22. Januar 1983 hatte sie zum letzten Mal eine weitere tragische Vision, in der sie Ströme von Blut sah.

Im Verlauf einer privaten Erscheinung am 12. Januar 1994, also nur etwa drei Monate vor Beginn des großen Genozids, hörte Nathalie folgende Worte von der seligen Jungfrau Maria: »Nathalie, meine Tochter, bete viel, damit du nicht schwach wirst. Eine finstere Nacht wird bald über euer Land hereinbrechen.«

3.4.3 »Mystische Reisen«

Der Ausdruck »mystische Reise« ist als eine Erfahrung tiefer Ekstase zu verstehen, die oft am Ende einer Erscheinung eintritt, wobei die Seher in eine Welt versetzt werden, die anders ist als die Welt der Erscheinungen und zugleich auch der irdischen

Alltagswelt fremd. Die »mystische Reise« ist zu unterscheiden von einer verlängerten Ekstase, wie sie Nathalie am 22. Mai 1982 erfahren hat. In diesem Fall verblieb sie kniend mehr als vier Stunden in der Ekstase. Sie sang immer wieder, ohne dass die Worte, die sie aussprach, zu verstehen waren.

3.4.3.1 Die Beschreibung

Während dieser »spirituellen Entrückungen«, wie es die Mystiker nennen, inmitten eines Lichtes, das zunahm oder abnahm je nach besuchtem Ort, zeigte die Jungfrau Maria den Seherinnen einige Dinge von eschatologischem Charakter. Bei diesen Erfahrungen wählte die Jungfrau Maria die Rolle einer Übersetzerin und Fremdenführerin. Die Seherinnen berichten, dass sie sich in ihrer Begleitung nicht vorwärtsbewegten, indem sie normale Schritte machten, sondern sie schwebten wie die Jungfrau Maria manchmal hinter ihr, manchmal neben ihr. Es gab dort, wie sie berichten, weder Anstiege noch Abstiege.

Alphonsine war die Erste, die ein derartiges Phänomen erlebte. Die am 14. März 1982 vorhergesagte »mystische Reise« dauerte vom 20. März 1982 ab etwa 13.30 Uhr bis um 6 Uhr des darauffolgenden Morgens. Während dieser Erfahrung blieb die Seherin in einen Tiefschlaf versetzt, der einem Koma ähnelte. Sie lag regungslos wie ein Leichnam ohne irgendeine Geste. Ihre Körpertemperatur blieb konstant, sie atmete normal, aber kaum noch wahrnehmbar. Bei Alphonsine war eine solche Starre des gesamten Körpers und der Gliedmaßen festzustellen, dass es sehr schwierig war, sie zu verrücken oder zu versuchen, sie anzuheben. »Sie schien so schwer wie ein Steinblock von hundert Kilo zu sein«, bezeugte Msgr. Misago. Man sprach in diesem Zusammenhang von einem »Wunder des Körpergewichts«.

Dieses Phänomen des Körpergewichts wurde auch bei der Seherin Nathalie während ihrer mystischen Reise vom 30. Oktober

1982 beobachtet. Auch in diesem Fall war ein Zustand der Bewusstlosigkeit eingetreten, in dem die Seherin völlig von ihrer normalen Umgebung abgetrennt erschien und unempfindlich gegenüber Schmerz war, denn ihr Körper reagierte nicht einmal auf den Kneiftest. Die Körpertemperatur blieb normal.

Alphonsine besuchte auf ihrer mystischen Reise drei Orte. Sie begann mit dem Ort der Schmerzen und endete mit dem Ort der Freude (während Nathalie diese Orte in umgekehrter Reihenfolge besuchte). Am ersten Ort wohnten sehr traurige und sehr finstere Menschen, die sich gegenseitig verprügelten. Wie die Jungfrau Maria erklärte, müssten diese ewig leiden, da ihnen nicht vergeben würde. Im Verlauf der mystischen Reise vom 30. Oktober 1982 hatte Nathalie eine Erscheinung gehabt, die fünf Stunden gedauert hatte, von 16 bis 21 Uhr, und danach war sie noch weiter in Ekstase verblieben. Die Seherin berichtete, dass sie während dieses Zeitraums nur Licht gesehen habe. Sie und die Jungfrau Maria, die sie führte, bewegten sich in einem immer stärker werdenden Licht. Die Seherin lag auf dem Rücken mit fest geschlossenen Augen, den Rosenkranz in den auf der Brust gefalteten Händen. Sie blieb während einer Dauer von weiteren sieben Stunden vollkommen bewegungslos von 21 Uhr abends bis 4.30 Uhr morgens. An diesem Tag führte die himmlische Mutter sie an vier verschiedene Orte. Der erste, der »Ort der Begegnung«, *isangano*, hieß, war vollkommen lichterfüllt. Nathalie sah sieben menschliche Wesen in weißen Gewändern. Entsprechend ihrem Zeugnis handelte es sich dabei um Engel, die den Ewigen loben und preisen und die Menschen unterstützen. Sie zeigten eine unvergleichliche Freude und hielten die Hände gefaltet.

Nicht weit entfernt davon befand sich der zweite Ort, den unzählige, ebenfalls weiß gekleidete Personen bewohnten. Dieser Ort trug die Bezeichnung »Ort voller Freude«, *isenderezwa ry'ibyishimo*. Seine Bewohner hießen »die Erwählten des Allmächtigen«, *abatowe b'Ushobora byose*. Sie waren glücklich, aber mit einer gemäßigten Freude. Sie standen in Reihen, die sich in Bewegung befanden. Es war nicht möglich, die Gesten zu erkennen, die sie ausführten. Die Bewohner dieser beiden ersten Orte hatten eine weiße Hautfarbe, die sich jedoch von derjenigen unterschied, die wir auf Erden kennen.

Den dritten Ort bewohnten Personen, die blaue, weiße und rote Gewänder trugen. Sie ähnelten ein wenig denen mit weißer Hautfarbe, doch war die Farbe anders als an den anderen beiden Orten. Dieser Ort hieß »Ort der Auswahl«, *isesengurwa*, und seine Bewohner hießen »Jene, die nicht den Mut verlieren«. Sie waren leidgeprüft, doch konnte man erkennen, dass sie auch ein wenig Freude empfanden. In ihrer Mitte ging eine weiß gekleidete Person. Am vierten Ort schließlich wohnten Personen, die Gewänder trugen, deren Farbe zwischen Schwarz und Blau lag. Diese hatten keine weiße Haut, ihre Hautfarbe ähnelte eher der Farbe ihrer Kleider. Der Ort hieß »Ort der Strafe«, und seine Bewohner waren »Die Verstockten«, *intabwirwa*. Sie kannten überhaupt keine Freude und litten schreckliche Qualen.

Eine weitere Reise erlebte Nathalie am 1. April 1983. Sie begann um 2.30 Uhr in der Frühe und dauerte bis 9 Uhr vormittags. Auf dieser Reise sah sie die Abschnitte des menschlichen Lebens. Die Gottesmutter führte sie in drei Bereiche: Im ersten herrschte völlige Dunkelheit, sodass sie die Jungfrau Maria weder sehen noch mit ihr sprechen konnte. Laut der Erklärung, die Maria ihr gab, war dies die Zeit, zu der sie sich noch im Mutterleib befunden habe. Im zweiten Bereich gab es schon ein wenig Licht, sodass sie die Jungfrau neben sich sehen, aber nicht mit ihr sprechen konnte. Die himmlische Mutter erklärte ihr bereitwillig, um welchen Bereich es sich hier handelte: Er symbolisiere den Augenblick der Geburt, nachdem sie begann, die irdischen Dinge kennenzulernen, und dabei Gut und Böse unterscheiden konnte. Im dritten Bereich gab es sehr viel Licht, aber nicht wie das der Sonne, des Mondes, eines Blitzes oder irgendeiner anderen Art von irdischem Licht. Es handelte sich um eine besondere Art von Licht. Dieser Bereich symbolisierte einen Ort, den die Seherin bislang noch nicht erfahren hatte.

3.4.3.2 *Die theologische Bedeutung*

Wie aus dem oben Erwähnten hervorgeht, bestätigen die Seherinnen, drei verschiedene Orte besucht zu haben, deren Beschreibung, auch wenn es einige unterschiedliche Einzelheiten gibt, dem entspricht, was das kirchliche Lehramt als Paradies, Hölle und Fegefeuer bezeichnet. Die Existenz dieser Orte wird von der Heiligen Schrift und darüber hinaus von der Überlieferung bestätigt. Befassen wir uns zunächst mit der Frage der Existenz der Hölle.

Dies ist ein Ort oder vielmehr ein Zustand, in dem die Verdammten aus der Sehnsucht heraus, Gott zu sehen, aber auch wegen der Unmöglichkeit, jemals zu ihm zu gelangen, verbrennen. Das *Chaos Magnum*, der unüberwindliche Abgrund, hat sie für immer getrennt. Die Hölle wird als Ort der Strafe und des schrecklichen Leidens beschrieben (vgl. Dtn 30,15.19; Jes 14,11–15,9; Mt 3,7–11; Mk 9,43–48; Röm 2,5; 1 Thess 1,10; 1 Kor 10,11ff.; 2 Thess 1,5–10; 2 Kor 5,10; Lk 16,23; Joh 3,19).

Wie bekannt, steht die Realität der Hölle nicht im Gegensatz zur barmherzigen Liebe Gottes, der gewiss nicht möchte, dass jemand verloren geht. Dennoch handelt es sich dabei um ein ernsthaftes Problem, das der Theologe von Balthasar sehr gut beleuchtet hat, weil die Existenz der Hölle mehrere Aspekte zugleich umfasst: die Allmacht Gottes, seine unendliche Barmherzigkeit, aber auch die menschliche Freiheit. In Wirklichkeit verdammt Gott niemanden. Es ist der Mensch, der auf endgültige Art und Weise die Liebe Gottes ablehnen kann und sich somit selbst verdammt.

Nach christlicher Auffassung steht die Hölle jedoch im Gegensatz zum Willen Gottes. Sie ist nur die Konsequenz aus der

Freiheit, die dem Menschen gegeben ist, der die Liebe des himmlischen Vaters, eine Beziehung zu ihm, verweigern kann, anstatt das Leben und die Liebe, die er anbietet, anzunehmen und zu erwidern. Somit beschränkt Gott, der zweifellos allmächtig ist, seine eigene Macht, weil er die menschliche Freiheit unbedingt und vollkommen respektiert. Welchen Wert hätte denn eine erzwungene Liebe? Der Theologe von Balthasar weist noch auf einen anderen Punkt hin, ohne die Möglichkeit der ewigen Verdammnis zu verneinen, die übrigens auch in der Heiligen Schrift bestätigt wird, indem er formuliert, dass, »wer auf das Heil all seiner Brüder und Schwestern hofft, [auch] ›hofft‹, dass die Hölle leer sei«. Doch nach dem, was die Seherinnen von Kibeho bei ihren mystischen Reisen gesehen haben und was auch den Erfahrungen der Seher an anderen Erscheinungsorten entspricht, müssen wir vom Gegenteil ausgehen.

In Bezug auf das Fegefeuer bestätigt die Bibel auch dessen Existenz (2 Makk 12,43f.; 1 Kor 3,12–15). Der kirchlichen Lehre zufolge werden diejenigen, die in der Liebe Gottes sterben, bevor sie ihre Sünden durch angemessene Akte der Reue und Buße getilgt haben, durch die Leiden im Fegefeuer geläutert. Sie werden unterstützt durch die Gebete der Lebenden, durch heilige Messen, Opfer und andere Frömmigkeitsübungen. Die Existenz des Fegefeuers ist dadurch begründet, dass ein Läuterungsprozess notwendig ist, der es dem Menschen ermöglicht, sich der Heiligkeit Gottes völlig anzugleichen. Diese Wirklichkeit des Fegefeuers beruht auf drei christlichen Überzeugungen: Die erste bedeutet, dass der Anblick Gottes nur denen gewährt werden kann, die ihre Vollendung erreicht haben. Die zweite bezieht sich auf die notwendige Läuterung, damit der Mensch sich von den Begrenzungen von Raum und Zeit lösen kann. Die dritte nimmt Bezug auf die Solidarität der Menschen, die sich auch nach dem Tod fortsetzt.

Wie bereits erwähnt, sprechen die Seherinnen jedoch auch von einem anderen, dieses Mal sehr schönen Ort, der von einem besonderen Licht durchflutet ist. Sie berichten davon, wie ideal dort sogar das »Klima« sei, sodass es dort, menschlich gesprochen, nicht zu kalt und nicht zu warm sei. Dieser Ort hieß »Bei denen, die ein Herz aus Licht haben«. Er entspricht dem Himmel als einem perfekten Zustand des Lebens in Verbindung mit der Heiligen Dreifaltigkeit, dem letzten Ziel und der Verwirklichung des tiefsten Strebens jedes Menschen.

Die Heilige Schrift spricht sehr viel von diesem Zustand der Glückseligkeit (vgl. Mt 6,20; 18,18; 25,14–46; Mk 14,62; 16,19; Lk 23,43; 2 Kor 12,4; Offb 2,7). Auch wenn die ewige Glückseligkeit für alle vorgesehen ist (Joh 12,31f.; 1 Petr 3,9), so ist doch auch nicht ausgeschlossen, dass jemand dieses Geschenk verweigert, wie es im Zusammenhang mit der Hölle bereits erwähnt wurde. Deshalb ist es leicht verständlich, dass die selige Jungfrau den Seherinnen diese Orte gezeigt und sie beauftragt hat, allen davon zu erzählen, um diejenigen, die deren Existenz leugnen, daran zu erinnern, dass es sie tatsächlich gibt und dass es notwendig ist, sich entsprechend zu verhalten.

3.5 Die Segnungsrituale

Eine weitere Charakteristik der Erscheinungen von Kibeho ist sicherlich die Häufigkeit der Segnungsrituale. Sie begannen am 6. Dezember 1981, als Alphonsine von der »Mutter des Wortes« die ersten gesegneten Rosenkränze bekam. Die Seherin erhielt die Anweisung, ihre Hände in das Wasser zu tauchen, während die Jungfrau Maria ihre Hände ausbreitete, um die Gebetsketten zu segnen. Diese Segnungen konnten sich sowohl auf religiöse Gegenstände als auch auf Personen beziehen. Später wurden diese Rituale von den Seherinnen vollzogen, aber stets im Namen der Jungfrau Maria. Die Segnungen konnten auf verschiedene Weise geschehen: durch das Eintauchen der Andachtsgegenstände in eine Schüssel, gefüllt mit Wasser, durch das Besprengen der Anwesenden mit Weihwasser, Segnung der Gegenstände und Personen mit der Hand ohne Wasser, wie der Priester den Segen spendet, durch das Auflegen der Bibel auf den Kopf der zu Segnenden und als Segnung ohne Gesten und ohne Worte. Diese Segnungen wurden ab dem 30. Oktober 1982 bisweilen auch von Heilungen begleitet. Ich werde später noch auf die Bedeutung dieser Rituale eingehen.

3.6 Nathalies lang andauerndes Fasten

Ein weiterer interessanter Aspekt von Kibeho ist Nathalies Verzicht auf Nahrung und Getränke, wie es die selige Jungfrau angekündigt hatte. Dieser dauerte vierzehn Tage lang vom 16. Februar bis zum 2. März 1983. Die Seherin sollte diese Zeit des Fastens als besondere Zeit erfahren, um an Jesu Leiden während seines vierzigtägigen Fastens in der Wüste teilzunehmen und es zu betrachten. Nathalie wurde auf diese Weise eingeladen, die Erfahrungen Jesu ihrerseits nachzuvollziehen: Hunger, Durst und die Versuchungen des Teufels zu erdulden. Sie sollte sich vollständig dem Gebet und der Betrachtung widmen und sich bemühen, nur auf Gott zu vertrauen.

Es ist bezeugt, dass Nathalie in den ersten acht Tagen absolut gar nichts zu sich nahm, weder Getränke (nicht einmal Wasser) noch Nahrung. Danach erhielt sie von Jesus bei einer privaten Erscheinung die Erlaubnis, jeden Tag eine sehr geringe Menge an Wasser zu trinken, etwa ein halbes Glas. Nathalie wurde in dieser ganzen Zeit intensiv von der medizinischen und theologischen Kommission überwacht. Acht Krankenschwestern wechselten sich Tag und Nacht im Zimmer der Seherin ab, um sie medizinisch zu überwachen und die täglichen Laboranalysen zu überprüfen. Während des Fastens stellten die Ärzte eine sehr beunruhigende Gewichtsabnahme fest. Dies hatte jedoch keine gravierenden Auswirkungen auf den Gesundheitszustand der Seherin. Obwohl bei ihr an einem bestimmten Punkt ein derart tiefer Blutzuckerwert gemessen wurde, dass ein Mensch normalerweise ins Koma fallen würde, ging es Nathalie gut: Sie ging umher und machte auch Handarbeiten. Für die Ärzte war dieses Phänomen wissenschaftlich nicht zu erklären.

Nathalies Fasten ist jedoch kein Einzelfall. Die Geschichte lehrt, dass viele Mystiker lange Zeiträume ohne zu essen und zu trinken verbrachten und ausschließlich von der heiligen Eucharistie lebten. Weit entfernt davon, durch eine Krankheit verursacht zu sein, gehört das »mystische Fasten« zu den von der Kirche anerkannten geistlichen Erfahrungen. So war es auch in Kibeho, wo Verzicht und Fasten einen eigenen, hohen spirituellen Wert darstellten.

Im Übrigen lehrte die Kirche schon immer, dass die Früchte des Fastens in einem Prozess der Umkehr liegen. Bekanntlich ist diese Lehre heutzutage selten geworden, wenn sie nicht gar abgelehnt wird. Aber in der jahrhundertelangen Tradition der Kirche wurde das Fasten immer als ein Verzicht betrachtet, der dem Körper auferlegt wird, um das Herz dafür zu bereiten, mit Gott in Verbindung zu treten. Das Fasten ist schon immer als ein Mittel der Heiligung praktiziert worden, der Sühne für Sünden durch die Teilhabe am Leiden des Erlösers. Es soll bezeugen, dass der Mensch nicht vom Brot allein lebt, sondern von jedem Wort, das aus dem Mund Gottes kommt (vgl. Mt 4,4; Joh 4,34). Im Neuen Testament ist das Fasten auf die Vereinigung mit Gott ausgerichtet (vgl. Mt 4,2) und stellt sich in Verbindung mit dem Gebet der Macht des Bösen entgegen (vgl. Mt 17,21). Doch soll es sich dabei nicht nur um eine rein äußerliche Übung handeln (vgl. Mt 6,16).

Das Fasten, erfahren im Geist des Glaubens, verursacht so Gesundheit in Freiheit und Freiheit in Gesundheit, denn das Fleisch wird vom Geist gelenkt, und der Geist wiederum erhält von Gott die Hilfe. Der heilige Augustinus sagt hierzu: »Das Fasten reinigt die Seele, erhebt den Geist, unterwirft das Fleisch dem Geist, lässt das Herz reuevoll und demütig werden, vertreibt die Wolken der Gier, löscht den Eifer der Leidenschaft und lässt das Licht der Keuschheit leuchten.« Und der heilige Hieronymus fügt nicht ohne Ironie hinzu: »Ohne Ceres und Bacchus bleibt die Venus kalt« – durch die Abstinenz beim Essen und Trinken verliert auch die fleischliche Lust ihre Glut.

3.7 Die von der »Mutter des Wortes« gelehrten Lieder

Eine weitere Besonderheit der Erscheinungen von Kibeho sind die Lieder, welche die Gottesmutter die Seherinnen als gesungene Gebete gelehrt hat. Einmal ermahnte sie Nathalie mit folgenden Worten: »Wenn du singst, dann betrachte die Worte, aus denen die Verse bestehen. Eine schöne Stimme allein genügt nicht.«

In Kibeho sangen die Seherinnen während der Erscheinungen. Häufig eröffnete ein Marienlied die Zusammenkunft. Aber es geschah auch, dass die jungen Mädchen zu anderen Gelegenheiten bei den Erscheinungen sangen. Sie wählten dafür jeweils ein Lied aus, das ihrem Gebetsanliegen entsprach. In manchen Fällen war es jedoch die Jungfrau Maria selbst, die die Seherinnen neue Lieder (Verse und Melodien) lehrte und die Mädchen bat, diese in Form eines Gebets zu singen. Dies geschah zum ersten Mal während der Erscheinung vom 2. Dezember 1982.

Da ich davon überzeugt bin, dass diese Lieder eine wichtige Botschaft enthalten, will ich hier ihren Inhalt wiedergeben.

3.7.1 Die Lieder, die Alphonsine gelehrt wurden

Jedes Kind, das mich liebt

Jedes Kind, das mich liebt, jedes Kind, das mich anruft,
wird das ewige Leben haben.
Wer an Jesus glaubt und an Gott glaubt, wird das ewige
Leben haben.

Mutter, die du deine Kinder liebst

Mutter, die du deine Kinder liebst. Mutter des Wortes, Maria.
Weg, der zum Himmel führt, Mutter des Wortes.
Mutter der Barmherzigkeit. Mutter des Wortes.

Mutter des Wortes

Mutter des Wortes, Maria, du bist auch unsere Mutter, Maria.
Gnadenspenderin, Maria, du hast uns mit deinen Gaben
überschüttet, Maria.
Denn du hast uns ausgewählt, Maria, unter den Mädchen
unseres Alters, Maria.
Kannst du uns deinen Segen geben, Maria,
damit wir ihn an die anderen weitergeben, Maria.
Wir, die Mädchen von Kibeho, Maria, wir bitten dich um
Brüderlichkeit, Maria,
und um ewige Liebe, Maria, wie du selbst es gesagt hast, Maria.
Sieh, was aus mir wird, Maria, dank der Stimme Gottes, Maria.
Komm, um mich zu stärken, Maria, schenke mir Geduld in
der Prüfung, Maria.
Ich habe alles, was mir gehört, zu einem Bündel geschnürt,
Maria,
und mich in deine Arme geworfen, Maria.
Gepriesen seist du, Maria, wahrhaft geliebt seist du, Maria.
Dass wir dich gerne anrufen, Maria, du seist wahrhaft gelobt,
Maria.

Die Tochter Mariens trennt sich niemals vom Kreuz
Die Tochter Mariens trennt sich niemals vom Kreuz.
Die Tochter Mariens bewahrt viele Worte in ihrem Herzen
bis zum Tod.
Die Tochter Mariens sagt keine leeren Worte.
Die Tochter Mariens trägt ihr Kreuz mit Freude.
Die Tochter Mariens zeigt Geduld in der Prüfung.
Die Tochter Mariens flieht vor den eitlen Dingen dieser Welt.

3.7.2 Die Lieder, die Nathalie gelehrt wurden

Wir werden gemeinsam ewig im Königreich leben
Wir werden gemeinsam ewig im Königreich leben,
Gott, der mich geschaffen hat und mir immer zur Seite steht.
Wir werden gemeinsam ewig im Königreich leben,
Mutter Gottes und unsere Mutter.
Wir werden gemeinsam ewig im Königreich leben.
Komm schnell, Mutter, um dieser Welt beizustehen,
gib ihr Frieden für immer.
Ihr alle, eilt herbei zu mir, ich bin der wahre Weg zu Jesus.
Wer sich an mich wendet, ist glücklich.
Wir werden gemeinsam ewig im Königreich leben.

Die Jungfrau Maria ist wahrhaft Jungfrau
Die Jungfrau Maria ist wahrhaft Jungfrau (2 x).
Ich werde ihre Hilfe Tag und Nacht erbitten.
Ich werde ihre Hilfe im Unglück erbitten.
Ich werde ihre Hilfe in jedem Augenblick erbitten.
Empfange meine Leiden (3 x), empfange all meine Taten (3 x),
empfange all meine Werke (3 x).
Empfange all meine Worte (3 x), empfange all meine
Wünsche (3 x),

empfange all meine Tränen (3 x).
Empfange das Trachten der ganzen Welt (3 x).
Wer kennt die Mutter der Armen (3 x), die Mutter des Wortes,
die Jungfrau Maria?

3.8 Die Stürze, Tränen und das Schweigen der Seherinnen

Im Verlauf der Erscheinungen waren Vorkommnisse wie Stürze, Tränen und Schweigen nicht von den Seherinnen bestimmt, sondern von der Erscheinung selbst vorgegeben, wobei sie spontan erfolgten und direkt mit der Erscheinung in Verbindung standen. Sie umfassten eine nicht zu unterschätzende spirituelle Botschaft.

Das Phänomen der »Stürze« betraf alle drei Seherinnen während der Erscheinungen von Kibeho. Sie fielen mit ihrem ganzen Gewicht zu Boden wie ein gefällter Baum, ohne sich in irgendeiner Weise abzufangen. Manchmal fielen sie auf Betonboden, nach vorn oder nach hinten. Manchmal schlug eine Seherin mit dem Kopf an einen Gegenstand, doch es zeigte sich keine Wunde und sie vermittelte nicht einmal den Eindruck, verletzt zu sein. Außerdem hatten sie danach weder Krampfanfälle noch traten Prellungen auf. Sie blieben einfach auf der Erde liegen und führten ihr Zwiegespräch mit der Erscheinung fort, unterbrochen von Liedern und Gebeten. Diese Stürze konnten während oder am Ende einer Erscheinung auftreten. Im letzteren Fall konnte die Seherin bewusstlos liegen bleiben, sodass es den Anschein hatte, als wäre sie tot oder befände sich im Koma. Dies konnte zwischen fünf und zehn Minuten andauern. Danach fand sie allmählich in ihren normalen Zustand zurück wie jemand, der aus einem tiefen Schlaf erwacht. Oft fiel eine Seherin im Verlauf einer einzigen Erscheinung mehrmals zu Boden, wie es bei Alphonsine am 2. Oktober 1982 geschah, als sie siebenmal stürzte, und ebenso am 27. Februar 1982, als dieses Phänomen bei elf Stürzen auftrat.

Diese Stürze waren völlig anders als jene, die durch eine Krankheit, wie zum Beispiel Epilepsie, verursacht werden. Die Mitglieder der medizinischen Kommission haben bestätigt, dass es sich hier um eine Tatsache handelte, die den Bereich der Wissenschaft übersteigt.

Die Seherinnen selbst haben sehr unterschiedliche Erklärungen zur spirituellen Bedeutung dieser Stürze gegeben. Sie konnten durch den Anblick von grausamen und schmerzhaften Szenen, welche die selige Jungfrau ihnen zeigte, ausgelöst werden. In diesen Fällen ging es darum, sich mit den Schmerzen Jesu und Mariens zu vereinigen. Es konnte sich auch um eine Buße handeln, die von der Seherin erbeten wurde, um für die Sünden der Welt Sühne zu leisten. Dann hatte der Sturz Sühnecharakter. Eine andere Erklärung lautete, dass die Stürze eine Demonstration der menschlichen Schwäche seien: Solange die Seherin bei der seligen Jungfrau war, verlieh diese ihr eine übernatürliche Kraft. Wenn sie sie wieder verließ, wurde ihr diese Kraft genommen und die Seherin fiel wieder in die Zerbrechlichkeit ihrer menschlichen Natur zurück. Jesus sagt: »Getrennt von mir könnt ihr nichts vollbringen« (Joh 15,5). Die letzte Erklärung war hingegen pädagogischer Natur: Die Stürze waren ein Mittel, die Gewissen aufzurütteln und diejenigen, die die Seherinnen mit ihrem ganzen Gewicht fallen sahen, zur Umkehr aufzurufen.

Was die Tränen der Seherinnen von Kibeho anbetrifft, so stehen diese in direktem Bezug zum Schmerz und den Tränen der seligen Jungfrau Maria, worauf ich noch zurückkommen werde. Sie sind an die Botschaften und Inhalte der jeweiligen Erscheinung gebunden. Durch die sichtbaren Tränen der Seherinnen konnten die anwesenden Zeugen an den Gefühlen der Jungfrau Maria teilnehmen und so die rechte innere Gesinnung bekommen.

Als die Seherinnen zu diesem Phänomen befragt wurden, gaben sie verschiedene Erklärungen: Während einer Erscheinung wurde eine Seherin traurig und begann zu weinen, weil die Jungfrau Maria ihr in einem Zustand großer Betrübnis erschien oder traurige Dinge sagte. Die Seherin konnte auch Tränen vergießen, weil die Jungfrau Maria ihr Szenen der Passion Christi zeigte. Ebenso konnte der Inhalt einer persönlichen Botschaft, die eine Seherin empfing, Traurigkeit und Tränen auslösen. Schließlich konnten die Tränen auch den Trennungsschmerz zum Ausdruck bringen, zum Beispiel am Ende der Erscheinung. Es geschah jedoch auch, dass die Seherinnen vor Freude in Tränen ausbrachen.

Die religiöse Überlieferung schreibt den Tränen eine spirituelle Bedeutung von Gebet und Fürbitte zu, wie uns zum Beispiel die Psalmen lehren. Tränen können auch Ausdruck der Reue oder des Mitgefühls sein, der Sehnsucht nach Gott oder der spirituellen Verzückung. In seinen *Geistlichen Übungen* empfiehlt der heilige Ignatius von Loyola ausdrücklich, Tränen anzustreben, sogar um sie zu bitten, denn die Tränen machen die Seele für die Gottesfurcht bereit.

Die Erscheinungen von Kibeho waren aber auch von Momenten des Schweigens durchsetzt. Dieses Schweigen zeugt von einer Haltung des Hörens, einer geistlichen Bereitschaft, die wir in der biblischen Überlieferung finden (vgl. Dtn 4,1). Die Seherinnen verharrten in Schweigen, um sich ganz auf das Hören auf die Jungfrau Maria zu konzentrieren. Nach ihrem Zeugnis sprach diese langsam und betonte einige wichtige Aussagen. Manchmal war es auch die Gottesmutter, die einige Augenblicke lang schwieg, um der Seherin zuzuhören oder sie zum Nachdenken aufzufordern. Die Jungfrau Maria warnte die Seherinnen vor dem Übel, zu viel zu reden, und lud sie zu einer Haltung des Hinhörens und Schweigens auf. Eines Tages sagte sie zu Nathalie: »Ihr Menschen auf der Welt redet gern zu viel.«

Die Jungfrau Maria forderte die Seherinnen auch hin und wieder auf, eine bestimmte Zeit lang in der Stille zu verharren, um das zu meditieren und zu verinnerlichen, was sie ihnen gesagt hatte. Zu anderen Gelegenheiten ordnete die selige Jungfrau ein mehr oder weniger langes Schweigen an, um die Tugend des stillen Hinhörens, die innere Bereitschaft und die Sammlung der Seele auf die göttlichen Dinge hin zu lehren. So zum Beispiel am 6. Juni 1982, als Nathalie die Anweisung erhielt, nicht mehr zu sprechen bis zu dem Moment, an dem die himmlische Mutter es ihr wieder erlaubte. Das Schweigen dauerte dreizehn Tage lang vom 6. Juli bis zum 19. Juli 1982. Während dieser Zeit verständigte Nathalie sich nur schriftlich. Der Grund für dieses auferlegte Schweigen war somit pädagogischer Natur: die Tugend des Hinhörens zu erlangen und das Wort Gottes zu betrachten.

3.9 Teuflische Angriffe?

Die Gegenwart des Teufels an Erscheinungsorten ist eine übliche Tatsache. In Kibeho wurde er durch die selige Jungfrau selbst angekündigt:

> »Es ist notwendig, dass ihr eifrig und aufrichtig betet und den Weg der inneren Umkehr beharrlich fortsetzt. Satan greift nicht nur die an, die keine aufrichtigen Christen sind und mich nicht lieben. Er stürzt sich auf euch, weil er bemerkt, dass es auch in eurer Gemeinschaft einige gibt, die mich gar nicht lieben. Doch habt keine Angst, denn ich bin bei euch, um euch zu beschützen.«

Diese Worte offenbaren, dass Satan existiert, dass er eine Person ist und die Menschen angreift. Es ist jedoch möglich, sich von diesen Angriffen zu befreien.

Im Verlauf der Erscheinungen von Kibeho gab es einige Momente, bei denen teuflische Angriffe gegen jede der drei Seherinnen deutlich erkennbar waren.

Es gilt, sich daran zu erinnern, dass die Seherin Marie Claire, die sich bis zu diesem Moment noch mit offener Feindseligkeit gegen die Erscheinungen geäußert hatte, am 1. März 1982 einen widerwärtigen Gestank wahrnahm und zwei schwarze, finstere Gestalten sah, die ihr wehtun wollten. Am selben Abend, während sie gerade einen Brief nach Hause schrieb, wiederholte sich diese schreckliche Erfahrung mit den beiden finsteren Gestalten, die sie quälten und von ihr ein geheimnisvolles Stück Stoff verlangten. Nach dem Besprengen mit Weihwasser und bevor sie verschwanden, sagte einer der beiden zu ihr: »Ich habe dich durch Dinge und Menschen geprüft und du hast mir widerstanden, aber du sollst wissen, dass ich jederzeit zurückkommen kann.«

Handelte es sich dabei etwa um eine teuflische Bosheit? Man könnte es durchaus vermuten. Jedenfalls hat eine bösartige Macht Marie Claire bedroht. Die Botschaft, die sie am 6. März 1982 von der Jungfrau Maria diesbezüglich erhielt, scheint diese Hypothese zu stützen: »Was den Vorfall betrifft, der an jenem Tag sich ereignet hat, so wusste ich [die selige Jungfrau] bereits, dass es geschehen würde, doch ich habe dir nicht die Kraft verliehen, in dieser Auseinandersetzung zu gewinnen. Es geschah zu deinem Besten, denn so bist du dazu gekommen, um die Gnade der Geduld zu bitten.« Diese mutmaßlichen Angriffe des Teufels auf die Seherin lassen erkennen, dass es ein Merkmal des Bösen ist, die Menschen in Angst und Schrecken zu versetzen.

Die Seherin Nathalie musste gegen solche »Angriffe des Teufels« mindestens zweimal ankämpfen. Sie berichtet, dass sie während eines nächtlichen Spaziergangs, um den die Jungfrau sie gebeten hatte, von einem Tier angegriffen wurde, das einem Tiger ähnelte, das sie in Schrecken versetzte und dadurch verhinderte, dass sie der Anweisung der himmlischen Mutter folgte. Während ihres vorösterlichen Fastens im Jahr 1983 passierte ebenfalls am sechsten Tag ihres Fastens, am 21. Februar, ein weiterer Angriff. Entsprechend ihrem Zeugnis geschah es, als sie vom Bett aufstand, um den Vorhang des Fensters aufzuziehen. In diesem Moment sah sie eine geheimnisvolle Person in der Gestalt eines jungen Mannes, der eine schwarze kurze Hose trug und in anmutiger Pose in der Mitte des Zimmers stand, ohne ein Wort zu sagen. Erschreckt fragte Nathalie sich, woher er komme und was er wolle. Die Seherin hat angegeben, dass sie kurz nach dem Eintreffen dieses unerwarteten »Besuchers« begann, dieselben Anzeichen wahrzunehmen, wie sie sich kurz vor einer Erscheinung zeigten, indem der Prozess der Ekstase einsetzte. Dem Bericht der Seherin zufolge hielt der junge Mann eine Platte mit köstlichen Speisen in der Hand, reifen Bananen, Omeletts mit Eiern, Süßspeisen usw., und schlug vor: »Komm! Iss! Warum solltest du vor Hunger sterben?« Sie war einen Moment lang unsicher, was sie tun sollte, aber glücklicherweise gelang es ihr, die geheimnisvolle Person mit Weihwasser zu besprengen. Diese reagierte darauf mit den Worten: »Was soll dein verfluchtes Wasser mir schon antun? Nimm und iss!«

Außerdem versuchte er verzweifelt, ihr das Weihwasser zu entreißen, um es wegzuwerfen, doch ohne Erfolg. Es kam zu einem kurzen Kampf mit Nathalie, bei dem die Seherin Siegerin blieb, indem sie ihn weiterhin mit Weihwasser besprengte und die selige Jungfrau, Jesus und die Schutzengel unmittelbar um Hilfe anrief.

Wenn diese Erfahrung ein echter Angriff des Teufels war, so zeigt er eine weitere List des Bösen, sich als »Engel des Lichts« auszugeben, um die Menschen in Versuchung zu führen. Gegen das Wirken des Teufels empfiehlt Unsere Liebe Frau von Kibeho ein Leben, das in Gott verwurzelt ist, aufrichtiges Gebet, Fasten und Weihwasser.

Das christliche Leben ist immer gekennzeichnet durch das Wirken des Teufels. Jesus selbst wurde in der Wüste von ihm angegriffen (vgl. Mt 4,1–11). Im Kampf gegen den ewigen Feind trägt der Christ stets den Sieg im Namen Christi und durch den mütterlichen Schutz der Gottesmutter davon. Dennoch muss man den Widersacher fürchten, der wie ein brüllender Löwe umhergeht und sucht, wen er verschlingen kann (vgl. 1 Petr 5,8). Der Teufel fürchtet die Jungfrau Maria, die die Schlange der Versuchung zertreten hat. Wie bekannt ist, war die christliche Spiritualität schon immer in der Lage, die List des Bösen aufzudecken. Nach dem heiligen Augustinus kann der Teufel sogar Wunder vollbringen, doch nur innerhalb der natürlichen Ordnung, da seine Handlungen nur innerhalb dieser begrenzt sind. Oft verkleidet er sich als »Engel des Lichts«. Diese raffinierte und am häufigsten angewandte List hat der heilige Johannes vom Kreuz entlarvt: »Es gibt keinen Dämon, der, selbst wenn er als Engel des Lichts verwandelt auftritt, bei genauer Prüfung nicht als das erkannt würde, was er ist.«

Schließlich ist es notwendig, einen weiteren Trick Satans nicht aus den Augen zu verlieren, der heute gut erkennbar ist: uns glauben zu lassen, dass es ihn nicht gibt. Heute hat die Leugnung der Existenz des Teufels beunruhigende Dimensionen angenommen: Der »Fürst dieser Welt« regiert, ohne in Erscheinung zu treten. Er hat seine direkten Angriffe durch anonyme Aktionen ersetzt, die ohne viel Aufheben und ohne eine Spur, die auf ihn verweist, geschehen. Daraus wird verständlich, wie wichtig es ist, von der Bedeutung teuflischer Angriffe auf dem geistigen Weg zu sprechen.

4. Eine beispielhaft vorsichtige Haltung, offen für das Übernatürliche

Erscheinungen lösen oft widersprüchliche Haltungen aus, die von irrationaler und überzogener Leichtgläubigkeit bis hin zu misstrauischer und argwöhnischer Ungläubigkeit reichen. Es zeigt sich nicht selten eine Bandbreite von beinahe schon fanatischer Frömmlerei, an der die Großen Anstoß nehmen, bis zu einem starren Skeptizismus, der bei den Kleinen Anlass zum Ärger gibt. Die Verantwortlichen der kirchlichen Hierarchie bringen diesen Phänomenen eine gerechtfertigte Einstellung der Zurückhaltung entgegen, die bisweilen jedoch übertrieben erscheint. Ein Dokument, das sich darauf bezieht, stammt von Kardinal Ottaviani, dem Präfekten des Heiligen Offiziums unter dem Pontifikat von Papst Pius XII. Sinnbildlich lautet der Titel »Christen, lasst euch nicht so bereitwillig beeindrucken«.

Ich will nun beschreiben, wie die kirchlichen Autoritäten und das Volk Gottes sich gegenüber den Ereignissen von Kibeho verhielten.

4.1 Erste Reaktionen

Man kann leicht verstehen, dass die erste Seherin, Alphonsine, anfangs ein Zeichen des Widerspruchs darstellte. Die Lehrer der Schule wie auch die Schülerinnen waren uneins darüber, was sie von den außerordentlichen Ereignissen, die sich gerade zutrugen, halten sollten. Einige neigten eher dazu, die Erscheinungen zu akzeptieren, während andere sie offen ablehnten. Die

Schulleiterin, Schwester Germaine, glaubte zum Beispiel überhaupt nicht an die Echtheit der Erscheinungen. Aber auch einige Mitschülerinnen von Alphonsine zögerten nicht, sie an den Pranger zu stellen und auf subtile Weise durch Gesten und Worte zu verfolgen. Die am skeptischsten waren, verspotteten sie ganz offen und sagten, dass sie gern an die Marienerscheinungen glauben würden, wenn die selige Jungfrau Maria nur einer verlässlicheren Schülerin als Alphonsine erschienen wäre. Es gab sogar eine Gruppe von Schülerinnen, die der Charismatischen Erneuerung angehörten und in der ersten Dezemberwoche 1981 eine Gebetsnovene abhielten, um selbst genau diese Gnade zu erhalten.

In dieser feindseligen Atmosphäre wurde nach Argumenten gesucht, die manchmal auch überzogen waren, um das, was vor sich ging, schlechtzumachen. Viele schlugen eine krankheitsbedingte Erklärung des Phänomens vor, andere dachten an eine Besessenheit von bösen Geistern, wieder andere warfen Alphonsine vor, sie hätte alles nur inszeniert, um das Wohlwollen der Lehrer zu gewinnen.

Um die Echtheit der Vorgänge zu überprüfen, wurde also an ihr und den anderen Seherinnen, die zwischenzeitlich hinzugekommen waren, eine Serie von Tests durchgeführt, um mögliche und vermeintliche Täuschungen aufzudecken. Sämtliche durchgeführten Tests ergaben, dass die Seherinnen keinerlei Mechanismen der Eigenkontrolle eingesetzt hatten, um ein Geheimnis oder eine verwerfliche persönliche Absicht zu verbergen. Diese wissenschaftlichen Bewertungen, die so frühzeitig durchgeführt wurden, haben sich deshalb als äußerst wichtig erwiesen, weil sie dazu beitrugen, innerhalb kurzer Zeit die Zweifel angesichts der Vorgänge in Kibeho zu zerstreuen, und somit dazu führten, sie ab diesem Zeitpunkt auf ernsthaftere Weise zu betrachten.

Diese Erkenntnis ging einher mit einer zunehmend wohlwollenderen Haltung der Schulgemeinschaft in Bezug auf die

Erscheinungen, bei der inzwischen beachtliche Fortschritte im Gebetsleben und in der Marienverehrung zu bemerken waren. Diese Akzeptanz verbreitete sich rasch in der Bevölkerung, die dank des Einsatzes von Kommunikationsmitteln unmittelbar und fortwährend über die ungewöhnlichen Ereignisse informiert wurde. In kurzer Zeit wurde Kibeho ein bedeutender Anziehungspunkt. Die Pilger kamen immer zahlreicher aus ganz Ruanda, aus den Nachbarländern und dem Ausland.

Dem herzlichen Empfang durch die Gläubigen folgten bald auch zahlreiche Bekehrungen, wie Msgr. Jean-Baptiste Gahamanyi, Bischof der Diözese von Butare, zu der damals die Pfarrei von Kibeho gehörte, wie folgt berichtet:

»Mir ist bewusst, dass die Ereignisse von Kibeho dazu beigetragen haben, einen neuen Eifer zu entfachen, der heute in unserer Kirche zu beobachten ist. Im Verlauf der letzten Jahre haben viele Christen, auch unter den Jugendlichen und Intellektuellen, wieder begonnen, ihren Glauben zu praktizieren. Auch solche, die gleichgültig geworden waren, haben sich mit Gott und ihren Nächsten versöhnt. Überall in unserem Land können wir feststellen, dass mehr Personen die Messe an den Sonn- und Werktagen besuchen, dass häufiger das Bußsakrament empfangen wird, weil die Christen, wie es scheint, besser dessen Bedeutung für ihr geistliches Leben erkannt haben. Obgleich es noch sehr begrenzt bleibt, so ist doch das religiöse Erwachen unbestreitbar. Ich freue mich über diese Wiederbelebung des Glaubens und des Gebets und preise den Herrn dafür. Die Seelsorger fordere ich auf, sehr aufmerksam gegenüber dieser Bewegung der religiösen Erneuerung zu sein, um sie in rechter Weise nach dem Evangelium Jesu Christi auszurichten.«

Mit diesen positiven und ausgewogenen Worten wollte der Bischof von der Akzeptanz der Gläubigen Zeugnis geben, ohne dabei jedoch die Vorsicht zu vernachlässigen, die immer die Begeisterung begleiten muss. Tatsächlich ist es auch notwendig, daran zu erinnern, dass, obwohl gute Früchte zwar ein hilfreiches Kriterium sind, um den übernatürlichen Charakter von Erscheinungen zu erkennen, sie für sich allein genommen noch keine Garantie für die Echtheit der Phänomene darstellen.

4.2 Eine rasche Aufnahme der Ereignisse und ihre pastoralen Aspekte

In Kibeho wurde die Nachricht von den Erscheinungen von einem Teil mit einer Haltung des Glaubens, von den anderen mit Skepsis aufgenommen, bis Bischof Gahamanyi entschied, die Ereignisse höchstpersönlich zu verfolgen, indem er die Verantwortung sowohl auf der kirchenrechtlichen als auch pastoralen Ebene übernahm. Es ist beeindruckend wahrzunehmen, wie rasch das Eingreifen war, bei dem der Bischof mit großer Vorsicht, jedoch auch mit beispielhafter Offenheit für das Übernatürliche handelte.

Anfänglich hatte Msgr. Gahamanyi einige Vorbehalte geäußert und möglicherweise zu einer eher negativen Einstellung tendiert, diese aber niemals in öffentlichen Stellungnahmen bekundet. Sehr bald jedoch, indem er befürchtete, eine übermäßige Vorsicht würde als Gleichgültigkeit gegenüber den Erscheinungen interpretiert, gab er seine Zurückhaltung auf, um aus der Nähe und mit seelsorglichem Interesse die ungewöhnlichen Ereignisse zu verfolgen.

Seine Reaktion deutet sicherlich auf eine richtige pastorale Einstellung in der Hermeneutik der Theologie der Marienerscheinungen hin. Denn es ist gut, dass die kirchliche Autorität eine Haltung vermeidet, die dazu neigt, das Charisma abzuwerten und gleichgültig zu bleiben. Auf einem solch heiklen Gebiet ist es angebracht, die von der Vorsicht vorgegebenen Regeln anzuwenden (vgl. Mt 10,16), gleichzeitig aber offenzubleiben für die Gaben des Heiligen Geistes (1 Kor 12,1ff.).

Als die Zeichen der Glaubwürdigkeit immer deutlicher wurden, hat die kirchliche Obrigkeit von Ruanda unter Berücksichtigung des *Sensus fidelium*, also des Gespürs der Gläubigen, die durch die Taufe die Fähigkeit zur Unterscheidung besitzen, offiziell zu den Erscheinungen Stellung bezogen. So hat Msgr. Gahamanyi einen großen Sinn für pastorale Verantwortung bewiesen und zwei Untersuchungskommissionen eingerichtet: eine theologische und eine medizinische. Zur seelsorglichen Begleitung der Ereignisse hat er außerdem in den folgenden Jahren drei Hirtenbriefe veröffentlicht, um die Gläubigen auf dem Laufenden zu halten. Zugleich half er ihnen dadurch, den tieferen Sinn dessen, was sich in Kibeho ereignete, zu erfassen, damit sie es für ihr eigenes Leben fruchtbar machen konnten. Mit dem letzten dieser Briefe, noch vor dem Abschluss der Berichte der beiden Kommissionen, erlaubte er den öffentlichen Kult am Erscheinungsort. Es war dann sein Nachfolger, Msgr. Augustin Misago, der den übernatürlichen Charakter der Ereignisse von Kibeho anerkannte. Doch gehen wir schrittweise vor.

4.3 Feststellung des Sachverhalts durch die beiden Kommissionen

Der Apostel Paulus gibt der Kirche eine eindrückliche Empfehlung im Bereich der Unterscheidung der Geister: »Löscht den Geist nicht aus! Verachtet prophetisches Reden nicht! Prüft alles und behaltet das Gute! Meidet das Böse in jeder Gestalt!« (1 Thess 5,19–22). Eine solch sorgfältige Untersuchung, um die Echtheit einer Erscheinung festzustellen, beginnt immer mit dem grundsätzlichen Problem: Wie kann man guten Weizen vom Unkraut unterscheiden? Mit ihrer lange dauernden und vorsichtigen Vorgehensweise nach den Vorgaben des Kirchenrechts wacht die Kirche, unterscheidet und legt fest, ob die außerordentlichen Ereignisse wahr oder falsch sind.

Wie oben bereits erwähnt, hat die kirchliche Obrigkeit die Ereignisse von Kibeho nach einem ersten Moment der Unsicherheit zügig einer angemessenen Untersuchung unterzogen und Msgr. Gahamanyi hat persönlich die Verantwortung für diese Untersuchung übernommen. Ohne zu sehr ins Detail zu gehen, halte ich es für angezeigt, zumindest die wichtigsten Kriterien in Erinnerung zu rufen, die das kirchenrechtliche Verfahren bestimmen. Diese kurze Untersuchung wird uns erlauben, das Prüfungsverfahren der Erscheinungen von Kibeho, das Msgr. Gahamanyi und sein Nachfolger, Msgr. Misago, strikt befolgt haben, in rechter Weise zu würdigen.

Der maßgebliche lehramtliche Text, welcher das kirchenrechtliche Verfahren in derartigen Fällen regelt (und auch im Fall von Kibeho zur Anwendung kam), ist das von Papst Paul VI. am 25. Februar 1978 veröffentlichte Dokument *Normae S. Congregationis pro Doctrina fidei de modo procedendi in iudicandis praesumptis apparitionibus ac revelationibus* (»Normen der Glaubenskongregation für das Verfahren zur Beurteilung mutmaßlicher Erscheinungen und Offenbarungen«). Die in diesem Dokument aufgestellten Kriterien sind sowohl positiver als auch negativer Natur. Es ist auch anzumerken, dass das Dokument auf der Wahrscheinlichkeit der Beurteilung oder der moralischen Gewissheit besteht, niemals jedoch auf der Bestimmtheit des katholischen Glaubens oder auf der dogmatischen Unfehlbarkeit. Dies bedeutet, dass die Kirche auch im Fall von authentisch beurteilten Erscheinungen den einzelnen Gläubigen niemals dazu verpflichtet, daran zu glauben.

Um zu den Kriterien zurückzukehren, die angewandt werden müssen: Die positiven betreffen die Rekonstruktion des Sachverhalts, der durch eine gründliche Untersuchung zu ermitteln ist. Hinzu kommen die moralischen Eigenschaften und die Kohärenz der betroffenen Person, also des Sehers oder der Seherin, und schließlich die Rechtmäßigkeit der verkündeten Lehre und die wichtigsten Früchte, welche sich durch die mutmaßlichen Phänomene zeigen. Die negativen Kriterien hingegen versuchen, eventuell offenkundige Irrtümer, die sowohl den Sachverhalt als auch die Seher betreffen können, sowie eventuelle lehrmäßige Irrtümer, aber auch Geldgier oder schwere unmoralische Handlungen, die der Seher oder seine Anhänger verübt haben könnten, außerdem seine Krankheiten, seien sie psychischer oder anderer Natur, zu ermitteln. Die kirchliche Obrigkeit muss sich umgehend informieren und Abläufe einrichten, die es ihr erlauben, ein korrektes Urteil über die Tatsachen abzugeben.

Es ist positiv, dass laut dem Dossier von Kibeho die kirchlichen Obrigkeiten, die medizinische und die theologische Kommission (eingerichtet am 20. März 1982 bzw. am 14. Mai 1982) streng nach den kirchlichen Regeln zusammengearbeitet haben. So hat die kirchenrechtliche Norm die pastorale Verantwortung nicht beeinträchtigt. Wie das oben genannte Dokument vorsieht, fällt die Untersuchung und die Beurteilung von Erscheinungen in die Kompetenz des Ortsbischofs. So wurde gleich zu Beginn der ungewöhnlichen Ereignisse von Kibeho Msgr. Gahamanyi umgehend informiert, welcher dann den Ortspfarrer der Gemeinde von Kibeho, Don Jean Marie Vianney Sebera, sowie die Direktorin der Mädchenschule, Schwester Germaine Nagasanzwe, anwies, die Phänomene aus unmittelbarer Nähe zu verfolgen und ihm regelmäßig Bericht darüber zu erstatten.

Obwohl der Bischof auf diese Weise bereits alles bis ins kleinste Detail verfolgte, lag es ihm dennoch am Herzen, den Seherinnen persönlich zu begegnen. Das erste Treffen mit Alphonsine fand im Kloster der Benebikira-Schwestern in Kibeho am 22. Januar 1982 statt. Später begegnete er den anderen Seherinnen an seinem Bischofssitz in Butare. Pater Laurentin weist auf Bischof Gahamanyis hohen Sinn für pastorale Verantwortung hin:

»Msgr. Gahamanyi hat gemäß den Regeln der überlieferten seelsorglichen Vorsicht gehandelt, war zugleich kritisch und offen, und er unterließ keine Anstrengung, sich mit den besten Fachleuten zu umgeben, um keinesfalls zu einem voreiligen Urteil zu gelangen, indem er auf mutige und fruchtbringende Weise ihren kühnen charismatischen Auftrag leitete. Sein Beispiel lässt an Msgr. Laurence denken, den Bischof von Lourdes im Jahr 1858. Auch er war, wie sich ähnlich rasch herausgestellt hat, mit Sorgfalt vorgegangen. Er hat sich der Erscheinungen noch vor deren Ende angenommen. Eine Kommission von afrikanischen Theologen und Ärzten hat sie mit beispielhafter Ernsthaftigkeit und strengem christlichem Realismus beobachtet und untersucht. Ihre Einstellung wurde in Ruanda brüderlich aufgenommen als Impuls für die Ernsthaftigkeit der Forschung.«

Darüber hinaus verstand Msgr. Gahamanyi es, auf klare und kluge Weise das Urteil über die Erscheinungen von seinem pastoralen Auftrag zu unterscheiden. Ich glaube, man kann sagen, dass er angesichts der Erscheinungen von Kibeho nach den kirchenrechtlichen Regeln vorgegangen ist, indem er sich rechtzeitig eingeschaltet hat, ohne Partei zu ergreifen, und die notwendigen Informationen zusammengetragen hat. Insgesamt hat er mit Sorgfalt, Vorsicht und Strenge gehandelt, wobei er stets seine persönliche pastorale Verantwortung auf ausgewogene Weise beachtete.

4.4 Die seelsorglichen Maßnahmen

Das Dokument Pauls VI. autorisiert den Diözesanbischof auch, pastorale Richtlinien zu erlassen, um das Verhalten der Gläubigen zu lenken. Aufgrund ihrer Verantwortung und ihrer lehramtlichen und seelsorglichen Aufgabe kann und soll die zuständige Obrigkeit, wenn nachweislich schwerwiegende Umstände auftreten, von sich aus, also *motu proprio* (»aus eigenem Antrieb«, Anm. d. V.), eingreifen, um Missbräuche in der Ausübung des Kults oder der Frömmigkeit zu korrigieren oder um diesen vorzubeugen, um irrige Lehren zu verurteilen und um die Gefahren eines falschen oder unangemessenen Mystizismus zu vermeiden.

In diesem Geist hat Msgr. Gahamanyi seine Anordnungen bezüglich der Ereignisse von Kibeho verfasst.

Seine drei Hirtenbriefe passen in dieses Bild. Der erste, der am 30. Juli 1983 veröffentlicht wurde, also weniger als ein Jahr nach der ersten Erscheinung, informierte die Öffentlichkeit kurz über den bisherigen Hergang der Ereignisse, fasste die Botschaften der mutmaßlichen Seherinnen sowie die diesbezüglichen Maßnahmen der kirchlichen Obrigkeiten zusammen und erteilte einige seelsorgliche Hinweise zu den Ereignissen. Der zweite Hirtenbrief vom 30. Juli 1986 informierte über den weiteren Fortgang der Ereignisse, den Fortschritt der Arbeit der beiden Kommissionen und auch über Zeichen eines neuen geistlichen Eifers. Der dritte, veröffentlicht am 15. August 1988, erschien im Zusammenhang mit dem Abschluss des marianischen Jahres und der Autorisierung des öffentlichen Kultes für Kibeho. Der Brief erklärte den geistlichen Sinn des marianischen Jahres, zeichnete ein zusammenfassendes Bild der Ereignisse und legte Normen für den öffentlichen Kult fest. Dem Bischof zufolge war seine Entscheidung ein Gebot der seelsorglichen Vernunft: die Sorge um die Bewahrung der guten geistlichen Früchte, welche die Ereignisse von Kibeho in der Kirche Ruandas und auch im Ausland hervorgebracht hatten, um die Neubelebung der Frömmigkeit in die richtigen Bahnen zu lenken.

4.5 Die Anerkennung der Echtheit der Erscheinungen

Indessen setzten die beiden Kommissionen ihre Arbeit fort. Wie es das Dokument Papst Pauls VI. vorsieht, sind vor allem die Seher und der Inhalt der Botschaften Gegenstand der Untersuchungen. Die zwölf Mitglieder der theologischen Kommission sollten die einzelnen Punkte der Botschaften, seien sie öffentlicher oder privater Natur, genauestens prüfen und analysieren, um den doktrinären Inhalt im Licht der kirchlichen Lehre zu beurteilen. Sie mussten auch die Seherinnen kennenlernen, ihre Motivation ergründen und ihren geistlichen Weg verfolgen, um die Früchte, die daraus hervorgingen, zu bewerten.

Die medizinische Kommission, die aus vier Spezialisten bestand, hatte die Aufgabe, den Gesundheitszustand der Seherin-

nen zu untersuchen und diesen kritisch zu analysieren hinsichtlich ihres Verhaltens in Bezug auf die Ereignisse. Zudem war
es nötig, die Reaktionen der Seherinnen auf diese Ereignisse,
die sie bezeugten, zu bewerten und ebenfalls Einflüsse, die dazu geführt hatten, dass von ihnen bestimmte Gesten ausgeführt
wurden. All diese Untersuchungen hatten das Ziel, die Wahrhaftigkeit der Seherinnen aus medizinischer Sicht festzustellen,
d. h. unter Berücksichtigung ihres mentalen Zustands aufzuklä-
ren, was sie zu ihrem Handeln veranlasste. Nach sorgfältigen
Untersuchungen kam die Kommission zu der Feststellung, dass
die drei Seherinnen psychisch gesund waren. Diese Feststellung
der medizinischen Kommission war mittlerweile durch das Ergebnis der anderen Kommission ergänzt worden, welche sich
mit den theologischen und geistlichen Fragen befasst hatte: Diese war zu der Überzeugung gelangt, dass die von den Seherinnen übermittelten Botschaften mit der kirchlichen Lehre über-
einstimmten und dass geistliche Früchte sowohl bei den einzelnen Seherinnen als auch bei der ganzen Gemeinde vor Ort
erkennbar seien.

Jetzt fehlte nur noch der letzte Schritt: die Anerkennung der
Echtheit der Erscheinungen.

Das lehramtliche Dokument Papst Pauls VI., das schon mehr-
fach erwähnt wurde, sieht vor, dass der Ortsbischof nach einer
ausreichend langen Zeit der vorsichtigen Prüfung den übernat-
türlichen Charakter der Erscheinung anerkennen kann. Das
endgültige Urteil der zuständigen kirchlichen Obrigkeit darf
weder überstürzt noch oberflächlich sein. Es kommt üblicherweise auf eine der drei nachfolgenden Arten zum Ausdruck:

1. *Constat de non supernaturalitate* – Es steht eindeutig fest, dass
die vermeintlichen Erscheinungen nicht übernatürlich sind.

2. *Non constat de supernaturalitate* – Es steht nicht fest, ob die
Erscheinungen übernatürlich sind. Hier wird ausgesagt, dass nicht
festgestellt werden konnte, ob die Erscheinungen übernatürlicher
Natur sind oder nicht. Diese Entscheidung bedeutet, dass es nicht

verboten ist, den mutmaßlichen Erscheinungen Glauben zu schenken, jedoch im Bewusstsein, dass diese nicht offiziell anerkannt sind.

3. *Constat de supernaturalitate* – Es steht fest, dass die Erscheinungen übernatürlich sind. In diesem Fall erklärt die Kirche ihre Zustimmung, ohne jedoch eine lehramtliche Definition des Sachverhalts zu geben. Denn im Unterschied zu einem Dogma, das »göttlichen Glaubens« ist, sind Erscheinungen »menschlichen Glaubens«, gehören somit in die Ordnung der Wahrscheinlichkeit und nicht in die der unfehlbaren Glaubensgewissheit.

In Kibeho übernahm Msgr. Augustin Misago, der zuvor als besonders aktives Mitglied der theologischen Kommission angehört hatte, als Bischof der Diözese von Gikongoro, zu der Kibeho seit 1992 gehörte, nach einem langwierigen und aufwendigen kirchenrechtlichen Verfahren, das zwanzig Jahre lang dauerte, die Verantwortung für die offizielle Anerkennung der Erscheinungen. Er war persönlich mit diesen Ereignissen bestens vertraut. Diese offizielle Anerkennung fand am 29. Juni 2001 statt im Rahmen eines Festgottesdienstes, bei dem der Apostolische Nuntius von Ruanda zelebrierte, zusammen mit allen Mitgliedern der Ruandischen Bischofskonferenz und vielen Priestern aus den verschiedenen Pfarreien. Ferner waren Ordensmänner und Ordensfrauen mit ihren Ordensoberen anwesend sowie einer Vielzahl von gläubigen Laien, die von überallher kamen. Msgr. Misago benutzte bei dieser offiziellen Anerkennung die folgende Formulierung:

>»Ja, die Jungfrau Maria ist in Kibeho am 28. November 1981 und in den folgenden Monaten erschienen. Es sprechen mehr Gründe dafür, daran zu glauben, als dagegen. In diesem Zusammenhang sind nur die drei ersten Seherinnen als echt anzuerkennen: Alphonsine Mumureke, Nathalie Mukamazimpaka und Marie Claire Mukangango. Die selige Jungfrau hat sich ihnen als *Nyina wa Jambo* – ›Mutter des Wortes‹ offenbart. Dies bedeutet *Umubyeyi w'Imana* – ›Muttergottes‹, wie sie selbst erklärt hat.«

Somit hat der Himmel sich über Kibeho wirklich geöffnet und hat uns in der Person Mariens das vergessene Evangelium wieder in Erinnerung gebracht, hat uns vor den Gefahren gewarnt, die uns drohen, wenn wir uns von Gott entfernen. Sie hat uns gelehrt, wie wir auf den rechten Weg des Glaubens zurückkehren können, eines tieferen Glaubens, der unser Leben prägt.

Zu unserem Wohl ist all dies von den zuständigen kirchlichen Obrigkeiten anerkannt und vom gläubigen Volk angenommen worden, weit über die Grenzen von Ruanda hinaus. Nun wird es unsere Aufgabe sein, uns tiefer mit dem Inhalt der Botschaften zu beschäftigen und sie zu betrachten, um recht zu verstehen, was uns die »Mutter des Wortes« sagen wollte.

5. »Mutter des Wortes« und Mutter der Menschen

In Kibeho hat Maria sich als »Mutter des Wortes« bezeichnet, aber auch als »Mutter der Menschen«. Diese beiden Titel enthalten offensichtlich eine wichtige Botschaft und deshalb verdienen sie eine Vertiefung. Der Titel »Mutter des Wortes« deutet bereits an, dass der richtige Ausgangspunkt, das Grundprinzip der Identität der himmlischen Mutter und ihrer Mission, das fleischgewordene Wort ist. Genau von diesem Geheimnis aus beginnen wir, diese doppelte Mutterschaft Mariens besser zu verstehen.

5.1 Was die Jungfrau uns sagt, wenn sie an ihre göttliche Mutterschaft erinnert

Der Titel »Mutter des Wortes«, mit dem sich Maria bei der Seherin Alphonsine vorgestellt hat, warf sogleich Fragen auf. Deshalb hat die Seherin auf Anregung von Msgr. Gahamanyi die selige Jungfrau um eine entsprechende Erklärung gebeten. Während der Erscheinung vom 24. Juni 1982 bekam sie eine Antwort, die sie folgendermaßen in ihrem Tagebuch festgehalten hat:

> »Sie sagt, sie habe sich ihren Töchtern so offenbart, damit sie sofort ihre Identität erkennen konnten. Dadurch hat sie jede Möglichkeit der Unsicherheit ausgeschlossen, wer die Person ist, die sich mit ihnen unterhält. Sonst könnten sie sagen, dass sie nur ›eine Frau‹ gesehen hätten. Nun hat sich diese Frau als ›Mutter des

Wortes‹ offenbart: das heißt des Wortes Gottes, Jesu Christi, geboren durch die Jungfrau Maria. Sie erklärt, dass sie sich davor gehütet habe, den Titel ›Muttergottes‹ zu benutzen, weil sie die Erinnerung an die große Tugend der Demut nicht verloren habe. Doch wer auch immer den Ausdruck ›Mutter des Wortes‹ hört, muss sofort verstehen, um wen es sich handelt. Sie sagte, dass Sie als Hirte der Kirche deshalb wissen müssen, dass die Töchter, denen sie sich offenbaren wollte, mit der Muttergottes sprechen.«

Entsprechend dieser Botschaft drückt der Titel »Mutter des Wortes«, den die Jungfrau Maria absichtlich gewählt hat, am besten ihre Identität und ihre Mission im Heilsplan aus. Der Ausdruck »Mutter des Wortes« ist tatsächlich echt christologisch, denn er stellt Christus, das Wort Gottes, ins Zentrum.

Es ist eine interessante Feststellung, dass die selige Jungfrau Maria sich voller Demut in Kibeho vorgestellt hat, ohne den ihr zustehenden, von der Kirche als Privileg zuerkannten Titel der Gottesmutter zu benutzen, der letztlich das ganze Gewicht auf ihre eigene Person legt. Stattdessen hat sie die ganze Aufmerksamkeit auf die Menschwerdung des Wortes gelenkt. Diese erhellt das ganze Glaubensgeheimnis und die Sendung Mariens im Erlösungswerk der Menschheit, das der Erlöser, Jesus, ihr Sohn, vollbracht hat.

5.1.1 Das Geheimnis des Logos im Titel »Mutter des Wortes«

Um richtig zu verstehen, welchen Gehalt die beiden Titel haben, unter denen sich die heiligste Mutter in Kibeho vorgestellt hat, müssen wir von jenem *Logos*-Wort ausgehen, von dem in der Heiligen Schrift die Rede ist, und von alldem, was in diesem Begriff enthalten ist.

Die erste christologische Bedeutung dieses Titels besagt, dass Jesus Christus, das Wort Gottes, die zweite Person der Heiligsten Dreifaltigkeit, wahrer Gott, dem Vater gleich in seiner

Gottheit, ist (vgl. Joh 1,1–4). Der Evangelist Johannes betont die Präexistenz des Wortes gegenüber allen Kreaturen: »Im Anfang war das Wort und das Wort war bei Gott und das Wort war Gott« (Joh 1,1). Er ist das Wort des Lebens (vgl. 1 Joh 1,1), das ewig lebendig und Gott gleich ist (vgl. Phil 2,6). Es handelt sich um einen Gott, der Schöpfer ist: »Alles ist durch das Wort geworden und ohne es wurde nichts, was geworden ist« (Joh 1,3). Gerade auf diese erste christologische Bedeutung bezieht sich der Titel »Mutter des Wortes«. Indem sie sich selbst auf diese Weise bezeichnet, möchte die Mutter Jesu die Gottheit des Wortes bekunden und gleichzeitig die historische Dimension des Geheimnisses des *Logos* beleuchten, denn sie möchte uns einladen zuzulassen, dass er geistlich auch in der heutigen Zeit und in jedem von uns Mensch wird.

Die zweite Bedeutung des Ausdrucks *Logos* liegt im Geheimnis der Fleischwerdung, das heißt, dass die zweite Person der Heiligsten Dreifaltigkeit wirklich Mensch geworden ist im Schoß der Maria aus Nazareth und so unter den Menschen Wohnung genommen hat (vgl. Joh 1,14). Der Ausdruck »Mutter des Wortes« erlaubt es somit, das Geheimnis der Gegenwart zweier Naturen in der Person Jesu leichter zu erfassen: seine göttliche und seine menschliche Natur. Wenn die »Mutter des Wortes« Jesus in Kibeho »ihren Sohn« nennt, dann möchte sie uns daran erinnern, dass sie es war, die dem Sohn Gottes einen Leib geschenkt und somit die Menschwerdung ermöglicht hat, dadurch jedoch auch Bürgin für seine volle Menschlichkeit geworden ist. Somit ist das Wort wirklich »Sohn Gottes« (Lk 1,35) und gleichzeitig auch wirklich »Sohn Mariens« (vgl. Lk 2,48).

Die dritte christologische Bedeutung des *Logos* im Licht des Titels »Mutter des Wortes« ist das, was das Wort in Bezug auf die Welt darstellt, wie es im Neuen Testament nach und nach offenbar wird: Wahrheit (vgl. Joh 14,6), Weg (vgl. Joh 14,6), Leben (vgl. Joh 1,4), Licht (vgl. Joh 1,9) und Wort (vgl. Joh 14,9). Das Wort ist die Wahrheit Gottes (vgl. Joh 3,21), von der keine Lüge stammt (vgl. 1 Joh 2,21). Es ist auch der Weg, der zum Vater führt (vgl. Joh 14,6), und die Tür zu den Schafen (vgl. Joh 10,7). Indem sie sich als »Mutter des Wortes« bezeichnet, verkündet Maria somit die Wahrheit des Sohnes (vgl. Joh 1,14) für die heutige Welt, die es so nötig hat, in ihm die einzige Wahrheit zu erkennen. Das Wort ist Leben (vgl. Joh 14,6; 1 Joh 1,1), denn alles ist Leben in ihm. In einer Welt, die sich verbissen gegen das Leben stellt, einer Welt voller Hass und voller Kriege, verkündet die »Mutter des Wortes« Jesus, ihren Sohn, der Leben ist und der es in Fülle schenkt (vgl. Joh 1,16; 10,10). Das Wort ist auch das Licht der Welt, das »in der Finsternis [leuchtet], und die Finsternis hat es nicht erfasst« (Joh 1,5). In Kibeho hat die Gottesmutter von einer durch eine Vielzahl von Sünden verdunkelten Welt gesprochen, die sich weigert, Jesus, das Licht der Welt, anzunehmen. Dieser Welt verkündet sie erneut ihren Sohn, das wahre Licht, das jeden Menschen erleuchtet (vgl. Joh 1,9).

In seinem theologischen Gebrauch bedeutet der Begriff *Logos* schließlich auch, wie bereits erwähnt, das fleischgewordene Wort Gottes. Er ist tatsächlich Wort des Vaters (vgl. Hebr 1,2–3), ist seine Kraft und seine Weisheit (vgl. 1 Kor 1,24). Er ist der Offenbarer der Geheimnisse des göttlichen Lebens (vgl. Hebr 1,2–3).

Es ist klar ersichtlich, dass der Titel »Mutter des Wortes« eine große Fülle von Nuancen und eine Botschaft von enormer Aktualität in sich birgt, die zugleich auch die Identität des Wortes betrifft, wahrer Gott zu sein, der im Schoß der Jungfrau wahrer Mensch geworden ist, und darüber hinaus auch sein Hineinstrahlen in die Welt als Wahrheit, Leben, Weg, Licht und Wort.

5.1.2 Der Sohn erhellt die Identität der Mutter

Der Titel »Mutter des Wortes«, mit dem Maria sich in Kibeho selbst bezeichnet hat, erlaubt es somit, unsere Kenntnis über ihre Identität und ihre Sendung in Bezug auf den Sohn und auf die Menschen zu vertiefen. Dieser Weg, der vom Wort ausgeht, um das Geheimnis Mariens zu betrachten, entspricht zutiefst dem Evangelium. Jesus selbst offenbart den Jüngern, wer Maria ist: »Siehe, deine Mutter« (Joh 19,27). Auch die klassischen Formel *ad Jesum per Mariam*, die viele Heilige und Mystiker anwandten, um die Marienfrömmigkeit zu definieren, muss von Christus her verstanden werden, damit man sie nicht in das Gegenteil verkehrt und nicht die Person Jesu an die erste Stelle setzt, sondern die Person Mariens. Das wäre der Fall, wenn man die Formel auf verzerrte Weise verstünde, als ob die persönliche Beziehung zu Jesus nur durch Maria möglich wäre. Das würde ganz offensichtlich die wahre Identität Jesu verfälschen, der in den Evangelien klar als der einzige Mittler und Erlöser der Menschheit auftritt (vgl. Joh 14,23; 15,4; 6,56).

Die Mutterschaft der seligen Jungfrau Maria lässt sich deshalb nur vom Wort her richtig verstehen, das, so wie es uns den Vater offenbart, uns auch seine Mutter offenbart und sie uns zur Mutter gibt (vgl. Joh 19,26). Diese Bewegung, die von Christus ausgeht zu Maria – und dann zur Kirche –, ist der neue und unabdingbare Kurs, den wir einschlagen müssen, wie es das Zweite Vatikanische Konzil betont hat. Maria gibt es nur als Widerschein des Sohnes, der auch für sie Herr und Erlöser ist. Somit erinnert uns Kibeho daran, dass am Anfang jedes christlichen Weges unausweichlich Jesus Christus steht, der einzige Erlöser der Menschheit. Damit jedoch der Christ in die Gemeinschaft mit dem Wort eintreten kann, hat Gott aus reiner Gnade verfügt, dass Maria, seine Mutter, für die Jünger eine »Mütterlichkeit des Dienstes« ausübt, die auf dem Wort Christi »Frau, siehe, dein Sohn« (Joh 19,26) gründet.

Daraus folgt, dass Christus selbst es ist, der seinen Jünger der Sorge Mariens anvertraut. Die Bewegung ist somit immer christozentrisch und niemals mariozentrisch. Maria ist folglich auch keine Art Vorstufe, um nicht zu sagen eine bürokratische

Hürde, die den Weg des Christen, der seinem Retter begegnen möchte, verkompliziert. Ihr mütterliches Wirken innerhalb der Heilsordnung behindert in keiner Weise die Vereinigung der Gläubigen mit Christus, sondern fördert sie sogar (LG 60).

Es ist noch zu bemerken, dass dieser Titel »Mutter des Wortes« sich sehr gut den afrikanischen Kulturen anpasst, wie der verstorbene Mariologe Stefano De Fiores betont:

> »Die afrikanische Kultur räumt der Mutter einen bevorzugten Platz ein, weil sie eine wichtige Rolle im Leben der Kinder spielt. Im Zusammenhang mit der institutionellen Unterordnung der Frau unter den Mann ist ›Mama‹ der respektvolle Ehrentitel, denn er bezieht sich auf das Leben. Diese allgemein bekannte Tatsache erklärt, warum der Titel ›Mutter‹, der Maria im Neuen Testament zukommt, derjenige ist, der das afrikanische Herz am meisten anspricht: Alle anderen Titel sind lediglich eine Erweiterung.«

Vor diesem kulturellen Hintergrund umfasst der Begriff »Mutter des Wortes« nicht nur die göttliche Mutterschaft in Bezug auf das Wort und die Jünger Christi, sondern berührt auch eine intime Beziehung, die Dasein, Beistand, Sensibilität, Schutz und Zärtlichkeit bedeutet. Dieser Begriff verweist unweigerlich auf die geistliche Mutterschaft für die Menschen, denn die göttliche Mutterschaft Mariens bindet auch die geistliche Mutterschaft für uns ein. Aus diesem Grund ist Maria, Muttergottes, »Mutter des Wortes«, nach dem Willen des Erlösers auch Mutter der Menschen geworden.

5.1.3 »Mutter des Wortes«, somit Mittlerin und Miterlöserin

In ihrer Eigenschaft als Mutter, zugleich »Mutter des Wortes« und »Mutter der Menschen«, hat Maria in Kibeho somit ihre Rolle als Mittlerin zum einzigen Mittler, dem Wort, unterstrichen. Bei der Erscheinung vom 15. August 1982 sagte die selige

Jungfrau zur Seherin Alphonsine: »Meine Tochter, ich habe die Tür geöffnet, aber ihr wolltet nicht eintreten.« Diese Aussage weist auf jene von Jesus hin, der von sich als »Tür zu den Schafen« (Joh 10,7) spricht. Damit soll aber auch betont werden, dass Maria den Zugang zu dieser Tür erleichtert. Sie selbst hat der Seherin Nathalie anvertraut, dass sie niemals jemanden abweisen wird, der zu ihr kommt, und dass derjenige nicht verloren gehen wird, weil sie ihm den rechten Weg zeigen wird. Wenn das Wort der Weg ist (vgl. Joh 14,6), dann ist es die »Mutter des Wortes«, die uns diesen Weg weist, und das Wort ist auch der Weg zum Vater. Marias Rolle ist deshalb die einer Vermittlerin, die den Zugang zur Tür erleichtert.

Papst Johannes Paul II. hat all dies in seiner Enzyklika *Redemptoris Mater* gut erklärt (RM 3,39). Maria, die als Erste durch Christus, ihren Sohn, erlöst worden ist, ersetzt ihn keineswegs. Sie befindet sich weder auf der Ebene Christi noch auf unserer, sondern auf einer Zwischenstufe: Christus allein ist der Erlöser aller Menschen, zunächst auch der Mariens, der zuerst Erlösten. Er allein ist Gott, nur er ist gestorben, nur er hat das Opfer vollzogen durch sein Leiden, seine Auferstehung und seine Rückkehr zum Vater. Maria hat an der Erlösung in begrenztem Umfang Anteil durch ihr Mitleiden und durch den Preis, durch den sie mit Gott vereint ist, somit nicht aufgrund ihrer Verdienste, wie es bei Jesus Christus der Fall ist, der den Preis für die Sünde streng nach den Maßstäben der Gerechtigkeit bezahlt hat in einer Stellung der personalen Einheit mit dem Vater, vielmehr aufgrund der Gnadenfülle und der umsonst geschenkten reinen Bestimmung durch Gott.

Somit kann das Thema der Mittlerschaft der seligen Jungfrau Maria, auf die sich die Botschaften von Kibeho beziehen, nur in einem engen Zusammenhang mit der Miterlösung verstanden werden. Dieses Thema ist in der engen Verbindung zwischen Maria und dem Wort verankert. Maria hat an der Erlösung mitgewirkt vom *Fiat* der Verkündigung bis hin zum Kreuz.

Auf diese Weise erhielt sie Anteil am Opfer ihres Sohnes und ist auf besondere, aber untergeordnete Weise seine Teilhaberin und Mitarbeiterin am Werk der Erlösung.

Der Mariologe René Laurentin hat in diesem Zusammenhang klargestellt, dass Maria in dreifachem Sinne an der Erlösung Anteil hat: im Namen der Erlösten, aufgrund ihrer Heiligkeit und als Mutter. Vor allem im Namen der Erlösten repräsentiert Maria als erste unter ihnen an der Seite Christi, ihm jedoch untergeordnet, »die zusätzlichen Aspekte der Menschheit, die Christus nicht angenommen hat«. Pater Laurentin benutzt gerade diesen merkwürdigen Ausdruck »zusätzliche Aspekte der Menschheit, die Christus nicht angenommen hat«, um daran zu erinnern, dass Maria nur eine menschliche Person ist, während das Wort eine göttliche, präexistente Person ist, die zum Menschen Jesus wurde. Die Muttergottes am Fuß des Kreuzes repräsentiert folglich die Gemeinschaft der erlösten Kirche, das heißt der ganzen Menschheit, durch das Opfer des Erlösers.

Des Weiteren ist die Jungfrau Maria mit dem Erlöser durch ihre Heiligkeit verbunden. Diese Verbindung beruht nicht nur auf der Tatsache, dass sie die Erste der Erlösten gewesen ist, sondern auch und vor allem auf der Tatsache, dass sie vollständig und grundlegend erlöst ist: Kein Makel, kein Schatten durfte dem Opfer beigemischt sein, das Quelle und Fundament der Erlösung darstellt, dem Kreuz. Und bei der Person Mariens gab es keine Spur der Sünde. Die neue Schöpfung muss aus einer reinen Wurzel hervorgehen. Aus diesem Grund konnte auch das Mitleiden des Johannes (auch er war ja unter dem Kreuz zugegen) nicht in das Erlösungsopfer miteinbezogen werden. Nur sie, die frei von jeglicher Schuld war, die vom Ursprung an Unbefleckte, die in ihrem Dasein dann ganz heilig war, die Mutter, die zur ersten und zur vollendeten Jüngerin ihres Sohnes wurde, sie allein konnte wahrhaftig am Erlösungswerk mitarbeiten. An der Seite des Lammes, das für die Erlösung der Menschheit erhöht wurde, stand also die Unbefleckte, nicht weil dies für das Erlösungswerk notwendig gewesen wäre, sondern als Teilhaberin durch die reine Bestimmung Gottes.

Auf dem Kalvarienberg war Maria mit dem Erlöser auch in einer weiteren besonderen Rolle verbunden, und zwar als »Mutter des Erlösers«. Hier ist daran zu erinnern, was Papst Benedikt XV. mit einem sehr wirkungsvollen Ausdruck die »mütterlichen Rechte Mariens« nannte. Derjenige, der sich auf dem Kalvarienberg aufopferte, war schließlich ihr Sohn. Genau deshalb konnte sie sagen: »Was dein ist, ist auch mein, und was mein ist, ist dein.« Durch die Gnade Gottes erhält diese Aussage ihre höchste Bedeutung: »Deine Leiden sind meine Leiden, dein Werk ist mein Werk, von der Erlösung, die nur du allein hast wirken können, hast du gewollt, dass sie auch mein Opfer sei.«

Dies ist der Höhepunkt der Miterlösung und der Anteilnahme der Mutter am Sohn. Aus diesem Blickwinkel wird die Transzendenz Christi, des einzigen Erlösers, nicht verändert, denn von ihm kommen die Titel Mariens, unter denen die Mutter mit ihm zusammenwirkt. Darum ist es möglich und richtig zu beteuern, dass die selige Jungfrau Maria ein wesentlicher Bestandteil der Heilsgeschichte ist.

5.1.4 »Mutter des Wortes« und der Kirche, ihres mystischen Leibes

Es gibt einen weiteren interessanten Aspekt in der Ausdrucksweise Mariens während der Erscheinungen von Kibeho, und dies ist die Tatsache, dass »die Mutter des Wortes« sowohl Jesus als auch die Menschen mit denselben Bezeichnungen anspricht: »Mein Sohn«, »Meine Tochter« oder »Meine Kinder«. So hat Maria eine Verbindung zwischen ihrem einzigen leiblichen Sohn und den Menschen geschaffen, die aus Gnade gleichermaßen ihre Kinder sind (vgl. Joh 19,26). Dabei gibt sie zu verstehen, dass ihre Mutterschaft im Dienste der Einheit steht. Denn durch die Menschheit des Wortes, deren einziger menschlicher Ursprung Maria ist, wurde Jesus zum Bruder aller Menschen. Und in dieser Bruderschaft mit Jesus sind diese ihrerseits zu Brüdern und Schwestern geworden.

Diese enge Verbindung innerhalb des mystischen Leibes, an die uns Kibeho erinnert, betrifft eine wichtige Lehre zum Geheimnis der Kirche: Maria ist tatsächlich bei der Kirche, mehr noch, sie ist ihre Mutter, weil sie mit Christus, deren Haupt, vereint ist. Sie selbst hat uns ins Gedächtnis gerufen: »Ihr sollt wissen, dass ich immer bei euch bin und euch alle Tage begleite.« Dort, wo Jesus ist, da ist also auch seine Mutter und umgekehrt. Deswegen begegnet derjenige, der sein Herz der Mutter öffnet, auch dem Sohn und nimmt ihn auf. Und weil die Kirche sein mystischer Leib ist, ist in der Kirche auch die Gottesmutter gegenwärtig. Diese unauflösliche und vollkommene Einheit zwischen der Jungfrau Maria und Christus, zwischen dem Haupt und den Gliedern, ist schon immer von der Kirche gelehrt worden. Aus der Heiligen Schrift erfahren wir wenig über sie, und doch sind diese wenigen Hinweise ausreichend, um ihre ständige Anwesenheit in allen entscheidenden Momenten des Lebens Jesu und der Kirche anzuzeigen.

Die moderne Theologie nennt, um diese ständige Anwesenheit der Mutter Jesu bei den Jüngern zu betonen, drei Momente, die ihre Mutterschaft kennzeichnen: Der erste entspricht dem Augenblick der Empfängnis des Wortes: Indem sie Christus empfängt, ist Maria zur Mutter all jener geworden, auf deren Erlösung Jesus sich vorbereitete. Der Theologe Jean-Pierre Torrell formuliert es so: »In dem Moment, in dem Maria das fleischgewordene Wort empfing, wurde die Kirche als Gemeinschaft der Gnade konstituiert, zweifelsohne auf verborgene, aber vollkommene Weise: Sie besaß ihr Haupt und zugleich das erhabenste ihrer Glieder, den Erlöser und die Erste der Erlösten.« Indem er diese Wahrheit erklärt, präzisiert Pater Laurentin, dass die Gottesmutterschaft das Prinzip ist, das die geistliche Mutterschaft für das Menschengeschlecht begründet: »Die Gottesmutterschaft, die sich auf die Person des Gottessohnes in seiner Menschheit bezieht, barg in sich eine universale mütterliche Berufung für die ganze Menschheit auf diese Adoptivmutterschaft hin, die sich von den Geburtswehen bis zum Fuß des Kreuzes vollziehen wird (Joh 19,25–27).«

Diese Überlegungen führen uns zum zweiten Moment der spirituellen Zeugung, dem Kreuz. Es ist der feierlichste Augenblick, bei dem Christus durch seine Worte, die Geist und Leben sind (Joh 6,63), die Mutterschaft seiner Mutter für die ganze Menschheit offenbart. Erinnern wir uns nochmals an die Worte, die er an Maria richtete: »Frau, siehe, dein Sohn«, und an die Worte, die er an den Jünger Johannes richtete: »Siehe, deine Mutter« (Joh 19,26). So ist das Kreuz zu dem Ort geworden, an dem die geistliche und universale Mutterschaft der Jungfrau Maria offenbart worden ist.

Wir können feststellen, dass auch in diesem Fall jegliche Offenbarung von Christus kommt, auch jene, die die Beziehung zwischen der Gottesmutter und den Jüngern betrifft. Bedeutsam ist in der Tat, dass Maria unter dem Kreuz nichts von sich gibt. Es ist Jesus, der sie ruft (vgl. Joh 19,26) und zu ihr spricht, und schließlich ist es der Jünger, der sie zu sich nimmt (vgl. Joh 19,27). Diese »Inaktivität« Mariens ist sehr wichtig: Nicht sie ist es, die sich zur Mutter der Jünger erklärt, sondern sie empfängt diese Funktion von ihrem Sohn. Zugleich ist es nicht sie, die sich in das Leben des Jüngers hineindrängt, sondern sie wird vom Wort eingeführt und im Glauben vom Jünger aufgenommen. Somit ist die Ausübung der geistlichen Mutterschaft der Jungfrau ein Akt des Gehorsams gegenüber Jesus (vgl. Joh 19,26), ebenso wie es die Aufnahme Mariens durch Johannes in das Leben des Jüngers ist (vgl. Joh 19,27).

Daraus geht hervor, dass die göttliche und geistliche Mutterschaft Mariens Anteil hat am Heilsgeschehen, das von Christus vollzogen wurde. In diesem Sinne hat auch Papst Pius XII. die Gottesmutterschaft und die geistliche Mutterschaft der seligen Jungfrau Maria in den Blick genommen: »Maria gebar Jesus, der schon in ihrem Schoß mit der Würde des Hauptes der Kirche bekleidet war [...]. Aber unter dem Kreuz wurde diejenige, die die leibliche Mutter unseres Hauptes war, auch geistlich zur Mutter all seiner Glieder.«

In der Ausdehnung und Ergänzung dieser beiden bereits erwähnten Momente – Empfängnis und Kreuz – führt Laurentin uns zur dritten Stufe der geistlichen Mutterschaft Mariens, dem Pfingstfest. Denn in dieser Ordnung ist die Mutterschaft des Kalvarienbergs zur Vollendung gelangt und hat an Pfingsten durch das Wirken des Heiligen Geistes auch ihre offizielle Bestätigung erhalten. Die theologische Grundlage, die diese dritte Phase rechtfertigt, ist die Tatsache, dass Maria die geistliche Sendung erhalten hat, die Jünger Christi zum Glauben zu erziehen. Ihre Mutterschaft ist somit nicht nur eine Tat, die auf einen gewissen Zeitpunkt begrenzt ist, sondern es handelt sich um eine Sendung, die sich im Laufe der Zeit entfalten sollte. Übrigens war sie ja nicht nur Mutter Jesu im Augenblick der Empfängnis und der leiblichen Geburt, sondern diese Aufgabe hatte auch noch im konkreten Alltagsleben weiterhin Bestand. Diese drei Phasen, die eine einzige Mutterschaft umfassen, heben so den fortwährenden Charakter der geistlichen Mutterschaft der Gottesmutter für die Menschen hervor. Ihre Mutterschaft währt bis ans Ende der Zeiten, das heißt die ganze Geschichte der Menschheit hindurch, in der die von Christus gestiftete Kirche nötig sein wird, um der Erlösung jedes Menschen, den Jesus für sich gewonnen hat, Aktualität zu verleihen. Auch deshalb sprechen wir von Maria als »Mutter der Kirche«.

Bekanntlich war es Papst Paul VI., der ihr diesen Titel in seiner Ansprache zum Abschluss des Konzils offiziell zuerkannt hat. Auch wenn dieser Titel in gewissem Sinne eine Neuheit ist, trifft dies jedoch nicht für die theologische Wirklichkeit zu, da er bereits zur unbestrittenen Lehre der Kirche gehörte. Der heilige Augustinus hatte zum Beispiel bekräftigt, dass Maria die Mutter der Glieder Christi sei, weil sie durch ihre Liebe bei der Geburt der Kirche der Gläubigen, den Gliedern Christi, mitgewirkt habe. Der Bischof von Hippo hat ferner gelehrt, dass die Kirche die Mutter Mariens sei, da sie alle Gläubigen, Maria eingeschlossen, hervorbringt. Maria ist folglich ein Glied des mystischen Leibes. Papst Paul VI. wollte jedoch klarstellen, dass »Maria das bedeutendste Glied, das beste Glied, das wichtigste Glied, das bevorzugte Glied der Kirche ist«.

Somit kann es die Kirche nicht nur zu Beginn, sondern zu allen Zeiten nur zusammen mit Maria geben. Maria, »der Grund, der die Kirche trägt«, bildet ihr mystisches Zentrum, das jedem Geschöpf das Leben der Heiligung eröffnet. »Mutter des Wortes« und »Mutter der Menschen«: Diese außergewöhnliche Frau erscheint folglich auch als »Mutter der Einheit« in dem Sinne, dass sie gerade durch ihre Mutterschaft, die Himmel und Erde umfasst, die Einheit fördert, die sich in Jesus Christus verwirklicht. In ihr, durch ihre Menschlichkeit, sind wir Jesu Brüder und Schwestern und aufgrund ihrer neuen geistlichen Mutterschaft zeugt sie jeden Menschen auf eine absolut einzigartige Weise. Deshalb ist das Wort zuerst eine Einheit mit seiner Mutter eingegangen, damit diese Verbindung zum Paradigma wird und somit zum Auftakt seiner Verbindung mit den Menschen, den geistlichen Kindern Mariens.

5.2 Wie können wir würdige Kinder Mariens werden?

Da sie von der geistlichen Mutterschaft der »Mutter des Wortes« sprechen, stellen die Botschaften von Kibeho auch klar, wer die Kinder Mariens sind. Unsere Liebe Frau hat darauf hingewiesen, dass wir zu ihren Kindern werden, wenn wir uns so verhalten, wie sie es wünscht. Zum Beispiel hat sie zur Seherin Nathalie gesagt: »Es ist mein Wunsch, dass du ohne Unterlass und von ganzem Herzen betest, dass du mich gerne anrufst. So kannst du wirklich meine Tochter werden.« Bei einer anderen Gelegenheit: »Diejenigen, die nicht glauben, gehören nicht zu mir.«

Dies scheint zu bedeuten, dass, obwohl alle Menschen potenzielle Kinder Mariens sind, doch nur diejenigen, die sie zu sich nehmen wie Johannes (vgl. Joh 19,27) und die sich von ihr zur *Nachfolge Christi* erziehen lassen, ihre wahren Kinder werden. Wie aber lässt sich diese auf die ganze Menschheit ausgeweitete Mutterschaft mit den eben genannten Bedingungen in Einklang bringen? Um dies besser begreifen zu können, empfiehlt sich ein Blick auf den heiligen Thomas von Aquin, der hinsichtlich der Zugehörigkeit zum mystischen Leib sagte, dass »nicht nur jene als Glieder des mystischen Leibes zu betrachten sind, die es aktuell sind, sondern auch diejenigen, die es potenziell sind«. Wenn also Jesus Christus für alle Menschen gestorben ist und sterbend alle Erlösten der mütterlichen Sorge seiner Mutter anvertraute (vgl. Joh 19,26), dann ist es unzweifelhaft, dass die geistliche Mutterschaft Mariens sich auf alle Menschen erstreckt, auf ihre wirklichen und ihre möglichen Kinder. Wie Christus für alle stirbt, so hat er auch Maria als Mutter für alle eingesetzt. Pater Laurentin unterstreicht dies mit den folgenden Worten:

> »In der Stunde, in dem sie ihren einzigen Sohn verlor, ersetzt sie [Maria] ihn durch einen anderen, seinen Lieblingsjünger, und mit ihm durch alle Jünger und alle Menschen. [...] In ihm sind ihr alle weltweit anvertraut: Die Anwesenden und die Abwesenden, die Gläubigen und die Sünder, die frommen Frauen, die ihm bis hierher nachgefolgt sind, und die geflüchteten Apostel. In der Stunde, in der ihr Sohn stirbt, erhält Maria zum Tausch alle Jünger, reale oder potenzielle, die *massa damnationis*, die er retten will. Sie öffnet ihr Herz vollkommen. Dieser Tausch des Allerbesten mit dem Schlechtesten war eine schmerzhafte Geburt. Aber das ist eben die

Bedeutung der Erlösung in Jesus Christus: der wunderbare Tausch, bei dem er unsere Sünden und unseren Schmerz auf sich genommen hat, um uns sein göttliches Leben und seine Freude zu schenken.«

Diese geistliche Mutterschaft für alle Menschen übersteigt somit Raum und Zeit. Die Gottesmutter bringt weiterhin noch mehr Kinder zur Welt. Von Balthasar sagt, dass die Identität, ein »Kind Mariens« zu sein, ohne Zweifel an keine moralische Bedingung geknüpft, sondern ein Geschenk an alle sei: »Ob er es will oder nicht, so hat doch jeder Mensch unter ihrem Mantel Platz. Durch sein Leiden ist ihr Sohn zum Bruder aller Menschen geworden. Maria hat folglich alle als ihre Kinder angenommen.«

Diese Behauptungen beruhen auf zwei verschiedenen Gründen, auf einem christologischen und einem moralischen: Maria ist die Mutter aller, weil Jesus für alle gestorben ist, und ihre mütterliche Liebe ist ein Abbild Gottes, der alle ohne jeden Unterschied liebt. Wenn es zutrifft, dass alle Menschen Mariens potenzielle Kinder sind, wie sie selbst es uns auch in ihren Botschaften von Kibeho mitgeteilt hat, dann ist es genauso zutreffend, dass wir alle durch eine echte Umkehr zu Christus wahrhaftig zu Kindern Mariens werden. So zeigen uns die Botschaften von Kibeho einmal mehr, wie sich diese Mutterschaft ganz konkret im Leben und im Alltag ihrer Kinder verwirklicht.

5.2.1 Sich von ihr erziehen lassen

In ihren Botschaften hat sich die »Mutter des Wortes« als eine Mutter voller Zärtlichkeit und Liebe gezeigt: »Ich liebe euch, ich liebe euch, ich liebe euch. Ich habe gesehen, dass die Welt im Sterben liegt, und ich bin gekommen, um ihr zu helfen [...]. Ich bin euretwegen gekommen, ich bin euretwegen gekommen! Ich bin gekommen, weil ich gesehen habe, dass ihr etwas braucht.«

Die »Mutter des Wortes« hat sich somit als fürsorgliche Mama vorgestellt, die ihren Kindern zu Hilfe eilt. Eine Mütterlichkeit, reich an Erbarmen, die man als ein Spiegelbild der Barmherzigkeit Gottes für seine Kinder verstehen kann. Das Unbefleckte Herz der seligen Jungfrau Maria offenbart die ganze Liebe, die der Gott des Erbarmens seinen Kindern entgegenbringt (vgl. Mt 5,45; Jes 43,5). Die heilige Therese von Lisieux sagte, dass Maria die Menschen, ihre Kinder, liebt, wie sie ihren Sohn geliebt hat.

Hier versteht man, dass Maria nach göttlichem Vorbild ein offenes Ohr hat, um die Schreie der Leidenden und Unterdrückten zu hören (vgl. Ex 2,7; Num 20,16; Ijob 34,28), ein hinabblickendes Auge, um die Bedrängnisse der Kinder wahrzunehmen (vgl. Ps 138,6; Ex 6,5; Lk 1,48). Das Zweite Vatikanische Konzil spricht von dieser unaufhörlichen Tätigkeit bis ans Ende der Zeiten: Ihre mütterliche Liebe richtet ihre Aufmerksamkeit auf die Brüder und Schwestern ihres Sohnes, deren irdische Pilgerschaft noch nicht beendet ist, oder auch auf jene, welche sich in Gefahr und Bedrängnissen befinden, bis sie zur seligen Heimat gelangen. Deshalb wird die selige Jungfrau in der Kirche unter dem Titel der Fürsprecherin, der Helferin, der Retterin und der Mittlerin angerufen (vgl. LG 62).

Sie ist also die Mutter der Barmherzigkeit, aber auch die Mutter, die ihre Kinder zu einem christlichen Leben erzieht. Denn indem sie in Kibeho, zumindest anfangs, in den internen Räumlichkeiten der Schulgemeinschaft erschienen ist wie im Speisesaal, im Schlafsaal oder im Innenhof, wollte die Gottesmutter deutlich ihre Rolle als erziehende Mutter inmitten ihrer Kinder hervorheben. Es sei daran erinnert, dass in der ruandischen Tradition die Räume, in denen die Familie isst, wohnt und schläft, ein Symbol für Vertrautheit sind. Hier sind die Eltern und Kinder beisammen und hier findet auch der erzieherische Austausch statt.

Es ist schön und zugleich wichtig zu erkennen, dass sich die Gespräche mit der seligen Jungfrau im Verlauf der Erscheinungen von Kibeho im Wesentlichen auf das christliche Leben konzentrierten unter Berücksichtigung der örtlichen Gegebenheiten und sich auf das tägliche Leben der Schülerinnen, auf die Disziplin in der Klasse, auf die Erfüllung ihrer Pflichten als Schülerinnen und auf das gute Betragen in den Ferien bezogen. Die Gottesmutter hat immer auf das tägliche Leben der Schülerinnen geschaut und sie wieder neu zu einem Leben aus dem Glauben geführt, indem sie zum Beispiel mit großer Fürsorge die liturgischen Zeiten wie etwa die Fastenzeit erklärte ... In der Tat hat sie sich wie eine Mutter verhalten, die ihren Kindern Katechismusunterricht gibt.

Aus den Botschaften von Kibeho können wir die Lehre für eine spirituelle Bildung entnehmen, die sich auf das konkrete Leben der Menschen bezieht, selbst in Einzelheiten, die in unseren Augen nicht so wichtig erscheinen mögen, die Maria jedoch als wichtig herausstellt. Dieser katechetische Stil der Botschaften zeigt, dass die »Mutter des Wortes« nicht nur auf das »vergessene Evangelium« hinweist, sondern auch an ihre Rolle als »Erzieherin des christlichen Volkes« erinnert, die, wie Papst Paul VI. lehrte, ein erwachsenes Christentum heranbildet:

»Die Mütterlichkeit Mariens ist eine erzieherische Mütterlichkeit: Sie möchte keinesfalls, dass die Gläubigen in einem Zustand geistlicher Unmündigkeit verharren, [...] sondern die Jungfrau Maria ist bemüht, dass sie ein erwachsenes und von Verantwortung geprägtes Christentum entwickeln. Maria arbeitet an der Bildung der Christen mit: Sie erweckt durch ihren Einfluss und ihr Beispiel ein Bestreben, sich dem Leben Christi immer mehr anzugleichen, und eine Bereitschaft gegenüber den göttlichen Absichten, die den Menschen während seines gesamten irdischen Daseins begleiten.«

Die ganze Sendung Mariens gegenüber den Menschen besteht darin, sie zu Jüngern zu machen, indem sie in ihnen das geistliche Empfinden des »erstgeborenen Sohnes« erweckt.

5.2.2 Ein Kult der Anrufung, nicht der Anbetung

In Kibeho hat die »Mutter des Wortes« also mit Nachdruck an ihre mütterliche Beziehung zu allen Menschen erinnert und sie erklärt. Sie hat dies getan, indem sie ihre Kinder im Alltag erzog, aber auch indem sie sie, wie bei anderen Erscheinungen, zu beten lehrte. Wir werden in Kürze erkennen, wie dies geschah, doch zunächst ist es angebracht zu klären, welche Art von Kult die Christen der Mutter des Erlösers erweisen.

Die Marienverehrung ist nicht gleichzusetzen mit der Anbetung, welche allein dem Schöpfer vorbehalten ist. Die »Mutter des Wortes« hat dies gegenüber der Seherin Nathalie klar ausgedrückt: »Ich darf von euch nicht angebetet werden, weil ich nicht Gott, sondern ein Geschöpf bin. Ihr sollt mich vielmehr anrufen.«

Mit diesen Worten hat die Gottesmutter mit äußerster Klarheit betont, dass die Verehrung, die wir ihr entgegenbringen sollen, in der Anrufung und nicht in der Anbetung besteht, denn Letztere gebührt tatsächlich nur dem Schöpfer. Die Marienverehrung ist ausgerichtet auf den mütterlichen Dienst mit dem Ziel, die Beziehung der Menschen zu Gott zu fördern und zu unterstützen. Somit schließt die Marienverehrung den allein Gott vorbehaltenen Kult nicht aus, sondern begünstigt ihn vielmehr. Bei dieser Verehrung darf es sich niemals um eine endgültige Verehrung handeln, denn die selige Jungfrau ist keine Göttin. Eine solche Verehrung ist erlaubt, insofern sie ein Übergang ist und die Anbetung des Vaters, des Sohnes und des Heiligen Geistes fördert.

Der *Katechismus der Katholischen Kirche* unterscheidet zwischen der *Dulia*, der Verehrung, die Maria und den Heiligen gebührt, und der *Latria*, der Anbetung, die allein Gott vorbehalten ist. Innerhalb der *Dulia* gibt es jedoch verschiedene Ebenen zwischen Maria und den anderen Heiligen. Die Heiligkeit der Jungfrau Maria ist der Heiligkeit aller Auserwählten und aller Engel überlegen, sodass ihr die *Hyperdulia* gebührt, die unter der Anbetung, die Gott allein gebührt, steht, aber die Verehrung der übrigen Heiligen übersteigt.

5.2.3 Der »Sieben-Schmerzen-Rosenkranz«

Unter den Gebetsformen, die in Kibeho gelehrt wurden und die Beziehung zur Jungfrau Maria fördern, nehmen das Rosenkranzgebet und die Meditation der Leiden Jesu und Mariens durch den »Sieben-Schmerzen-Rosenkranz« einen besonderen Stellenwert ein. Maria selbst hat ihre Töchter dazu ermahnt, sie mit dem klassischen Rosenkranz anzurufen, der uns allen bekannt ist: »Ihr sollt mich jeden Tag anrufen, indem ihr den Rosenkranz betet, zusammen mit anderen Gebeten.« Der Rosenkranz soll mit wahrer Hingabe gebetet werden: »Ein nur zum äußeren Schein gebeteter Rosenkranz ist wertlos. Es gefällt mir, wenn der Rosenkranz seine Aufgabe erfüllt.«

Ohne die traditionelle Praxis des Rosenkranzgebetes zu verdrängen, hat die »Mutter des Wortes« die Seherinnen den »Sieben-Schmerzen-Rosenkranz« gelehrt mit dem Wunsch, dass er gebetet, gelehrt und auf der ganzen Welt verbreitet wird. Dieses Gebet, an das in Kibeho wieder erinnert wurde, ist keine Neuheit in der Kirche. Obwohl seine Ursprünge nicht vollständig bekannt sind, erlaubt es uns der aktuelle Wissensstand, von seinem ersten Bekanntwerden um das Jahr 1612 auszugehen. Da es als Vergegenwärtigung des Kreuzweges gedacht war, wurde dieser Rosenkranz von der Kirche als Mittel der Heiligung anerkannt. Einst beteten ihn vor allem einige Orden wie die Diener Mariens. In Ruanda war er lediglich in der Kongregation der Benebikira-Schwestern bekannt, an der Schule von Kibeho und im übrigen Land war er jedoch vollkommen unbekannt. Die Jungfrau Maria selbst hat die Seherin Marie Claire gelehrt, wie man ihn richtig betet. Ich gebe hier die Geheimnisse des »Sieben-Schmerzen-Rosenkranzes« wieder, wie sie von der Gottesmutter bei ihrer Erscheinung am 25. März 1982 übermittelt wurden:

1. Schmerz: Der greise Simeon weissagt Maria, dass ein Schwert des Schmerzes ihr Herz durchdringen wird (vgl. Lk 2,22–35)
2. Schmerz: Die Flucht nach Ägypten (vgl. Mt 2,13–15)
3. Schmerz: Jesus geht im Tempel verloren (vgl. Lk 2,41–52)
4. Schmerz: Maria begegnet Jesus, der sein Kreuz trägt, auf dem Weg nach Golgatha (vgl. Lk 23,27)
5. Schmerz: Maria steht unter dem Kreuz (vgl. Joh 19,25–27)
6. Schmerz: Jesu Leichnam wird in den Schoß seiner Mutter gelegt (vgl. Joh 19,38–40)
7. Schmerz: Maria am Grab Jesu (vgl. Joh 19,41–42)

Wie man sieht, ist dieser Rosenkranz eine Meditation über das Leiden Jesu und über den ungeheuren Schmerz der Gottesmutter, in dem beide miteinander verbunden sind, um dasselbe Geheimnis darzustellen, das auf die Erlösung der Menschheit hingeordnet ist.

Die Früchte, welche die Jungfrau diesem Rosenkranz beimisst, sind auf die Erneuerung des geistlichen Lebens ausgerichtet: »Wenn ihr diesen Rosenkranz betet oder seine Geheimnisse meditiert, werdet ihr die Kraft haben, eure Sünden zu bereuen.« Der »Sieben-Schmerzen-Rosenkranz« besitzt die Wirkung, im Herzen Abscheu vor der Sünde zu erwecken und somit Buße zu tun. Er ist ein sehr wirksames Mittel, um in die Geheimnisse der Passion Christi einzudringen und Satan in die Flucht zu schlagen. Interessanterweise wurde dieser Rosenkranz in das *Direktorium über die Volksfrömmigkeit* der Universalkirche aufgenommen und den Gläubigen als wirksame Hilfe empfohlen, das Leiden Christi und das Geheimnis seiner Liebe im Glauben anzunehmen.

5.2.4 Die »Mutter des Wortes« lädt uns ein, ihre Tugenden nachzuahmen

Bei ihren Unterweisungen hat Unsere Liebe Frau von Kibeho ihre Kinder eingeladen, sie nachzuahmen, also diesen Weg, den sie in der Nachfolge Jesu gegangen ist, ebenfalls zu gehen. Die Seherinnen haben sehr wohl verstanden, dass die echte Verehrung der Muttergottes darin besteht, ihre Tugenden nachzuahmen. Nathalie bat in diesem Zusammenhang: »Gütigste Mutter, präge dein Bild in mein Herz ein, damit alle, die mich sehen, sagen werden: ›Sie ist wahrhaftig eine Tochter Mariens.‹« Der Jünger Christi, der nach dem Wort Gottes handelt, ahmt auch die Jungfrau Maria nach, da sie am besten dem Willen des himmlischen Vaters entsprochen hat. Genau deshalb ist sie auch das Vorbild für unsere Gottesbeziehung geworden. Die Mutter des Erlösers hat, wie der heilige Thomas von Aquin sagt, ihre Zustimmung »anstelle der gesamten Menschheit gegeben«. Ihre Gottesmutterschaft begründet somit auch unsere neue Beziehung zu Gott. Papst Benedikt XVI. hat nachdrücklich daran erinnert, dass »das, was Maria geschehen ist, jedem von uns jeden Tag geschehen kann: beim Hören auf das Wort Gottes und bei der Feier der Sakramente«.

Wir sehen also, dass diese *Imitatio Mariae* in der Aufnahme des Wortes besteht, woran sie selbst in Kibeho wieder erinnert hat.

Bei vielen Gelegenheiten hat sie ihre Kinder eingeladen, diesem »Evangelium ihres Sohnes« zu folgen. Es war eindeutig, dass sie mit ihren Worten darauf Bezug nahm, denn oft gebrauchte sie dieselbe Ausdrucksweise. Darüber hinaus lehrt uns ihr eigenes Leben, wie wir das Wort Gottes empfangen (vgl. Lk 1,26–38), es zur Welt bringen (vgl. Mt 1,18–25; Lk 2,1–20), es im Glauben in uns bewahren (Lk 2,19; Joh 2,1–12), es der Welt verkündigen (vgl. Lk 1,39–56), in welcher Weise wir ihm treu bleiben (vgl. Joh 19,25) und von ihm Zeugnis ablegen (vgl.

Apg 1,14). Ganz vom Wort Gottes erfüllt, spricht und denkt die Jungfrau Maria also mit dem Wort Gottes, weil in ihr dieses ewige Wort Mensch geworden ist. Papst Benedikt sagt dazu:

> »Innerhalb des Wortes Gottes spricht und denkt Maria mit dem Wort Gottes; das Wort Gottes wird ihr eigenes Wort und ihr Wort entspringt aus dem Wort Gottes. Ihre Gedanken sind in Einklang mit den Gedanken Gottes, ihr Wille ist eins mit dem Willen Gottes. Da sie vom Wort Gottes zutiefst durchdrungen ist, kann sie die Mutter des fleischgewordenen Wortes werden.«

So lassen uns die Botschaften von Kibeho erkennen, dass Maria diejenige ist, welche die Kirche dazu erzieht, auf das Wort Gottes zu hören und danach zu handeln. Die in Kibeho ausgesprochene Bitte »Folgt dem Evangelium meines Sohnes« ist der Aufforderung bei der Hochzeit von Kana »Was er euch sagt, das tut« (Joh 2,5) gleichzustellen. Sie, die das Wort Gottes in ihrem Herzen bewahrte (vgl. Lk 2,51) und die durch ihr *Fiat* zu diesem Wort Ja sagte (vgl. Lk 1,38), wollte ihre Kinder in den Gehorsam gegenüber diesem Wort einführen. In einer von Wörtern übersättigten Welt verkündet die »Mutter des Wortes« Jesus als das einzige Wort, das rettet.

5.2.5 Jesus in unserem Leben empfangen und zur Welt bringen

Als »Mutter des Wortes« hat Maria einen Weg des Glaubens gewiesen, der, wie bei ihr, im »Empfangen und Zur-Welt-Bringen« des Wortes besteht. Die Kirche ist dazu berufen, diese Aufgabe Mariens auf geistliche Weise fortzusetzen. Pater Laurentin sagt dazu treffend: »Jesus wird nicht nur in uns neu geboren, sondern wir werden neu geboren, indem wir immer mehr zu ›Jesus Christus werden‹, durch die Heiligung uns ihm angleichen, ohne unsere persönliche Identität zu verlieren.«

Im Glauben kann der Gläubige Christus geistlich empfangen nach dem Vorbild Mariens. Von ihr sagt der heilige Augustinus: »Sie war glücklicher, den Glauben an Christus anzunehmen, als das Fleisch Christi zu empfangen.« Der heilige Johannes Chrysostomus schreibt im gleichen Sinne sehr schön: »Jedes Mal, wenn du das Wort Gottes hörst, dann forme es in dir wie in einem Mutterschoß; durch deine Meditation darfst du ›Mutter Christi‹ genannt werden.« Diese geistliche Geburt des Wortes in der Seele, so stellt der heilige Ludwig Maria Grignion de Montfort es fest, geschieht durch Maria: »Maria ist ein heiliger Ort, sie ist die Heiligste aller Heiligen, nach der sich die Heiligen gebildet und geformt haben.« Maria ist deshalb, nach den Worten des heiligen Augustinus, die Grignion de Montfort übernommen hat, die »Gussform Gottes«, das Modell, das dazu fähig ist, heilige Menschen zu formen. Jeder, der in diese göttliche Gussform geworfen wird, wird bald nach dem Vorbild von Jesus Christus umgeformt, und Jesus Christus bildet sich in ihm aus.

Wir sind daher in der Nachfolge der »Mutter des Wortes« dazu berufen, an ihrer Mutterschaft teilzuhaben, indem wir das Wort empfangen und es zur Welt bringen. In diesem Zusammenhang wird auch der Auftrag verständlich, »Mutter der Gläubigen« zu werden, den die Gottesmutter Nathalie am 28. August 1982 anvertraut hat: »Du wirst ihnen Mutter im Glauben sein und sie werden deine Kinder im Glauben sein.« Aber dieses Thema der Menschwerdung des Wortes, auf das ich hier zurückkomme, betrifft jede Person im Einzelnen. Es ist eine Wirklichkeit, die tatsächlich auch die Kirche in ihrer Gesamtheit umfasst, und dies schon deshalb, da die Kirche Christi durch die Geschichte hindurch die Menschwerdung des Wortes immer weiterträgt.

Die erste Botschaft, die die Gottesmutter in Kibeho gab, war jene, die sich auf den Titel »Mutter des Wortes« bezog, mit dem sie sich vorstellte. Diese Worte weisen auf das christliche

Geheimnis als Ganzes hin, denn hierin liegt ein mannigfaltiger Bedeutungsreichtum, den ich soeben zu erläutern versucht habe. Dieser Titel erinnert uns schlicht und unmittelbar daran, dass im Zentrum unseres Glaubens die eigentlich unglaubliche Wahrheit steht, dass Gott aus Liebe Mensch wird und sein Zelt unter den Menschen aufschlägt und dass ebendiese Menschen seither durch die ganze Geschichte hindurch zu einer erstaunlichen Bestimmung berufen sind, weil, wie es der heilige Irenäus von Lyon ausdrückte, dies »der Grund [ist], warum das Wort Mensch geworden ist und der Sohn Gottes Menschensohn: damit der Mensch, indem er sich mit dem Wort vermischt und so die Sohnschaft empfängt, Sohn Gottes wird«.

6. Eine Botschaft der spirituellen Erneuerung

Jedes Mal, wenn die Gottesmutter erscheint, bringt sie eine Botschaft mit. Wie bereits erwähnt, erfüllte die Gottesmutter bei all ihren Erscheinungen im Laufe der Geschichte den Auftrag, die Menschheit an das »vergessene Evangelium« zu erinnern. Auch in Kibeho war dies vom ersten Augenblick an der Fall, da sie sich als die »Mutter des Wortes« vorgestellt hat.

Die Gottesmutter kommt, um uns an das »vergessene Evangelium« zu erinnern und um uns zu helfen, es in seiner ganzen Fülle in unserem Leben umzusetzen, und zwar in der konkreten Zeit, in die uns die göttliche Vorsehung gestellt hat. Auch in Kibeho ist Unsere Liebe Frau so vorgegangen, denn sie hat lange Gespräche mit jeder der Seherinnen geführt, in denen sie ihnen einen Überblick über die ernsten Gefahren gab, in denen sich die Welt heute befindet. Die Seherinnen erhielten jedoch auch Anweisungen, wie die aktuelle Verfassung der Welt geändert werden kann. Im Gesamten gesehen war es eine große Botschaft der spirituellen Erneuerung.

6.1 Glauben bedeutet, Gott zu begegnen

Immer wieder kehrte die Jungfrau Maria auf das Thema des Glaubens zurück, um den Seherinnen zu verdeutlichen, von welchen Hindernissen er bedroht sein kann. Schon als sie Alphonsine zum ersten Mal am 28. November 1982 erschien, äußerte sie ihre hauptsächliche Besorgnis: »Ich möchte, dass deine

Freundinnen und Mitschülerinnen einen Glauben bekommen, der so stark ist wie deiner, denn ihrer ist nicht stark genug.« Und schließlich sagte sie: »Wenn die Menschen einen starken Glauben hätten, würde ich nicht so sehr leiden und wäre ich nicht in solch großer Sorge.« Es fehlt also an Glauben, und wo er noch vorhanden ist, ist er schwach und ohne festes Fundament.

In Kibeho hat die selige Jungfrau Maria jedoch auch einen anderen Aspekt unseres Glaubens angesprochen, indem sie darauf hinwies, dass der Glaube sich nicht hauptsächlich auf Wunder stützen sollte: »Selig sind die, welche glauben, ohne auf ein Wunder zu warten.« Übrigens lesen wir dies auch in den Evangelien (vgl. Lk 5,20; Mt 9,2). Es sind nicht die Wunder, die den Glauben in unseren Herzen erwecken, sondern es sind die Augen des Glaubens, mit denen wir die Werke Gottes wahrnehmen. Ein Glaube, der lediglich auf Wundern beruht, erlischt, wenn die Zeichen ausbleiben. Aus diesem Grund hat die »Mutter des Wortes« sich auch geweigert, außerordentliche Zeichen zu wirken, insbesondere solche, die mit Nachdruck von den Seherinnen gewünscht wurden.

Wenn es um den Glauben geht, taucht auch die Ungläubigkeit auf. Angesichts der anfänglichen Skepsis gegenüber den Erscheinungen hat die »Mutter des Wortes« der Seherin Alphonsine eine Botschaft für die ganze Menschheit übermittelt: »Der Glaube und die Ungläubigkeit werden auftreten, ohne dass ihr es bemerkt.« Diese Aussage kann vor allem als eine Ankündigung der unterschiedlichen Einstellungen gegenüber den Erscheinungen der Gottesmutter verstanden werden: Sie werden gut aufgenommen von den einen und abgelehnt von den anderen. Die Werke des Bösen und die Werke Gottes sind beide so nah beieinander, dass für die Unterscheidung der Geister ein reiner Glaube notwendig ist, der vom Licht des Heiligen Geistes erleuchtet wird.

Als die Seherin Alphonsine nach dem Sinn dieser Prophezeiung fragte, erhielt sie folgende Erklärung: »Wenige Menschen werden den Ereignissen von Kibeho Glauben schenken, einige werden sich fragen, warum sie so wenig jenen Erscheinungen gleichen, die anderswo geschehen sind.« Doch Alphonsine sagt, dass sie von der Jungfrau Maria noch eine ergänzende Erklärung dazu erhalten habe, die weit über die Akzeptanz der Erscheinungen von Kibeho hinausgeht, indem sie das ganze Problem der heutigen Menschen in Bezug auf den Glauben einschließt. Nachstehend ihre Worte: »Heute wird derjenige, der nicht viel betet und Gott nicht mehr als alles andere liebt, ungläubig werden, auch wenn er als gläubig angesehen wird.« Tatsächlich hat die himmlische Mutter einen ruandischen Ausdruck für das Wort »ungläubig« benutzt, der stärker ist als das übersetzte Wort. Dieses ruandische Wort *umuhakanyi* bezeichnet nicht jemanden, der nicht an Gott glaubt, ihn ignoriert, sondern jemanden, der sich gegen Gott auflehnt, sich aktiv gegen ihn stellt. Heute muss man verstehen, sagt die Jungfrau Maria, dass wir uns weiterhin als Gläubige bezeichnen können, während wir tatsächlich schon zu Feinden Gottes geworden sind. Wir wollen versuchen, diese Aussage über den Glauben im Licht der Lehre der Kirche zu betrachten.

Durch die Unterweisungen Unserer Lieben Frau von Kibeho verstehen wir, dass der Glaube nicht einfach bedeutet, von Gott zu wissen und seine Existenz rational anzuerkennen. Der wahre Glaube ist ein Zeugnis des Heiligen Geistes im Innersten, das sich im Leben des Gläubigen nach außen hin zeigt. Der heilige Augustinus hat eine Unterscheidung formuliert, welche diese Dynamik verdeutlichen kann. Er hat drei Ebenen in Bezug auf den Akt des Glaubens definiert: *credere Deum* (glauben, dass Gott existiert), *credere Deo* oder *credere in Deo* (an Gott glauben, sich dem Geist und Willen Gottes unterwerfen). Dies bedeutet, daran zu glauben, dass das, was Gott sagt, wahr ist (vgl. Joh 14,10; 20,31). Das ist ein wichtiger, aber noch nicht der letzte Schritt: Der Geist beugt sich und erkennt Gott als Wahrheit an. Die dritte Ebene des Glaubens, *credere in Deum* (an

Gott glauben) bedeutet, nicht nur zu akzeptieren, dass Gott existiert und die Wahrheit ist, sondern in eine lebendige Beziehung mit Gott einzutreten, das bedeutet, ersichtlich eine persönliche Beziehung zu ihm aufzubauen. Laut dem Bischof von Hippo bedeutet *credere in Deum* mehr als *credere Deum* oder *credere Deo*. Somit glauben wir an Jesus, wenn wir mit ihm eine persönliche Beziehung in unserem Leben führen, uns ihm übergeben, ihm in Liebe nachfolgen und uns in seiner Nachfolge unterweisen lassen (vgl. Joh 2,11; 6,47; 12,44). Diese Ebene des Glaubens ist gemeint, wenn die selige Jungfrau Maria sich in ihren Botschaften auf den Glauben bezieht.

Eine solche Beziehung des Menschen zur Person Jesu Christi ist verbunden mit einer radikalen Umkehr, die das ganze irdische Leben lang andauert. Im Glauben nimmt das oberflächliche und egoistische »Ich« des Glaubenden immer mehr ab, um für das eigentliche »Ich«, das immer mehr von einem »Höheren« erfüllt wird, Raum zu schaffen, sodass in seinem Leben die Liebe zunimmt. Der alte Mensch zieht sich zurück, um dem neuen Menschen Platz zu machen. Um dies zu erreichen, müssen wir, wovon auch die Jungfrau bereits gesprochen hat, das fleischgewordene Wort in unserem Herzen aufnehmen. Der Glaube wächst, wenn er in der Erfahrung geschenkter und erwiderter Liebe gelebt und mit Dankbarkeit und Freude weitergegeben wird. Auf diese Weise wird er fruchtbar, denn er erfüllt das Herz mit Hoffnung und ermöglicht das persönliche und lebendige Zeugnis. Der Glaube als eine übernatürliche persönliche und liebevolle Beziehung findet seinen Höhepunkt in der Vereinigung mit Gott: »Ich verlobe mich dir um den Brautpreis der Treue: Dann wirst du den Herrn erkennen« (vgl. Hos 2,20–22).

Der Glaubensakt verlangt auch den Sinn für die Unterscheidung der Geister. Dies hat gerade Kibeho in Erinnerung gerufen, weil das geistliche Leben sich heute mit einer Glaubenskrise konfrontiert sieht, die sich in einer subtilen Glaubenslosigkeit und Gleichgültigkeit äußert. Unsere Liebe Frau hat mit ihren etwas geheimnisvollen Worten darauf hingewiesen, die bereits erwähnt wurden: »Der Glaube und die Ungläubigkeit werden auftreten, ohne dass ihr es bemerkt.« Vielleicht kann der Prophet Jesaja uns helfen, diese Prophezeiung von Kibeho zu verstehen, denn die Gedanken der Menschen sind nicht die Gedanken Gottes und seine Wege sind nicht unsere Wege (vgl. Jes 55,9). Um in das Leben der Menschen einzugreifen, benutzt der himmlische Vater eigenartige Wege, die wir Menschen nicht immer verstehen. Jedoch verläuft auch der Weg der Ungläubigkeit, das Werk Satans, auf unergründlichen feinen Bahnen, um den Menschen von der geraden Straße abzubringen. Wir erinnern uns, dass im Evangelium der Weizen und das Unkraut bis zum Zeitpunkt der Ernte nebeneinander wachsen (vgl. Mt 13,24–30). Wir müssen jedoch auf der Hut sein, will uns die selige Jungfrau sagen, damit wir erkennen, wie man die Geister unterscheidet (vgl. 1 Thess 5,21).

In den Botschaften über den Glauben ruft die »Mutter des Wortes« jeden Gläubigen auf, seine eigene Art des Glaubens einer Prüfung zu unterziehen. Vielleicht sind wir ja bereits einem schwachen Glauben verfallen, der den Schöpfer als den Diener unserer persönlichen Vorlieben und Interessen ansieht? Haben wir den himmlischen Vater bereits aus unserem Leben verbannt, indem wir, wie Benedikt XVI. es nannte, dem »praktischen Atheismus« anhängen? Oder ist trotz unserer menschlichen Begrenzungen Gott der Mittelpunkt unseres Lebens und der wichtigste Bezugspunkt für unser moralisches Verhalten? Jesus Christus, »das Wort des Lebens« (1 Joh 1,1), ist er wirklich Teil unseres täglichen Lebens? Durch die Botschaften über den Glauben werden auch all diese Fragen an uns gestellt, da die Gottesmutter den Einfluss des Glaubens auf unser konkretes Leben mehren will. Ihre Worte sollen uns erkennen lassen, dass wir stets wachsam bleiben müssen, da der Glaube nicht einfach für immer erworben werden kann, sondern er ist vielmehr eine innere Einstellung, die sich verändern und von vielen Faktoren beeinflusst werden kann. Deshalb ist es leicht möglich, in diesem Bereich auf die Stufe eines nur äußerlichen Glaubens oder gar, praktisch ohne es zu bemerken, in Richtung Ungläubigkeit abzugleiten. Es ist ja das Evangelium, das uns daran erinnert, wie Gott uns seine Geheimnisse enthüllt und warum es nötig ist, ihn demütig und unablässig in einer Haltung des kindlichen Geistes zu suchen.

Es ist auch nötig, in aller Einfachheit der Auslegung eines lichtvollen Ereignisses der Barmherzigkeit wie demjenigen von Kibeho sich zu nähern, welches für die stolzen Geister und jene, die dem Reichtum der Welt zugewandt sind (vgl. Lk 12,16–21), schwer zu verstehen ist.

6.2 Die Welt am Rande des Abgrunds

Unsere Liebe Frau von Kibeho hat oftmals in tiefer Sorge betont, dass es um unsere Welt überhaupt nicht gut steht. Um diesen dramatischen Zustand zu beschreiben, hat sie manchmal zu Bildern und Vergleichen gegriffen. Zum Beispiel hat sie einmal zu der Seherin Nathalie gesagt: »Die Welt befindet sich in Rebellion gegen Gott« – »Die Welt ist krank« – »Die Welt hat scharfe Zähne« – »Die Welt liegt im Sterben« – »Sie droht, in einen Abgrund zu stürzen« und: »Die Sünden sind zahlreicher als die Wassertropfen im Ozean«. Die Gottesmutter benutzt verschiedene Bilder, eins nach dem anderen, um den Ernst der Lage zu verdeutlichen. Unter anderem verwendet sie auch einen typischen Ausdruck aus der ruandischen Sprache: »Die Welt hat scharfe Zähne«, das heißt: »Die Welt beißt zu«, sie ist so gefährlich wie ein Raubtier. Nach Aussage der Seherin sind die Sünden, die der Gottesmutter am meisten Sorge bereiten: die Hartherzigkeit der Menschen, die Heuchelei, die Götzenverehrung, die Rebellion gegen Gott, die Verderbtheit der Sitten, die

Grausamkeit, die Bruderkriege und der Hass jeglicher Art, die Schlechtigkeit, der Streit, die Frevelhaftigkeit und der Mangel an brüderlicher Liebe und am Sinn für das Gebet.

Bisweilen hat die Jungfrau besondere Arten von Sünden herausgestellt. Zum Beispiel hat sie ihren Widerwillen gegen die Sünde des Hasses nicht verborgen, den sie »reines Heidentum« nannte. Die Jungfrau Maria hat immer wieder von der schweren Sünde des Hasses und von der Liebe gesprochen. Von Beginn der Erscheinungen an hatte sie gegenüber Alphonsine auf den Mangel an Glauben und die »bösen Herzen« der Mitschülerinnen hingewiesen. Die schrecklichen Visionen, die die Seherinnen erlebt haben, vor allem jene vom 15. August 1982, sind nichts anderes als die Veranschaulichung dieser vom Bösen aufgeblähten Welt, die bereits direkt am Abgrund steht.

Zudem hat die Gottesmuter in Kibeho die Gleichgültigkeit beklagt, die daran hindert, die Sünde zu sehen und zu erkennen: »Heute wissen viele Menschen nicht mehr, wie man um Vergebung bittet. Sie nageln den Sohn Gottes erneut ans Kreuz.« Die Verhärtung der Herzen beschreibt sie mit einer hartnäckigen Ablehnung: »Ich habe euch Botschaften übergeben und ihr habt sie abgelehnt. Ich zeige euch, wie es um die Dinge steht, aber wollt es nicht sehen. Ich spreche mit euch und ihr hört nicht zu. Ich helfe euch, euch zu erheben, aber ihr bleibt sitzen. Ich rufe euch und ihr antwortet nicht. Ich schaue euch an und ihr bemerkt nichts. Wenn ich zu euch spreche, hört ihr mir überhaupt nicht zu, und wenn ich euch Geschenke mache, vermögt ihr sie nicht anzunehmen.« Manchmal wechselte die selige Jungfrau auch den Tonfall und wies auf das Problem in Frageform hin: »Warum glauben einige nicht, dass ich gekommen bin, um die Welt zu bekehren? Ich bitte sie, sich zu bessern, von der Unreinheit abzulassen, sich zu bekehren, aber sie weigern sich.« Diese Fragen wiederholten sich in den Worten der Gottesmutter immer wieder:

»Ich spreche zu euch, aber ihr wollt mir nicht zuhören. Ich möchte euch [geistlich] wieder auf die Füße zu stellen, doch ihr bleibt lieber auf der Erde liegen. Ich rufe euch, aber ihr stellt euch taub. Wann werdet ihr denn beginnen, das zu tun, worum ich euch bitte? Ihr, ihr bleibt meinen Aufrufen gegenüber gleichgültig. Wann werdet ihr beginnen, sie zu verstehen? Wann werdet ihr euch dafür interessieren, was ich euch sagen muss? Ich gebe euch viele Zeichen, aber ihr bleibt ungläubig. Solange ihr meinen Aufrufen gegenüber taub bleibt, widersetzt ihr euch.«

Die »Mutter des Wortes« ging noch tiefer, um uns verständlich zu machen, wo die Wurzeln dieser Opposition gegenüber ihrer Gegenwart und ihren Worten zu suchen sind, die bis zur Ablehnung ihrer Aufrufe reichen. Dabei wies sie auf einen Umsturz der Werte hin, auf eine rein weltliche Sichtweise, die sich oft zum Relativismus entwickelt hat. »Ihr habt die Gebote meines Sohnes zu menschlichen Worten gemacht«, sagte die selige Jungfrau einmal. Ihre Stimme lässt den Anruf Gottes wieder erschallen, der an sein Volk mit verstockten Herzen und verhärtetem Nacken ergeht (vgl. Jer 7,25–28). Diese Aussage legt die schwere Sünde der heutigen Welt bloß, die darin besteht, die Sünde gar nicht mehr wahrhaben zu wollen (zu dieser Form von Sünde vgl. Jes 6,9; Jer 5,21; Mt 13,13; Mk 8,18). Zum kritischen Zustand der Welt und in Zusammenhang mit den Erscheinungen von Kibeho hat Pater Laurentin folgende Anmerkung gemacht:

»Die Gnade von Kibeho wie diejenige von Guadalupe ist ein Zeichen unter den anderen, ein Aufruf des Himmels oder besser eine Erinnerung, dass Gott da ist und uns liebt, wobei er immer unsere Freiheit respektiert. Er kennt den Wahnsinn unserer Welt, die frohgemut ihre Selbstzerstörung vorbereitet, sich ruhigen Herzens der Sünde hingibt und sich nur auf die Wunder der Technik verlässt [...]. Christus ist der Welt noch nicht ganz hingegeben worden.«

Auch das kirchliche Lehramt spricht vom gegenwärtigen Zustand der Welt mit den gleichen Begriffen. Während seines Pontifikats hat Papst Benedikt XVI. sich wiederholt zu diesem

Thema geäußert: »Die Welt beginnt uns Angst zu machen; die Angst davor, dass sie zum Grab der Menschheit werden könnte.« Er hat wiederholt darauf hingewiesen, dass sich allmählich eine regelrechte »Kultur des Todes« durchsetzt und dass die Gefahr besteht, in die Barbarei zurückzufallen. Die Menschheit läuft Gefahr, sich selbst zu vernichten, auch deshalb, weil die Beziehungen der Menschen untereinander so rapide zerstört werden. Unsere Welt scheint über dem Abgrund zu hängen, stellte Papst Benedikt XVI. fest:

> »Unsere Zukunft und das Schicksal unseres Planeten sind in Gefahr. Der Mensch vermochte einen Kreislauf aus Tod und Schrecken zu entfesseln, jedoch gelingt es uns jetzt nicht, diesen zu unterbrechen. Die Gefahren sind zahllos: Terrorismus, neue Sklaverei, Drogen, Prostitution und Sextourismus, hemmungsloses Genussstreben, Abtreibung, Ausbeutung von Kindern, Unmenschlichkeit und Bürgerkriege sind das Schicksal zahlreicher Nationen.«

Indem er erneut Bezug nimmt auf die Botschaften von Kibeho, fügt Pater Laurentin hinzu:

> »Unsere Welt hat sich von Gott entfernt und sich dem Materialismus verschrieben. Es herrscht die Tendenz vor, sich vom inneren Leben zu entfernen aufgrund des fehlenden Gebets, des Friedens und der Liebe. Die Schauspiele der Gewalt, die Zerstörung der Familie, das Drama der Kinder und der Scheidung. Es gibt so viele Tragödien, die uns drohen, und die Jungfrau Maria kommt, um uns zu warnen, und sie lädt uns ein, uns auf das Wesentliche zu besinnen. Ihre Botschaften sind in Kibeho übrigens gut angenommen worden.«

Zwar fällt auf, dass die Gottesmutter mehrmals nachdrücklich hervorhebt, dass ihren Botschaften hauptsächlich mit scheinbar unverrückbarer Gleichgültigkeit begegnet wird. Man scheint erneut Jesus zu hören, wie er über die Verhärtung der Herzen klagt (vgl. Mt 13,54–58), die die Gnade Gottes, der die Menschen retten möchte, ablehnen, obwohl die Menschen diese Gnade dringend brauchen (vgl. Mk 3,29). Aber Vorsicht, denn, wie die Schrift außerdem sagt, wird es keine weiteren Zeichen für denjenigen geben, der sich auf solche Weise verschließt (vgl. Mk 8,12; Röm 2,5). Die Chance könnte, mit anderen Worten ausgedrückt, für immer verpasst sein.

Angesichts der Härte, die den Menschen dazu verleitet, sich zum Gebieter über sein eigenes Handeln aufzuschwingen, indem er nur von sich ausgehend entscheidet, was gut und was böse ist (vgl. Gen 3,5), rufen die Botschaften von Kibeho das Bewusstsein von der Sünde wieder wach. Jesus hatte vorhergesagt, dass der Heilige Geist kommen müsse, um der Welt die Wirklichkeit der Sünde offenzulegen (vgl. Joh 16,8). Gott zeigt uns unsere Verfehlungen, weil er uns liebt, in der Hoffnung, uns zur Umkehr zu bewegen: »Wen ich liebe, den weise ich zurecht und nehme ihn in Zucht« (Offb 3,19). Dieser Aufruf Gottes, den die selige Jungfrau in Kibeho wieder aufgegriffen hat, ergeht an alle Menschen mit verhärteten Herzen, und er bleibt immer derselbe: »Würdet ihr doch heute auf seine Stimme hören! Verhärtet euer Herz nicht wie in Meriba, wie in der Wüste am Tag von Massa!« (Ps 95,7–8).

6.3 Das Gebet ohne Heuchelei

Die »Mutter des Wortes« beschränkt sich nicht darauf, den Zustand der einzelnen Seelen und der ganzen Welt anzuprangern. Während sie auf die Sünden hinweist, fordert sie uns zum aufrichtigen Gebet auf, das von einer radikalen und dringlichen Umkehr begleitet wird. Das sind die Waffen, welche die Jungfrau im Kampf gegen das Böse empfiehlt und die sie immer zusammen betrachtet: Das aufrichtige Gebet führt zu einer echten Umkehr, aber auch durch eine zunehmende Bekehrung des Herzens wird das Gebet immer mehr geläutert.

Die Gottesmutter hat sich oft mit diesen Themen befasst, um ihre Kinder das Beten zu lehren. Die himmlische Mutter hat es auch nicht unterlassen, den Seherinnen mitzuteilen, dass es viele Beter gibt, die schlecht beten. Sie hat als konkretes Beispiel einen Menschen genannt, der ein unaufrichtiges und somit heuchlerisches Gebet spricht, ein Routinegebet, das gewohnheitsmäßig wiederholt wird, ohne echte Beteiligung, und schließlich auch das egoistische Gebet eines Beters, der sich nur auf sich selbst und seine Bedürfnisse konzentriert. Alle, die auf die erste Weise beten, tun es, um von anderen dabei gesehen zu werden (vgl. Mk 10,38–40; Mt 6,2–5).

Zu ihnen sagt die »Mutter des Wortes« Folgendes: »Ihr müsst euch anstrengen, um gut zu beten und eure Herzen zu bekehren: Ihr müsst aufrichtig beten. Ja, ihr betet, aber es gibt unter euch welche, die heuchlerisch beten.« Das Thema der Heuchelei kehrt sehr oft wieder, und Maria geht dabei auch auf Einzelheiten ein:

> »Ihr geht gleichzeitig auf den Wegen Gottes und Satans und bewegt euch auf beiden Straßen, die nirgendwohin führen. Nach außen hin zu zeigen, dass du ein Christ bist, ohne es im Herzen zu sein, hat keinen Wert. Viele sind Heuchler, sie suchen nach Mitteln, um ihre Begierden zu befriedigen, sind den Gütern der Welt verhaftet und im geistlichen Leben unternehmen sie keinerlei Anstrengungen. Sie sprechen ein einziges Gebet und denken, dass dies ausreicht, und kehren dann sogleich zu ihren Beschäftigungen zurück. Häufig beten sie nur zum Spaß.«

Und weiter:

> »Es gibt die Heuchler: Sie suchen den Weg, der es ihnen erlaubt, ihre Bedürfnisse nach materiellen Gütern zu befriedigen. Sie haften an den irdischen Dingen. Im Gebetsleben beschränken sie sich auf ein einziges kleines Gebet und sobald sie erhielten, wofür sie gebetet haben, denken sie nicht mehr ans Beten.«

Solche, die aus reiner Gewohnheit beten, gehören zu jenen, die ohne Herz beten (vgl. Mt 6,7). Die heiligste Mutter wirft ihnen vor, nur mit Worten zu beten (vgl. Mt 6,5), während ihre Herzen mit weltlichen Dingen beschäftigt sind. Um gut zu beten reicht es nicht aus, eine Menge Wörter aneinanderzureihen:

»Wenn ihr betet, vor allem mit den Gebeten, die ihr in Büchern abgedruckt findet, dann reiht die Wörter, die ihr auswendig gelernt habt, nicht einfach aneinander, sondern sprecht sie so, als ob ihr sie zum ersten Mal hören würdet.«

Diejenigen, die um ihrer selbst willen beten, sind schließlich jene, die mit Stolz und ohne Demut beten (Lk 18,9–17).

»Wer auch immer um etwas bittet, sollte das mit Bereitschaft und Demut und mit ganzem Herzen tun im Bewusstsein, welchen Gewinn er daraus schöpfen kann und wofür er diesen einsetzen wird. Außerdem muss er die Geduld aufbringen, auf eine Antwort zu warten.«

Beten ist somit, wie uns die Gottesmutter sagt, eine Angelegenheit des Herzens: »Euer Herz soll ein Ort des Gebets sein.« Es reicht nicht aus zu plappern wie die Heiden (vgl. Mt 6,7), denn Gott sieht das Herz, mit dem wir beten (vgl. Mt 6,5–6). Übrigens wissen wir sehr gut, dass Jesus sehr streng gegenüber den Heuchlern reagierte. Wer betet, muss authentisch sein und eine innere Armut besitzen, die ihn in die Lage versetzt, den Glauben als Geschenk Gottes anzunehmen: »Herr, stärke unseren Glauben!« Das christliche Gebet wird im Geist und in der Wahrheit verrichtet (vgl. Joh 4,23). Ein im Glauben gesprochenes Gebet kann alles von Gott erlangen: »Betet, betet, das Gebet wird euch alles schenken. Nur durch das Gebet könnt ihr alles erhalten.« So hat die selige Jungfrau zugleich auch das Bittgebet in verschiedenen Anliegen empfohlen.

Sie hat aber auch erklärt, wie wir verschiedene Schwierigkeiten, denen wir im Gebet begegnen, wie zum Beispiel Ablenkungen, überwinden können. Die Seherin Nathalie fragte die selige Jungfrau um Rat, was man tun solle, wenn der Geist während des Gebets abgelenkt wird und sich zerstreut. Und hier ist die Antwort: »Wenn eine solche Situation eintritt, vorausgesetzt, dass ihr euch mit der Absicht ins Gebet begeben habt, von ganzem Herzen zu beten, so zählt dies Gebet doch mehr als ein Gebet aus reiner Heuchelei.« Es wird uns einmal mehr deutlich, dass das, was zählt, die rechte Absicht ist. Was den Inhalt betrifft, so besteht das wahre Gebet darin, zum Schöpfer zu beten und die Gottesmutter anzurufen. Die Gottesmutter betrachtet in ihrer Lehre über das Beten diese beiden Elemente gemeinsam, obwohl sie beide voneinander unterscheidet. Das Gebet zu Gott, wie bereits erwähnt, bedeutet ein Gebet der Anbetung, der Betrachtung, des Lobpreises und der Danksagung an den Schöpfer. Diesbezüglich berichtet Nathalie, dass sie erfahren habe, dass Beten heißt:

>Gott das zu geben, was uns gehört, was aus unserem Herzen kommt, alle Ehre, aller Ruhm, aller Lobpreis. Dieser Kult, alles aufzuopfern, was wir sind und was wir haben, gebührt allein der Heiligsten Dreifaltigkeit. An mich [Maria] richtet man hingegen Gebete der Anrufung, darin sind andere Bitt- und Fürbittgebete eingeschlossen. Anrufen bedeutet, Gott um seine Hilfe zu bitten, von ihm flehentlich seinen Beistand zu erbitten [...]. Mich [Maria] anzurufen, ist ein Mittel, um von Gott etwas, was man sich wünscht, zu erbitten. Ich bin ein Geschöpf. Man ruft mich an, weil es gerade meine Aufgabe ist, hier zu sein, damit ich euch zu Hilfe kommen kann, wenn ihr mich um Hilfe bittet.<

Die selige Jungfrau betont hier die richtige Rangordnung, von der bereits die Rede war: das Gebet der Anbetung, das allein dem Schöpfer gebührt, durch einen Kult, der ihm wohlgefällt (vgl. Ps 50,7–15; Röm 12,1; Phil 3,3), und welches unterstützt wird vom Bittgebet der Anrufung, gerichtet an die Gottesmutter. Zusammenfassend kann festgestellt werden, dass aus den Botschaften von Kibeho klar hervorgeht, dass das Gebet die Hauptaufgabe ist, welche die himmlische Mutter ihren irdischen Kindern überträgt. Doch muss es sich dabei um ein Gebet handeln, das sich durch Wahrhaftigkeit, Vertrauen, Geduld und Standhaftigkeit in der Tugend auszeichnet. Ein Gebet soll in der Wahrheit und im Glauben verrichtet werden und soll so letztlich zu einer echten Bekehrung des Herzens führen.

6.4 Die Notwendigkeit der Umkehr – »Niemand ist unschuldig«

Angesichts des dramatischen Zustandes der Welt fordert die »Mutter des Wortes« zu einer unverzüglichen Umkehr auf: »Wenn ihr euch nicht bekehrt, werdet ihr in den Abgrund stürzen.« Aus der Perspektive der Erscheinungen von Kibeho betrifft die Bekehrung des Herzens die ganze Welt. »Niemand ist unschuldig«, berichtete Alphonsine. Die Aufforderung ist nachdrücklich: »Kehrt um, kehrt um, kehrt um.« Um zur Gewissensprüfung zu ermuntern, benutzte die selige Jungfrau manchmal auch eine bildhafte Sprache: »Steht ihr auf? Habt ihr die Augen offen?« Bei anderer Gelegenheit hat Maria die Verwendung dieser Ausdrücke erläutert: »Aufstehen« bedeutet, sich von den weltlichen Dingen zu lösen, die uns daran hindern, Christus nachzufolgen, aufstehen bedeutet, das Bußsakrament zu empfangen. »Die Augen öffnen« hingegen bedeutet, aufmerksam die Zeichen wahrzunehmen, die die heiligste Mutter den Menschen gibt, damit sie glauben.

Der dringliche Tonfall ist bemerkenswert: »Diejenigen, welche nicht hören wollen, was ich jetzt sage, werden sich noch sehr danach sehnen, auf mich zu hören, mich anzurufen und mich zu lieben, doch dann wird es zu spät sein.« Diesen Gedanken hinsichtlich jenen, die es ablehnen, die Botschaften mit bereitem Herzen anzunehmen, hat sie auch der Seherin Nathalie gegenüber klar ausgedrückt:

> »Nimm es nicht so schwer, meine Tochter! Sie werden eines Tages wünschen, darauf gehört zu haben, was ich dir auftrage, ihnen jetzt zu sagen, aber dann wird es zu spät und nichts mehr zu retten sein. All jene, die nicht auf die Botschaften hören wollen, die ihr überbringt, was erwarten sie letztlich? Worauf warten sie, wenn nur noch so wenig Zeit bleibt?«

Die Umkehr muss also jetzt stattfinden. Das nennt Nathalie »die Zeit Gottes«. Damit dieser Vorgang der Reue sich auf rechte

Weise vollziehen kann, hat die »Mutter des Wortes« auch einige Ratschläge geben wollen zu der Art, wie man gut beichtet: »Für die Umkehr reicht es nicht aus, zur Beichte zu gehen und danach zurückzukehren und weiterzumachen wie zuvor. Die wahre Bekehrung besteht darin, sein Verhalten zu ändern und das Schlechte, das früher begangen wurde, aufzugeben.«

Gegenüber Alphonsine hat die Jungfrau Maria ihr Bedauern über die Vernachlässigung des Beichtsakramentes ausgedrückt und gleichzeitig die Notwendigkeit dieses Sakramentes für das Seelenheil bekräftigt.

Was den Bekehrungsvorgang betrifft, so hat die selige Jungfrau den Schwerpunkt auf einige Tugenden gesetzt, unter denen die brüderliche Liebe einen besonderen Stellenwert einnimmt. Der Mangel an Nächstenliebe ist keine geringe Sünde: Derjenige, der seinen Nächsten hasst, steht auf der Seite des Teufels. Die selige Jungfrau sagte zu Alphonsine: »Du hast noch Stolz und Bosheit im Herzen. Du musst dich an alles, was du sagst, erinnern und es bereuen. Wenn du darüber nachdenkst, jemandem Böses anzutun, der es dir angetan hat, stehst du auf der Seite des Teufels! Dann musst du dich vollkommen verbessern.«

Doch es gibt noch viele weitere christliche Tugenden, die in den Botschaften von Kibeho im Zusammenhang mit der Bekehrung empfohlen werden: der Glaube, das Gebet, die Demut gegenüber anderen und die Verfügbarkeit gegenüber dem Willen Gottes, das Gottvertrauen, die Geduld in der Prüfung, die Einigkeit und der Friede, der Sinn für die gegenseitige Vergebung. Und mehr noch: die Überzeugung von der Würde des Menschen, die Treue gegenüber unseren Verpflichtungen, die Abkehr vom Reichtum dieser Welt, die Reinheit und der Verzicht auf jede Art fleischlicher Lust, die nicht dem Willen des Schöpfers entspricht, schließlich auch die Bedeutung der Sakramente der Beichte und der Eucharistie und Eifer beim Empfang dieser Sakramente.

Die Äußerungen der »Mutter des Wortes« sind ein Echo auf die Worte Johannes des Täufers, des Vorläufers: »Kehrt um! Denn das Himmelreich ist nahe« (Mt 3,2; Lk 3,8) wie auch auf die Worte Jesu selbst: »Das Reich Gottes ist nahe. Kehrt um und glaubt an das Evangelium!« (Mk 1,15; Mt 4,17). Wenn in der Bibel die Rede von der Umkehr ist, geht es um den Prozess, dass der Sünder sich wieder Gott zuwendet und sein Herz öffnet (vgl. Joel 2,13), eine Kehrtwendung macht und sein Verhalten ändert (vgl. Ez 18,21; Mt 4,17). Es ist eine Änderung im Geist und eine endgültige Abkehr von alldem, was sich dem Reich Gottes widersetzt (vgl. Mt 5,29–30), eine Verwandlung des Herzens (vgl. Mt 12,33–37), ein fröhlicher Blick auf Gott. Diese Umkehr mündet in den Glauben (vgl. Lk 22,32) und drückt sich in unserer Einstellung im täglichen Leben aus (vgl. Mt 3,8–9). Für die Umkehr ist es nötig, dass die Lampen leuchten und nicht verlöschen (vgl. Mt 25,1–13) und dass wir wachen und beten (vgl. Mk 14,32–35; Lk 22,40–46). Obwohl die Umkehr menschliche Anstrengung erfordert, ist sie dennoch ein Geschenk Gottes, das er dem Sünder gewährt (vgl. Lk 12,20; Offb 2,21). Sie zeigt die Zeit Gottes an, den *Kairos*, den »jetzigen Augenblick Gottes« (vgl. Lk 19,1–12; Lk 23,39–43). Es steht dem Sünder nicht zu, den Augenblick der Bekehrung festzusetzen. Diese Zeit der Gnade ist kurz, denn es handelt sich um eine Chance, die Gott dem Sünder anbietet. Die heilige Therese von Lisieux sagte: »Mein Leben dauert nur einen Augenblick, und um auf Erden zu lieben, habe ich nur das Heute.« Die Erlösung ist nur möglich im gegenwärtigen Augenblick, der günstigen Zeit, dem Tag der Rettung (vgl. 2 Kor 6,2f.). Alle brauchen die Umkehr, weil alle Sünder sind (vgl. Röm 5,12). Deshalb können wir nicht vorgeben, ohne Sünde zu sein, sonst machten wir Gott zum Lügner (vgl. 1 Joh 1,10). Gott aber will, dass wir uns alle bekehren (vgl. 2 Petr 3,9).

Mit seinen Unterweisungen lädt Papst Franziskus alle, wobei er bei sich selbst beginnt, zu einer aufrichtigen Gewissensprüfung ein. Denn wir alle, so stellt der Heilige Vater klar, sind arme Sünder auf der Suche nach der Barmherzigkeit Gottes: »Wir sind alle Sünder, sündige Männer, sündige Frauen, sündige Priester, sündige Ordensschwestern, sündige Bischöfe, sündige Kardinäle, ein sündiger Papst, alle sind wir Sünder, doch die Kirche ist heilig.«

7. Das Geheimnis des Kreuzes

In der Vielschichtigkeit der Botschaften, die den Seherinnen von Kibeho anvertraut wurden, nimmt das Geheimnis des Kreuzes einen besonderen Platz ein. Denn die »Mutter des Wortes« hat ausführlich über das Leiden gesprochen, nicht so sehr, um das Geheimnis zu erklären, sondern vielmehr um dessen rettende Dimension aufzuzeigen und den geistlichen Nutzen, der daraus erwächst. Um diesem Geheimnis im Leben näherzukommen, empfiehlt sie, den Gekreuzigten zu betrachten (vgl. Joh 19,37), ihre Schmerzen im »Sieben-Schmerzen-Rosenkranz« zu meditieren und unsere Leiden mit den Leiden Christi zu vereinen mit der Ziel, für unsere Sünden und die der ganzen Welt Sühne zu leisten. Indem ich das Thema des Leidens untersuche, will ich damit beginnen, das Problem des Schmerzes und der Tränen der himmlischen Mutter zu verdeutlichen. Dies führt dann dazu, dass wir den Wert des Kreuzes im christlichen Leben besser verstehen, ebenso die Bedeutung der Sühne, zu der alle aufgerufen sind.

7.1 Maria hat ihren Schmerz mit den Seherinnen geteilt

In Kibeho hat sich die Jungfrau äußerst schmerzerfüllt gezeigt wegen der verhärteten Herzen ihrer Kinder und wegen des Unheils, das über sie hereinbrechen wird. Ihren großen Schmerz teilte sie den Seherinnen durch folgende Worte mit: »Töchter, ich bin traurig. Es bedrückt mich, dass ich euch Botschaften anvertraut habe und ihr sie nicht so aufgenommen habt, wie ich es wünschte.« Gerade diese Ablehnung erfüllte sie mit dem größten Schmerz:

>Mich betrübt, dass ich zu euch komme, ihr Menschen aber vor mir flieht. Ich verkünde euch eine frohe Botschaft und ihr wollt sie nicht hören. Ich übermittle euch Botschaften und ihr weigert euch, sie anzunehmen. Ich bin auch betrübt, wenn ich sehe, wie sich die Sünde auf der Erde immer stärker vermehrt, obwohl sie eigentlich von Tag zu Tag abnehmen müsste [...]. Um die Welt steht es sehr schlecht und [...] wehe euch, wenn ihr nichts unternehmt, um Sühne zu leisten, und nicht von euren Sünden ablasst. Ich möchte euch vor dem Abgrund bewahren, damit ihr nicht hineinstürzt, aber ihr, ihr flieht vor mir.«

Gott wird schwer beleidigt und die Gottesmutter ist darüber zutiefst bekümmert. Doch sie ist auch in Sorge wegen der Folgen, die all dies für die Menschen haben wird, die sich hartnäckig weigern zuzuhören.

>Es verletzt mich, dass ich euch vor dem Abgrund bewahren möchte, damit ihr nicht hineinstürzt, und ihr verweigert euch. [...] Wie könnte ich glücklich sein, wenn ich sehe, wie ihr alles auf die leichte Schulter nehmt, was ich euch sage, wenn ihr jetzt schon kurz davor seid, in den Abgrund zu stürzen und dort verloren zu gehen? Ich bin gekommen, um euch eine Botschaft zu bringen, die ihr vergessen habt, doch ihr weigert euch, sie anzunehmen. Deswegen leide ich sehr, doch ich werde es in Geduld ertragen.«

Die Mutter der Barmherzigkeit leidet, weil die Menschen die Zeit des göttlichen Erbarmens versäumen. Nathalie versteht all dies und sagt es der seligen Jungfrau Maria mit ihren eigenen Worten: »Was dich leiden lässt, ist, dass einmal der Tag kommen wird, an dem wir dich anhören wollen – dich lieben, dir dienen, dir gehorchen wollen und all das tun, was du verlangst –, doch dann wird es zu spät sein!«

7.1.1 Glorreich und doch leidend?

Der große Schmerz der Gottesmutter stellt uns vor ein Problem: Leiden der Schöpfer und die Heiligen in der Herrlichkeit des Paradieses? Zunächst will ich auf die Frage des Leidens Gottes eingehen, was dann auch ein Licht auf das Leiden der himmlischen Mutter wirft. Der heilige Bernhard von Clairvaux hat einen besonderen Ausdruck für dieses göttliche Leiden geprägt: *Impassibilis est Deus, sed non incompassibilis*, das heißt: »Gott kann nicht leiden, aber er kann mitleiden«. Dieser Ausdruck knüpft eng an einen weiteren, viel älteren Gedanken von Origines an: Gott besitzt die *passio caritatis*, also das Leiden, das aus der Liebe hervorgeht, denn das Leiden ist untrennbar mit der Liebe verbunden. Gott leidet aus Mitgefühl.

Das Thema des Leidens Gottes ist in der Theologie hochaktuell. In diesem Zusammenhang hat Emmanuel Housset geschrieben: »Nur ein Gott, der leidet, kann der Weg, die Wahrheit und das Leben sein, insofern er den Menschen dazu befähigt zu leiden, also sich hingeben zu können. Das Wesensmerkmal eines leidenden Gottes ist es, ein Gott zu sein, der alles hingibt einschließlich seiner Gottheit.« So ist es mit Jesus von Nazareth geschehen. Gerade das Mensch gewordene Wort hilft uns, in das Geheimnis Gottes einzudringen, der die unendliche Liebe und somit auch unendlich verwundbar ist. Papst Benedikt XVI. erklärt:

> »Unser Gott ist keineswegs ein weit entfernter Gott, den wir in seiner Glückseligkeit nicht erreichen können: Unser Gott hat ein Herz, mehr noch, ein Herz aus Fleisch, denn er ist wirklich Mensch geworden, um mit uns leiden zu können und um im Leiden bei uns zu sein. Er ist Mensch geworden, um uns ein Herz aus Fleisch zu geben und in uns die Liebe zu den Leidenden und den Bedürftigen neu zu erwecken.«

Es ist daher unumgänglich, ein gewisses Bild zu überwinden von einem Gott, der viel zu vollkommen und unzugänglich wäre, um sich angesichts der Schmerzen seiner Kinder erweichen zu lassen. Es wird nun verständlich, dass alles von der Bedeutung abhängt, die dem Wort »Leiden« innewohnt. Wenn es auf ein negatives Attribut eines Mangels verweist, so können wir davon ausgehen, dass Gott tatsächlich nicht leidet. Aber wenn das Wort hingegen, wie eben erwähnt, ein »Leiden aus Liebe« meint, dann ist es richtig, von einem »Leiden Gottes« zu sprechen. Gott und seine Heiligen erfreuen sich mit ihm in der Herrlichkeit des Himmels. Sie sind nicht länger an irdische Verhältnisse gebunden, die Leiden im Sinne eines »Mangels« an Glück erzeugen, aber ihre Fülle der Seligkeit hindert sie nicht daran, gegenüber den Schmerzen der Menschen mitfühlend zu sein.

Auch das Leiden der Gottesmutter ist im Sinne eines Leidens aus Mitgefühl zu verstehen. Wie Gott spürt auch sie Mitleid angesichts des Leidens ihrer Kinder. Auch die selige Jungfrau nimmt durch ihr mütterliches Mitgefühl Anteil an den Leiden der Menschen, die ihr anvertraut sind. Es ist ihr mütterliches Mitgefühl, das zum Wohle ihrer Kinder, die noch Pilger auf dieser Erde sind, andauert. Papst Pius XII. hat dazu einige erhellende Gedanken geschrieben:

> »Zweifellos ist Maria im Himmel ewig glückselig und leidet weder an Schmerz noch unter Traurigkeit, doch bleibt sie nicht gefühllos, oder besser gesagt, sie hegt immer Liebe und Mitgefühl gegenüber dem elenden Menschengeschlecht, das ihr als Mutter anvertraut wurde, als sie schmerzerfüllt in Tränen unter dem Kreuz ihres Sohnes stand.«

Denn als »Mutter des Wortes« teilt Maria das Schicksal des Messias. So haben ihr Leiden und ihre Tränen die prophetische Aufgabe, das *pathos* (Ergriffensein, Anm. d. V.) Gottes zu offenbaren. Wie Kardinal Carlo Maria Martini schrieb:

»Wir sollten gut über das Leiden der seligen Jungfrau Maria nachdenken, die ja nicht nur während ihres irdischen Daseins gelitten hat, sondern weiterhin leidet. Heutzutage leidet sie wegen der Sünden der Menschen, sie hat Mitgefühl mit meinen Schwächen, meiner Zerbrechlichkeit, meiner Angst. Das ist ein sehr tiefes Geheimnis, denn es ermöglicht uns irgendwie, das Leiden Gottes angesichts des Bösen, das wir tun, zu erfassen. Es ist ein Geheimnis, welches die Theologie nicht auswerten kann, wenn wir einen negativen Eindruck von Leiden haben als einen Mangel, den wir weder auf Gott noch auf Maria anwenden können. [...] Die göttliche Glückseligkeit, die Glückseligkeit der Heiligen ist aber doch nicht so vollkommen, dass sie es nicht erlauben würde, sich um den Schmerz der Menschen zu kümmern. Mit menschlichen Worten nennen wir es Leiden, doch besser wäre es von einem Liebesleiden, von leidenschaftlicher Liebe voller Zärtlichkeit, von Mitgefühl zu sprechen.«

Was die »Mutter des Wortes« in Kibeho gesagt und getan hat, ist ein eindeutiger Beweis dafür, dass all dies wahr ist. Die himmlische Mutter ist reich an diesem Liebesleiden. Es lässt sie so besorgt sein, dass sie über das Los der Menschen und über ihren Schmerz, den sie gerne lindern würde, Tränen vergießt.

7.2 Die »Mutter des Wortes« hat in Kibeho Tränen vergossen: Was wollen sie uns sagen?

Die Seherinnen haben die selige Jungfrau Maria Schmerzenstränen weinen sehen. Dies trifft besonders auf Marie Claire zu, die während der Erscheinung vom 15. August 1982 in prophetischer Schau das Blutbad des Völkermords sah. Auch Nathalie berichtet davon, die mütterlichen Augen voller Tränen gesehen zu haben: »Ich habe sie immer wieder um Vergebung gebeten, doch je öfter ich es tat, desto trauriger wurde sie, und so habe ich ihre Augen voller Tränen gesehen.« Noch erschütternder ist Alphonsines Zeugnis, das sie in ihr Tagebuch schrieb: »Die Jungfrau Maria hat sich auf ganz andere Art als sonst gezeigt. Sie war sehr traurig, als sie kam, und als ich begann, für sie zu singen, konnte ich meinen Gesang nicht fortsetzen, denn sie hat es mir sofort verboten. Doch es tat mir noch mehr weh, sie weinen zu sehen … Die vielen Tränen hörten gar nicht mehr auf, aus ihren Augen zu strömen. Ich habe sie deutlich über ihr Gesicht laufen sehen. In ihrem Blick lag eine große Traurigkeit.« Die Gottesmutter hat den Grund dafür der Seherin anvertraut: »Wenn ich weine, dann deshalb, weil ihr Menschen euch in einer derart kritischen Lage befindet, dass ich meine Tränen aus Mitleid mit euch nicht zurückhalten kann. Ihr seid so böse, dass es mich zum Weinen bringt. Meine Tochter, ich habe die Tür geöffnet, aber die Menschen haben nicht eintreten wollen.«

Im Hinblick auf das Mitgefühl des Himmels für die Leiden der Menschen sind die Tränen der »Mutter des Wortes« von großer theologischer Bedeutung … Zunächst sind Tränen ein hervorragendes Mittel, um verhärtete Herzen anzurühren. Wir wissen, dass schon in der Ordnung der Natur die Tränen einer Mutter mehr ausdrücken als Worte. Im Allgemeinen fließen sie dann, wenn alle anderen Mittel versagt haben, und sie sind somit das letzte Wort. Dasselbe geschieht auch in der Ordnung der Gnaden. Die Tränen der Jungfrau Maria erscheinen somit auch als Zeichen, als ein wirksames Kommunikationsmittel. Sie sind eine besonders mächtige Sprache. Wenn sie als Mutter erkennt, dass ihre Unterweisungen abgelehnt werden, dass ihre Kinder sich auf einem Pfad befinden, der ins Verderben führt, weil sie nicht mehr an sie glauben, dann verwandelt sich ihr Sprechen in Weinen. Die Tränen werden so zu einem lebendigen Ausdruck ihrer Liebe, zu einer Klage der Ohnmacht, zu der sie ihre Kinder zwingen, zu einer Klage über deren Widerstand. Sie sind beinahe eine berührbare Spiegelung und gleichzeitig eine Erinnerung an das Böse, zu dem sie sich auf den Weg gemacht haben.

Aber das Weinen Unserer Lieben Frau ist auch ein Zeichen der Nähe und Zärtlichkeit Gottes. Es drückt aus, dass Gott und seine heiligste Mutter nicht gleichgültig sind angesichts des Leidens auf der Welt und dass sie uns Menschen nahe sind. Die

Tränen Mariens offenbaren uns somit, dass auch das Herz Gottes betrübt ist beim Anblick des Leidens seiner Kinder (vgl. Lk 15,20) und sich gegenüber den Menschen öffnet und von Traurigkeit erschüttert wird (vgl. Joh 11,33–35). Indem sie ihre Tränen zeigt, möchte uns die selige Jungfrau durch eine menschliche Ausdrucksweise in das reine und verletzliche Herz des Gottes der Liebe eintreten lassen. Ihre Tränen stellen gewissermaßen einen »prophetischen Schrei« dar, der darauf hinweist, dass die Sünden etwas Schreckliches sind, die das Herz Gottes nicht ertragen kann. Sie legen das Unheil offen, welches die Welt bedroht, die sich nunmehr in einer sehr kritischen Lage befindet. Diese Tränen werden somit durch unsere Sünden verursacht und stellen einen höchst dringlichen Aufruf zur Umkehr dar.

Somit ist es vor allem unsere Ablehnung der Gnaden Gottes, die seine und unser aller Mutter dazu bringt, uns durch ihr Weinen aufzurütteln. In diesem Zusammenhang hat Pater Stefano De Fiores Folgendes klargestellt:

> »Die Tränen Mariens, der ›lebendigen Ikone des Evangeliums des Leidens‹, haben pastorale, christologische, anthropologische und trinitarische Bedeutung: Sie erweisen sich als das letzte Wort in der Rede von der Umkehr. Sie sind ein Hinweis auf die drohende Gefahr, die von der Verhärtung der Herzen gegenüber der Ankunft des Messias ausgeht. Die Tränen Mariens helfen uns dabei, die geheimnisvolle Verletzlichkeit und das Leiden des barmherzigen Gottes zu verstehen, der angesichts der Sünden der Welt voller Liebe ist. Sie zeigen somit das *pathos* Gottes. Letztlich zeigen sie die äußerste Bemühung, die Gott durch seine Mutter unternimmt, um die Welt zur Umkehr zu rufen und die Kirche darauf vorzubereiten, in der Heiligkeit des Lebens der Endzeit entgegenzugehen.«

Auch Bruno Forte, der Theologe und Bischof, versteht diese Tränen der himmlischen Mutter als einen Aufruf ihres verwundeten Herzens: »Maria ruft nicht zur Umkehr auf, indem sie auf die Strenge des Gerichts verweist, sondern auf die verwundete Barmherzigkeit, auf das mitfühlende Herz und die unendliche Zärtlichkeit unseres Gottes.«

Wie daraus ersichtlich ist, beschäftigt dieses Ereignis, das so bedeutsam ist, auch die Theologen sehr und führt sie zu schönen und interessanten Erklärungen. Aber um auf die Tränen der »Mutter des Wortes« in Kibeho zurückzukommen, so hat die Seherin Alphonsine mir erklärt, dass sich dahinter ein Geheimnis verbirgt. Denn sie drückten eben nicht nur den ungeheuren mütterlichen Schmerz aus, sondern ließen gleichzeitig auch andere Empfindungen wie Hoffnung, Vertrauen, die Erwartung von Liebe und Bekehrung aufkommen. Letztlich bedeutet dies, dass – wann immer Maria, unsere Mutter, versucht, mit ihren Tränen unsere verhärteten Herzen zu erreichen – sie uns dennoch fortwährend ihr Vertrauen schenkt: Denn sie weint nur um jemanden, den sie liebt, für den sie Gutes erhofft. In diesem Sinne sind die Tränen der himmlischen Mutter immer auch voller Erwartung und voller Hoffnung auf Trost.

7.3 Das Kreuz – kein Geheimnis des Todes, sondern des Lebens

Die »Mutter des Wortes« hat, wie eben beschrieben, in Kibeho bei ihren Begegnungen mit den Seherinnen ihren Schmerz bis hin zu den Tränen über das Schicksal der Menschen, die taub für ihre Aufrufe sind, ausdrückt und mitgeteilt. Sie hat aber auch ausführlich über ein anderes Thema gesprochen, das im Zentrum des christlichen Geheimnisses steht: das Thema des Leidens, des Kreuzes. Vor allem hat sie von dem Kreuz gesprochen, an dem Jesus gestorben ist, dann auch von jenem Anteil an Leiden und Kreuz, der früher oder später jeden von uns treffen wird. Die Gottesmutter hat diese *conditio humana* (»Bedingung des Menschseins, Anm. d. V.) am 3. September 1983 so beschrieben:

»Es gibt keinen Menschen auf dieser Welt, der nicht leidet. Wenn er ein Armer ist, dann leidet er unter seiner Armut; wenn er ein Reicher ist, dann macht er sich Sorgen um seinen Reichtum. Oh, wie die Menschen sich doch etwas vormachen!«

Und weiter:

»Niemand ist vollkommen glücklich. Auch wenn du äußerlich fröhlich erscheinst, leidest du innerlich, und wenn du auch innerlich zufrieden sein kannst, hält die Freude, die du empfindest, nur einen Moment lang an und geht dann vorüber. Diese Welt kann niemals zum Paradies werden.«

Es besteht kein Zweifel: Der Realismus dieser Botschaft ist frappierend. Die himmlische Mutter lädt uns ein, uns mit dem Gedanken auseinanderzusetzen, dass das Geheimnis des Leids als Teil des menschlichen Lebens angenommen und gelebt werden muss. Nicht einmal der christliche Glaube gibt eine rationale Erklärung dafür, die vollständig befriedigend wäre, doch er weist auf ein Ereignis hin, das uns dies verstehen hilft. Oder besser gesagt: Er weist auf eine konkrete Person hin. Es handelt sich um das fleischgewordene Wort, um diesen Jesus Christus, der, da er ja Gott ist, sich von jedem Leid hätte fernhalten können, der hingegen aus Liebe Mensch geworden ist, um selbst alles Leiden und alles Böse der Welt auf sich zu nehmen, um das alles auf seine Schultern zu laden, um dieses bis zum Kalvarienberg zu tragen und mit ans Kreuz zu nehmen, an dem er zu Tode kam.

Aber nicht für immer. Denn kaum drei Tage später siegte das Licht der Auferstehung über alle Dunkelheit und bewies, dass der Tod, ein scheinbar unerbittliches Übel, nicht die Endstation, sondern lediglich ein Übergang zu einem Leben ist, das noch erfüllter und nunmehr frei von Schmerz ist. All dies lässt uns mit ernsthafter Begründung darauf hoffen, dass auch das ganze menschliche Leid, das uns umgibt, das uns belagert, angefangen bei unserem eigenen, eine tiefere Bedeutung hat, einen Sinn, der die Tragödie ohne jede Erklärung in ein Geheimnis des Lebens und nicht des Todes verwandelt.

Die »Mutter des Wortes« scheint vor allem deshalb nach Kibeho gekommen zu sein, um uns zu lehren, in Anbetracht dieser Konsequenzen zu leben.

7.3.1 Keine »schmerzvolle« Spiritualität

Von dem Augenblick an, an dem Leiden zum menschlichen Leben auf der Erde gehört, will die Gottesmutter uns zunächst einmal helfen, es in der einzig richtigen Art und Weise anzunehmen, in der es geistliche Früchte der Freude und des Friedens hervorbringt, das heißt, indem wir es mit dem Erlösungsleiden Christi vereinen. Sie hat diesen Gedanken mehrere Male wiederholt, zum Beispiel, als sie darauf hinwies, was sie selbst während ihres Lebens auf der Erde durchlitten hat: »Meine Tochter, trenne dich nicht vom Kreuz, denn auch ich selbst habe den Weg des Leidens durchschritten. Ich habe viel gelitten, und wer mir ähnlich werden will, muss all das annehmen, was mir widerfahren ist.« Das christliche Leben fordert Einsatz und Verzicht, und die Muttergottes verheimlicht überhaupt nicht, dass »von jedem Christen ein Opfer verlangt wird«. Bei einer anderen Gelegenheit hat sie darauf hingewiesen, dass »der wahre Weg der des Leidens ist, dabei spielt es keine Rolle, welche Art von Leiden uns mit dem Leiden Christi vereint«.

Die Ausdrucksweise der Gottesmutter ist keineswegs beschönigend oder beschwichtigend, um aufzuweichen, was im Evangelium steht, und dem Zeitgeist entgegenzukommen. Im Gegenteil: Sie benennt die Dinge genauso, wie sie sind, und sie legt die die ganze Überlieferung der Kirche vollständig und ohne Abstriche erneut vor. Für unsere modernen Ohren, für eine Kultur, die sich dem Opfer verweigert, es mit Grauen betrachtet und seinen Wert nicht mehr versteht, können ihre Worte hart klingen. Die »Mutter des Wortes« spricht jedoch nicht nur vom Opfer, sondern sie will durch Gesten und Zeichen den Seherinnen und somit auch uns helfen, auf rechte Weise einzutreten in die Dimension eines Leidens, das im Glauben angenommen und in der liebenden Vereinigung mit Jesus durchlebt wird.

So hat sie etwa, wie bereits beschrieben, den Seherinnen Szenen des Leidens Jesu, ihres Sohnes, gezeigt, damit sie sich in dieses Leiden hineinversetzten. Danach hat sie Marie Claire den »Sieben-Schmerzen-Rosenkranz« gelehrt und ihr aufgetragen, ihn weiterzuverbreiten. Dieser besondere Rosenkranz ist eine Meditation über das Leiden der seligen Jungfrau selbst, das sie im Laufe ihres Erdendaseins ertragen musste, und darüber, wie sie damit umgegangen ist. Schließlich hat eine weitere Seherin, Nathalie, den besonderen Auftrag erhalten, durch ihr eigenes Leiden, vereint mit den Leiden Jesu, für ihre Sünden und die Sünden ihrer Brüder und Schwestern Sühne zu leisten.

Ich werde später noch auf die Betrachtung dieses Charismas von Kibeho zurückkommen. An dieser Stelle ist es jedoch notwendig, dieses äußerst wichtige Thema des Leidens weiter zu vertiefen.

Manchen ist dieser Aspekt der Botschaften zu schwerwiegend, zu düster und sogar übertrieben vorgekommen. Deshalb ist hier klarzustellen, dass die »Mutter des Wortes« in Kibeho keineswegs beabsichtigte, eine Spiritualität zu lehren, »die das Leiden überbetont«, somit eine »schmerzvolle« Spiritualität: Dieses Argument wird häufig von Menschen benutzt, die dem Christentum kritisch gegenüberstehen. Dies wäre dann tatsächlich eine Spiritualität, die das Leiden um des Leidens willen sucht, die »Geschmack« am Leiden findet, was auf eine pathologische und perverse Neigung schließen lässt. Das Gegenteil ist der Fall. In der Nachfolge Jesu hat die Gottesmutter einfach dazu ermahnt, das Leiden mit der Kraft der Liebe zu bekämpfen und zu ertragen, ohne dabei zu verheimlichen, dass das Kreuz zweifelsohne im Zentrum des christlichen Geheimnisses und somit auch des menschlichen Lebens steht. Und deshalb liegt hinter jedem Leiden, wie bereits erwähnt, eine Auferstehung verborgen, geheimnisvoll, aber real, wie sie auch bei Jesus geschah.

Es ist eine Dialektik, die uns im Grunde genommen bereits vertraut sein müsste. Denn als Christen sollten wir schon die Erfahrung gemacht haben, dass das Leiden der Seele großen Nutzen bringt, wenn es im Glauben angenommen wird. Die Seherinnen berichteten, dass die selige Jungfrau Maria darauf hingewiesen hat, dass das Leiden eine vorzügliche Möglichkeit ist, »das Gewissen zu verfeinern, die Hingabe an Gott neu zu erwecken und aufrechtzuerhalten, das absolute Vertrauen zu ihm zu fördern und zu inbrünstigem Gebet anzuspornen. Gerade im Leiden denken wir vor allem an Gott und an das Gebet.« Das Leiden wird auch als Läuterung des Gebets angesehen. Wenn das gut durchlebte Leiden das Gebet fördert, dann wird es zu einem Weg, der zu Gott führt: »Es gibt keinen anderen Weg als den Kreuzweg, der euch dorthin führt, wo ihr euch befindet, [denn] keiner kommt in den Himmel, ohne zu leiden.« Es gibt also keine Auferstehung ohne den Tod und kein Ostern ohne den Karfreitag. Das Leiden hat somit auch einen therapeutischen Wert: »Das Leiden erzeugt viel Freude und die Freude erzeugt viele Leiden.« Die Seherin Nathalie hat im Bewusstsein ihrer Sendung, Leiden zu übernehmen, um für die Sünden der Welt zu sühnen, ihre Hingabe an die Gottesmutter erklärt und versprochen, ihr inmitten der Schmerzen gefallen zu wollen: »Für jedes Leiden werde ich dir eine Freude bereiten.« Wenn das Leiden zu Gott führt und Tugenden hervorbringt, so heißt das, dass es auch zum Heil führen kann. Hören wir noch einmal Nathalie, wie sie sich an Maria wendet:

> »Du erklärst mir, dass es häufig im Leiden geschieht, dass meine Seele das Heil erlangt, und dass auch die Seelen der ganzen Welt, die du meinem Gebet anvertrauen willst, das Heil erlangen [...]. Du hast mir den Auftrag erteilt, die Prüfungen anzunehmen, die von dir kommen, sowie auch die Freuden, die gleichermaßen von dir stammen.«

Das ist der erlösende, das heißt der sühnende Sinn, den die »Mutter des Wortes« dem Leiden zumisst.

7.3.2 Wie Jesus das Leiden mit der Kraft der Liebe annehmen

Trotz allem bleibt immer noch ein Problem offen: die unendliche Liebe Gottes und die Wirklichkeit des Leidens auf der Ebene der Realität des Lebens miteinander zu versöhnen. Denn es besteht immer die Gefahr, in eines der beiden möglichen Extreme zu verfallen: entweder das Leiden zu fliehen oder krankhaft danach zu suchen, bis es zu einer Art Götze wird.

Kibeho lehrt uns, dass es vor allen Dingen notwendig ist, die Rede vom Leiden von jeder möglichen Mystifizierung zu befreien, um dieses Geheimnis zu verstehen und im Leben umzusetzen. Das bedeutet, dass es absurd wäre, das Leiden zu verleugnen oder zu ignorieren, weil es sich dabei um eine Realität handelt, die jede menschliche Existenz betrifft. Es bedeutet auch, sich keine Illusionen irgendwelcher Art zu machen und nicht darauf zu hoffen, dass zum Beispiel irgendeine künftige politische oder soziale Revolution oder auch der technische oder wissenschaftliche Fortschritt es eines Tages möglich machen würde, das Leid vollständig zu beseitigen. Ganz im Gegenteil: Gerade die Geschichte, auch die der jüngsten Vergangenheit, hat oft gezeigt, dass der Versuch, das Paradies auf Erden zu erschaffen, zu verheerenden, sogar grausamen politischen Regimen geführt hat, die verschiedene Arten von schrecklichen Höllen hervorbrachten. Es genügt, sich daran zu erinnern, was der Nationalsozialismus und der Kommunismus angerichtet haben. Nicht wenn wir das Leiden fliehen oder ablehnen, sondern wenn wir im Gegenteil uns dem Leiden mit offenen Augen und im Licht des Glaubens stellen, wird es uns also gelingen, es zu überwinden, anstatt davon überwältigt zu werden. Genauso wie es Jesus getan hat und wie es uns die »Mutter des Wortes« lehrt.

Das bedeutet nicht nur, im Laufe der Jahre und mit zunehmender Erfahrung zu lernen, das Leiden als unvermeidlichen Preis, den wir in diesem Leben zu bezahlen haben, zu ertragen.

Es bedeutet vielmehr, fähig zu werden, das Leiden, wenn es uns mit seinem ganzen Gewicht trifft, in einer freien Haltung, die ihre Kraft aus dem Glauben schöpft, anzunehmen. Der große Papst Johannes Paul II., der seit seiner Kindheit viel gelitten hat, schrieb sehr schöne Worte zu diesem Thema. Es sind Worte, die sehr gut die Ambivalenz bezeichnen, welche das Leiden in sich birgt, und ausdrücken, wie es im Licht des Glaubens möglich ist, damit zurechtzukommen:

> »Das Leiden hat zwei Seiten: Um von der einen zur anderen zu gelangen, ist eine Bekehrung notwendig. Die christliche Haltung dazu ist paradox: Sie verneint es nicht mit Überlegenheit wie der heidnische Stoizismus, sie resigniert nicht, aber sie erstrebt das Leiden auch nicht mit einem krankhaften Masochismus. Sie nimmt es vielmehr an in dem, was daran unabwendbar ist, bekämpft es und versucht, im Licht des Kreuzes Christi einen positiven Sinn darin zu finden. Der Christ bekleidet das Leid mit der Kraft der Liebe und verwandelt es in den ›Treibstoff‹ der Nächstenliebe, um ihm einen erlösenden Wert zu verleihen.«

Bei einer anderen Gelegenheit fügte er hinzu: »Es liegt an uns, das Ärgernis des Leidens in ein Geheimnis zu verwandeln, ihm eine erzieherische und auch erlösende Bedeutung zu verleihen.« Es hängt also von uns ab, ob wir den aus Liebe leidenden Christus als unser Vorbild annehmen. Denn das Kreuz Christi ist die einzige endgültige Antwort auf das Leiden. Gerade deshalb, weil das Holz, an dem Jesus starb, kein Diskurs, keine Theorie und auch keine Philosophie ist, sondern ein konkretes Ereignis, auf das ein weiteres, ebenso konkretes Ereignis folgte: die Auferstehung.

7.3.3 Musste Christus denn wirklich leiden?

Warum spricht Unsere Liebe Frau denn so häufig vom Leiden, dem sie sich letztlich auch stellen musste, und warum lädt sie gleichzeitig die Seherinnen (und uns alle) ein, diese Leiden anzunehmen, um sie als Sühneopfer mit dem Opfer Jesu zu vereinen? War denn das Opfer des fleischgewordenen Wortes nicht ausreichend? Haben die berühmten Worte des heiligen Paulus in seinem Brief an die Kolosser (1,24) etwa diesen Sinn: »Jetzt freue ich mich in den Leiden, die ich für euch ertrage. Für den Leib Christi, die Kirche, ergänze ich in meinem irdischen Leben das, was an den Leiden Christi noch fehlt«? Gewiss nicht! Das Opfer Jesu war vollständig und endgültig. Dennoch – und es ist schön, dass die Gottesmutter versucht, uns hier miteinzubeziehen – bleibt es offen für die Teilnahme aller Gläubigen.

Es ist notwendig, hier noch einmal an die Gründe für die Menschwerdung, für die darauffolgende Passion und den Tod des Wortes in der Person Jesu Christi zu erinnern. Es liegt auf der Hand, dass der Mensch allein von sich aus vor Gott keine Genugtuung für seine Sünden hätte leisten können.

Der ontologische Abgrund zwischen dem Schöpfer und dem Geschöpf verhindert dies grundsätzlich. So konnte nur der Gottmensch, also Jesus Christus, dies bewirken, denn in ihm waren beide Naturen vereint: Gott in seiner ganzen Macht und die vollständige Menschennatur: »Ihn hat Gott aufgerichtet als Sühnemahl – wirksam durch Glauben – in seinem Blut, zum Erweis seiner Gerechtigkeit durch die Vergebung der Sünden, die früher, in der Zeit seiner Geduld, begangen wurden« (Röm 3,25f.).

Der Sühnecharakter des Opfers Jesu ist nicht nur mit der Gerechtigkeit, sondern vor allem mit seiner großen Liebe verknüpft. Der heilige Thomas von Aquin hat diesen Aspekt sehr gut ausgedrückt: »Christus hat, indem er aus Liebe und Gehorsam litt, Gott etwas Größeres angeboten, als es die Wiedergutmachung für alle Beleidigungen durch das Menschengeschlecht erforderte.« Die Liebe gibt seinem großen Opfer den vollen Sinn. Jesus selbst hat ja gesagt: »Es gibt keine größere Liebe, als wenn einer sein Leben für seine Freunde hingibt« (Joh 15,13).

Bleibt die Frage, ob der Kreuzweg wirklich der einzige Weg war, ob Christus uns nicht hätte lieben und retten können, ohne leiden zu müssen ... Anders gefragt: War sein Opfer bis hin zum Tod unumgänglich? Offensichtlich ja, sowohl innerhalb der Ordnung der Gerechtigkeit als auch innerhalb der Ordnung der Liebe. Die Schwierigkeit für uns liegt darin, dass Liebe und Leiden miteinander unvereinbar scheinen. Aber für Gott stehen Liebe und Leid zusammen, haben dieselbe theologische Bedeutung. Und dies aus folgendem Grund: Indem Gott den Menschen aus Liebe erschuf und mit ihm eine Beziehung der Kindschaft eingehen wollte, stattete er ihn mit der nötigen Freiheit aus, damit der Mensch eine Entscheidung aus Liebe für ihn überhaupt treffen konnte, und dadurch setzte Gott sich selbst der Möglichkeit der menschlichen Zurückweisung aus und sogar dem unvermeidlichen Schmerz, den eine solche Ablehnung verursacht. Für Gott also bedeutet Liebe auch *Kenosis* (»Entäußerung«, Anm. d. V.) bis hin zur Erniedrigung des Opfers am Kreuz (vgl. Phil 2,1–11). Dadurch wird verständlich, dass Leiden und Liebe für Gott nicht in einem Gegensatz zueinander stehen.

Der heilige Augustinus fügt ein weiteres Element zur »Notwendigkeit« des Leidens Christi hinzu. Er vertritt nämlich die Meinung, dass das Werkzeug des Leidens von Gott erwählt wurde, um uns von den Folgen der Erbsünde zu reinigen und für uns wieder neu die wahre Gotteskindschaft zu ermöglichen. Doch das Leiden Christi war keine zwanghafte Notwendigkeit weder für Gott, der es entschieden, noch für Christus, der es freiwillig angenommen hatte. Es war notwendig, weil es an die »Zielsetzung« gebunden war, die erreicht werden sollte, nämlich gerade jene, die eben beschrieben wurde.

Nun verstehen wir auch, warum die »Mutter des Wortes« den Seherinnen die Szenen aus der Passion Christi vor Augen geführt hat. Auf diese Weise wollte sie die unendliche Liebe begreiflich machen, mit der ihr Sohn Jesus das Sühneleiden angenommen hat.

7.3.4 Warum sollen wir uns mit seinem Leiden vereinen?

Das Opfer Jesu Christi ist demnach keine Frucht der Notwendigkeit, sondern eine Frucht der Liebe. Und wir sind dazu aufgerufen, an diesem Opfer teilzunehmen, indem wir unser eigenes Leiden mit dem Leiden Christi vereinen.

Wozu aber, wenn doch das Opfer des fleischgewordenen Wortes vollkommen und endgültig gewesen ist? Dieser Abschnitt will recht verstanden sein, und die selige Jungfrau Maria legt in ihren Botschaften von Kibeho großen Wert darauf.

Es muss zunächst klargestellt werden, dass der Ruf, am Opfer Christi teilzunehmen, nicht von einem rachsüchtigen und cholerischen Gott stammt, der, wie manche meinen, das Leiden der Menschen als Sühne für ihre Sünden fordert und dafür einen objektiven Ausgleich zwischen Strafe und Schuld festsetzt. In Wirklichkeit braucht Gott die Sühne der Menschen nicht. Es sind im Gegenteil die Menschen, die, wenn sie einmal die Liebe des Vaters im Himmel wieder erkennen, auch erkennen, dass sie mit Sünden beladen sind und das Bedürfnis verspüren, Wiedergutmachung zu leisten. Deshalb ist die Teilnahme am Leiden Christi als Glieder seines mystischen Leibes keine Bedingung, sondern eine Gnade, ein weiteres Geschenk, das Gott dem Menschen macht. Der Theologe Bernard Sesboüé hat es folgendermaßen ausgedrückt:

»Die Sühne ist nicht im Sinne einer ausgleichenden oder rachsüchtigen Gerechtigkeit zu verstehen. Sie ist überhaupt keine Vorbedingung für die göttliche Vergebung, sondern diese gründet vielmehr auf dem Willen Gottes zu vergeben. Sie ist keine von Gott willkürlich verhängte Strafe. Sie ist eine Folge des Bösen, das die Sünden in mir angerichtet haben. Sie ist der Wille zur Wiedergutmachung. Sie kann letztlich und vorrangig die Teilnahme an der liebevollen Sühne Christi für das Heil der Welt werden.«

Indem er den endgültigen Charakter der Sühne Jesu erneut bekräftigt, platziert Sesboüé die Sühne in den Reinigungsprozess des Menschen und er unterstreicht, dass die menschliche Sühne »Teilnahme« an der Sühne Christi ist. Da Christus seine Menschheit in sein Sühneopfer mit hineinnimmt, sieht die Menschheit als ganze, dass sich vor ihr der mögliche Zugang zu einer echten »teilhabenden Sühne« in Jesus Christus auftut. Christus selbst, das Haupt der Kirche, leistet in den Gliedern seines Leibes Sühne. Somit bilden die notwendige Sühne Jesu, des Hauptes der Kirche, und die teilhabende Sühne der Gläubigen einen einzigen Sühneakt. Die menschliche Sühne darf nicht so verstanden werden, als vervollkommne sie die göttliche Gnade der Erlösung oder füge ihr etwas hinzu, weil sie nicht ausreichen würde.

Es muss jedoch ergänzt werden, dass menschliches Leid nicht aus sich selbst heraus schon Sühnecharakter besitzt. Gott hat frei darüber verfügt, den Menschen am Werk seiner Gnade teilnehmen zu lassen. So kann ein Christ, indem er mit Christus Sühne leistet, aktiv am Erlösungswerk mitwirken. Dies gilt auch insofern, dass die Erlösung, die Jesus für uns durch seinen Tod erwirkt hat, allen Menschen als Möglichkeit offensteht, aber nicht automatisch wirksam wird, da sie die menschliche Freiheit berücksichtigt, die Gott auch in diesem Fall respektiert. So ist es also tatsächlich nötig, dass jeder einzelne Mensch aus freiem Willen an der Erlösung teilnimmt. Dies bedeutet, dass er sie auch in einem gewissen Sinne versteht, auf sich bezieht, sich zu eigen macht und aktiv daran teilnimmt. Mit anderen Worten: Jeder muss die Mitwirkung an der Erlösung an dem Punkt der Geschichte, an dem er sich gerade befindet, für sich und seine Mitmenschen erfüllen. Diese liebevolle Zustimmung verwandelt sich in Selbsthingabe als Antwort auf die Liebe Christi, der sie in sich wirksam und lebendig macht, sodass sie den Menschen allmählich nach dem Vorbild des eingeborenen Sohnes formt.

Die »Mutter des Wortes«, vorzügliches Glied des mystischen Leibes Christi, hat diesen Anruf vollkommen erfüllt, das heißt, sie wusste, was es bedeutet, vollendet zu lieben, wie Christus es erbeten hatte (vgl. Joh 15,12–14), indem sie sich mit der Sühne des Sohnes vereinte (vgl. Joh 19,25–26). Kraft dieser Einheit mit dem Sohn hat sie als miterlösende Mutter an seinem Sühneopfer teilgenommen. Sie, Ikone und Modell der Kirche, belehrt uns und spornt uns an, uns mit dem Erlöser aus Liebe zu vereinen und so zum Lösegeld für die anderen Glieder des mystischen Leibes beizutragen.

In Zusammenhang mit den Erscheinungen von Kibeho wird das Geheimnis des Leidens somit in seiner positiven und rettenden Dimension vorgestellt. Und von dieser positiven Perspektive aus wird vom Wert des Leidens gesprochen. Bekanntlich scheint die heute vorherrschende Einstellung, die vergeblich versucht, das Leiden aus dem menschlichen Leben zu verbannen, den Wert des Sühneleidens nicht anzuerkennen. Jesus selbst hat uns jedoch im Evangelium ein Beispiel dafür gegeben, denn er selbst hat während der vierzig Tage und Nächte in der Wüste seinen Leib dem Fasten ausgesetzt (vgl. Mt 4,1–11). In der Lehre des Neuen Testaments wird das Fasten vom wahren Gebet begleitet (vgl. Mt 17,21) und es ist nötig, sich dessen bewusst zu sein, dass jeder sein eigenes Kreuz auf sich nehmen muss, wenn er Christus nachfolgen will (vgl. Mt 16,24). Das Fleisch ist schwach und verführt zu Begierden, die dem Geist entgegenstehen (vgl. Mk 14,38; Gal 5,17): Darum soll es als Opfer dargebracht werden (vgl. Röm 12,1). Das Leiden bringt menschliche und christliche Tugenden hervor (vgl. Röm 5,4), die Abtötung kommt der Seele zugute und ist auf das Heil der anderen gerichtet, weil der Mensch gleichzeitig für sein eigenes Heil und das der anderen Menschen Verantwortung trägt.

Diese Lehre beinhaltet eine große geistliche Bedeutung für jeden Christen, weil sie unter der Bedingung der Endlichkeit zu sehen ist. Dass diese »Theologie des Leidens«, wie sie sich in Kibeho entwickelt hat, das Leiden in keiner Weise überbetont, sondern dass dies vollkommen mit der Überlieferung der Kirche übereinstimmt, wiederholte auch Msgr. Misago, der, wie bereits erwähnt, auch die Verantwortung übernommen hat, die Echtheit der Erscheinungen anzuerkennen. Er hat dies mit starken und klaren Worten ausgedrückt:

>Ich wage jedoch zu behaupten, dass der Vorwurf eines Irrtums bezüglich der Botschaft des Leidens nicht nur übertrieben, sondern auch ungerecht ist. Denn das richtig verstandene Christentum könnte niemals das Geheimnis des Kreuzes aushöhlen, das Jesus selbst in die Mitte seines Lebens und auch in das Leben seiner Jünger stellen wollte (vgl. Mt 10,37–39; Mk 8,34–38; Lk 9,23–26). Trotz einiger beinahe unvermeidlicher Ungenauigkeiten in der Ausdrucksweise der Mädchen, die ja keine Theologinnen sind, stimmt die betreffende Botschaft mit der asketischen und mystischen Überlieferung der Kirche überein.«

Das Leiden ist ein wesentlicher Bestandteil des menschlichen Lebens und des christlichen Geheimnisses. »Wir dagegen verkünden Christus als den Gekreuzigten: für Juden ein Ärgernis, für Heiden eine Torheit, für die Berufenen aber, Juden wie Griechen, [ist] Christus Gottes Kraft und Gottes Weisheit« (1 Kor 1,23–24).

8. Die Botschaft der Segensrituale

Wenn uns die »Mutter des Wortes« in ihren Botschaften an das Sühneopfer erinnert hat, vergisst sie nicht, uns auch daran zu erinnern, dass wir seit der Erschaffung der Welt von Gott gesegnet sind (vgl. Eph 1,3–4). Das Thema des Segens ist ein Bestandteil der Botschaften von Kibeho. Nachfolgend soll die spirituelle Bedeutung dieses Segens betrachtet werden.

8.1 Der Segen der »Mutter des Wortes«

Ich habe bereits erwähnt, dass die Erscheinungen von Kibeho von zahlreichen und wiederkehrenden Segensritualen geprägt gewesen sind, von Gesten und Worten, die in ihrer Gesamtheit einen wesentlichen Teil der Botschaften ausmachen und die es wert sind, genauer betrachtet zu werden. Um den geistlichen Wert des Segens durch die »Mutter des Wortes« besser zu verstehen, betrachten wir zunächst allgemein, was ein Segen bedeutet, welche Früchte damit verknüpft sind und wie sich der Gläubige verhalten soll, der einen Segen empfängt.

8.1.1 Gott ist der Ursprung jeden Segens

Die Heilige Schrift weist auf den Ursprung und den Sinngehalt des Segens hin. Das Wort »Segen« lautet auf Latein *benedictio* und stammt vom Verb *bene dicere*, »gut sprechen« (über jemanden). In der Heiligen Schrift ist der Segen eine »barmherzige Tat«

Gottes, der sich zum Menschen hinabneigt, um ihm das Leben in allen Dimensionen seiner Existenz zu schenken. Es ist die »Ausspendung göttlicher Gnaden«, die durch einen Mittler erwirkt wird (vgl. Mt 14,19; 26,26; Lk 24,30; 1 Kor 10,6). Der Segen Gottes führt zu dem Bewusstsein, von ihm geliebt zu sein (vgl. Joh 10,10), in seinen Augen wertgeschätzt zu sein (Jes 43,4) und mit Wohlgefallen betrachtet zu werden (vgl. Mt 3,17). Der gesegnete Mensch wird so in das Geheimnis der Liebe Gottes eingeführt, das sich in Jesus gezeigt hat, und er kann seinerseits Gott segnen, indem er ihn lobt, anbetet und ihm dankt.

Jesus Christus ist zudem die Fülle der göttlichen Gaben, die Gott seinen Kindern bereitet hat (vgl. Eph 1,3–5). In seinem öffentlichen Wirken hat auch er gesegnet: Er hat die Mahlzeiten (vgl. Lk 9,16; 22,17) und die Kinder gesegnet (vgl. Mk 10,13–16), auch seine Jünger hat er gesegnet, bevor er sie verließ, um ihnen das Seelenheil und die Erlösung zu schenken (vgl. Lk 24,50). Für Jesus bedeutet der Segen ein Werk der Erlösung, das eine gemeinschaftliche Beziehung zwischen ihm und seinen Jüngern aufbaut (vgl. Gal 3,4f.; Apg 3,25f.; Eph 1,3). Sie hat deshalb einen christologischen und erlösenden Sinn, weil in Jesus Christus die Menschheit gerettet und gesegnet worden ist (vgl. Eph 1,3; Gal 3,8.14; 1 Petr 3,9).

Maria von Nazareth, das Geschöpf, das Gott vollkommen entsprochen hat, war die Erste, die von diesem göttlichen Wohlwollen, das sich in Jesus offenbart hat, gesegnet und ganz erfüllt worden ist. Wie allen anderen Glieder des mystischen Leibes, so sind auch ihr die Früchte der Erlösung Christi, ihres Sohnes, (im Voraus) zugutegekommen und Gott hat sein Wohlwollen über ihr ausgegossen. Sie wurde auf ganz besondere Weise gesegnet: kraft ihrer Gottesmutterschaft, aber auch kraft ihrer Heiligkeit. Darum ist sie »voll der Gnade« (Lk 1,28) und Elisabeth, erfüllt vom Heiligen Geist, begrüßte sie als diejenige, die von göttlichem Segen erfüllt ist: »Gesegnet bist du mehr als alle anderen Frauen und gesegnet ist die Frucht deines Leibes« (Lk 1,42).

8.1.2 Die Bedeutung des Segens der »Mutter des Wortes«

Gott, der Quell allen Segens, wollte den Menschen in die Weitergabe seines Wohlwollens durch den Segen einbeziehen. Dies lehrt uns ein Abschnitt aus dem Buch Numeri:

> »Der Herr sprach zu Mose: Sag zu Aaron und seinen Söhnen: So sollt ihr die Israeliten segnen; sprecht zu ihnen: Der Herr segne dich und behüte dich. Der Herr lasse sein Angesicht über dich leuchten und sei dir gnädig. Der Herr wende sein Angesicht dir zu und schenke dir Frieden. So sollen sie meinen Namen auf die Israeliten legen und ich werde sie segnen« (Num 6,22–27).

Von dem Augenblick an, an dem Gott den Menschen den Auftrag erteilt hat, sein Wohlwollen durch den heiligen Segen weiterzugeben, kann auch die Gottesmutter segnen. Ihr Segen hat jedoch im Vergleich zu dem der Menschen einen weitaus höheren Rang, denn sie segnet sowohl als »Mutter des Wortes« als auch als Mutter der Menschen. Wenn sie die Menschen segnet, erfüllt sie ihre mütterliche Sendung, die Jesus ihr anvertraute, indem er sie als Mutter seiner Jünger eingesetzt hat. Als Christus seinen Jünger ihr anvertraute: »Siehe, dein Sohn« (Joh 19,26), gab er ihr die mütterliche Aufgabe, über ihre Kinder zu wachen, sie zu erziehen und heranzubilden.

Welchen Sinn sollte also der Segen der Jungfrau Maria haben außer demjenigen, in ihrer Eigenschaft als Mutter den Menschen Gottes Wohlwollen, die Früchte der Erlösung durch unseren Heiland, zu übermitteln?

So gehört der Segen der Jungfrau Maria zur Ausübung ihrer mütterlichen Sendung gegenüber den Menschen. Die Seherinnen von Kibeho sagten, dass sie »den Segen der seligen Jungfrau Maria«, *umugisha wa Bikira Mariya*, weitergegeben hätten. Es war somit die Jungfrau Maria selbst, die durch die Seherinnen segnete: »Meine Töchter, ich segne euch alle, unabhängig wo ihr euch befindet! Meinen Segen gebe ich nicht nur denjenigen, die nach Kibeho gekommen sind, sondern ich gebe ihn der ganzen Welt.«

Die Segensrituale, die in Kibeho vollzogen worden sind, fügen sich ein in diese Vorstellung der Weitergabe des Wohlwollens Gottes, der sich zum Menschen hinabneigt, um ihm in Jesus Christus sein Leben zu schenken. Sie stellen eine Verbindung her zum Quell allen Segens, Gott selbst.

8.1.3 Die geistlichen Früchte dieses Segens

Die Seherinnen von Kibeho sagten, dass die Segnungen ihren Durst nach Gott verstärkt hätten. Deshalb zeigte sich bei ihnen ein großes Verlangen, den Segen zu empfangen. Nathalie sehnte sich sehr nach dem gesegneten Wasser, das sie »das Leben spendende Wasser« nannte. Der Durst nach dem Segen, den wir bei den Seherinnen von Kibeho erleben, verweist auf die Sehnsucht nach Gott, Ausgangspunkt für jedes geistliche Wachstum. Die Seele eines Beters wird stets von diesem Verlangen, Gott zu begegnen, verzehrt. »Wie der Hirsch lechzt nach frischem Wasser, so lechzt meine Seele, nach dir, Gott. Meine Seele dürstet nach Gott, nach dem lebendigen Gott« (Ps 42,2–3a). In den Evangelien löst Jesus den Durst nach Gott aus (vgl. Joh 4,14) und stillt ihn bei allen, die ihn suchen (vgl. Joh 7,37–38). Er verspricht allen Freude, die nach Gott hungern und dürsten (vgl. Mt 5,6).

Der heilige Augustinus beschreibt diesen Durst nach Gott, den die Welt nicht löschen kann, mit folgenden Worten: »Wenn das Fleisch dürstet, dürstet es nach Wasser; wenn die Seele dürstet, dann dürstet sie nach der Quelle der Weisheit.« Und er fügt hinzu, dass dieser Durst nach Gott nur durch Gott selbst gestillt werden kann: »Du hast uns zu dir hin geschaffen und ruhelos ist unser Herz, bis es ruht in dir.«

Dieser Durst nach geistlichen Dingen ist ein Geschenk, das die »Mutter des Wortes« allen gegeben hat, die ihren Segen empfingen. Die Segnungen von Kibeho hatten ebenso zum Ziel, das geistliche Wachstum zu fördern, körperliche und seelische Heilung zu schenken und zu ermöglichen, die Jungfrau Maria zu empfangen und ihren mütterlichen Schutz sicherzustellen. Während der Segnungen durch Besprengen erhielten die Seherinnen von der seligen Jungfrau Maria den Auftrag, »die Blumen Mariens« zu gießen, somit ihre Gnaden auf alle anwesenden Menschen auszuweiten. Die Auswirkungen waren unmittelbar: »Einige [Blumen] blühten auf, wenn wir ihnen Wasser gaben.«

In diesen Segensgebeten bat die Seherin, die an der Reihe war, häufig darum, dass der Geist über Leib und Seele des zu segnenden Menschen ausgegossen werden möge, um ihm dabei zu helfen, die theologischen Tugenden zu erlangen und andere christliche Tugenden wie Geduld, Stärke, Beständigkeit, den Mut, stets den Willen Gottes zu tun, und treue Pflichterfüllung. Durch diese Segnungen wollte die Jungfrau Maria auch die Macht des Gebetes verdeutlichen und die Macht der Gnaden, die die Menschen durch ihre Fürsprache erlangen können. Aber die Segnungen hatten in Kibeho manchmal noch ein weiteres Ziel, nämlich vor den Angriffen des Teufels zu schützen: »Dieses Weihwasser wird euch vor allem Bösen beschützen. Ihr sollt euren Körper, an welcher Stelle auch immer ihr wollt, damit berühren und euch bekreuzigen zum Zeichen dafür, dass es euch schützt.«

Darüber hinaus empfahl die »Mutter des Wortes« noch andere Mittel, um sich gegen dämonische Angriffe zu schützen, nämlich zu beten und ein Kreuz oder eine Medaille der seligen Jungfrau Maria zu tragen.

Auch in Kibeho, wie übrigens bei jedem Segen, hängt die Wirkung bekanntlich von der spirituellen Verfassung desjenigen ab, der den Segen empfängt. Die erste Zeremonie zur Segnung von Rosenkränzen am 6. Dezember 1981 bleibt ein recht interessantes Beispiel dafür: Denn im Augenblick, als Alphonsine die Rosenkränze vorzeigte, um sie segnen zu lassen, fielen einige davon plötzlich zu Boden. Das war ein deutliches Zeichen der

Missbilligung durch die selige Jungfrau Maria, die nur die Rosenkränze der Menschen mit einem aufrichtigen Glauben segnete.

Die Notwendigkeit des Glaubens für das Erlangen von geistlichem Nutzen wird durch folgende Worte bestätigt, die die Jungfrau Maria zu Nathalie sagte: »Ihr berührt [das Weihwasser] oder trinkt davon. Aber nur wer dies im Glauben tut, wird geistige Gaben für seine Seele erhalten. Glücklich sind diejenigen, die dieses Wasser mit Glauben trinken und es nicht als gewöhnliches Wasser betrachten.« Übrigens ist zu beachten, dass es der rechten Seelenverfassung (vgl. Jes 7,9) bedarf, um uns der Wohltaten Gottes zu erfreuen. Der Glaube ist eine *conditio sine qua non* (»notwendige Bedingung«, Anm. d. V.) für die Erlösung (vgl. Mt 21,21; Mk 11,23; Lk 17,5; Joh 5,24). Auch jene, die um den Segen Gottes bitten, müssen über eine innere Glaubenshaltung verfügen, die alles möglich macht (vgl. Mk 9,23).

Diese Betonung des Glaubens, die in den Botschaften der »Mutter des Wortes« gegenwärtig ist, ist eine klare Aufforderung, nicht bei der Religion des äußerlichen Kults und des Aberglaubens stehen zu bleiben, sondern zur Religion des Herzens vorzudringen, die im Geist und in der Wahrheit gelebt wird (vgl. Joh 4,23). Derjenige, der gesegnet worden ist, soll sich bewusst sein, dass er durch den Glauben in das Geheimnis des göttlichen Wohlwollens eingetreten ist.

Die selige Jungfrau Maria sorgt sich jedoch darum, ob ihre Kinder immer wachsam bleiben und auf alles achten würden. Deshalb hat sie einmal zu Nathalie gesagt: »Das Wasser, nach dem du verlangst, ist nicht das einzige, das Segen in sich tragen kann. Im Gegenteil, mein Segen wirkt durch jedes Zeichen, das von mir kommt.« Denn alles, was von der himmlischen Mutter stammt, trägt ihren Segen in sich, da sie selbst durch ihre Person ein Segen Gottes für die Menschen ist. Und in Kibeho ist sie erschienen, um uns genau daran zu erinnern, wie viel Gutes für uns entstehen kann, wenn wir »sie zu uns nehmen«, wie

Johannes es getan hat, und in ihrer Gegenwart als immerwährendem göttlichem Segen leben (vgl. Joh 19,27).

8.1.4 Jeder Segen ist eine Botschaft der Liebe

Der Segen hat aber noch einen weiteren Zweck: Er soll uns erneut daran erinnern, dass wir geliebte Kinder sind. Durch ihre Segnungen in Kibeho hat die Jungfrau, von der geschrieben steht, »gesegnet bist du unter den Frauen« (Lk 1,42), uns daran erinnern wollen, dass wir von Gott Gesegnete sind, vom göttlichen Segen erfüllte Kinder. Die göttlichen Gnaden, die Maria in die Seelen gießt, verbreiten die Botschaft von der väterlichen Liebe Gottes: Er ist unser Hirte (vgl. Joh 10,1–11), der uns mit seinem Wohlwollen erfüllt und uns beschützt. Weil wir so wertvoll in seinen Augen sind (vgl. Jes 43,4), haben wir nichts zu befürchten (Ps 23,1f.). Die selige Jungfrau Maria selbst, unsere Fürsprecherin und unsere Hoffnung, steht uns zur Seite, um uns zu beschützen.

Diese Gewissheit, geliebt zu sein, bringt die allgemeingültige Brüderlichkeit hervor, weil sie das Bewusstsein dafür herstellt, dass alle Menschen gleich sind und die gleiche Würde besitzen, jene Würde, auf die sich die »Mutter des Wortes« mit dem Bild der »Blumen« berufen hat. Wenn sie die Seherinnen bei den Segnungen aufforderte, die Blumen zu gießen, sollten sie sich um alle Arten von Blumen kümmern: um die üppig blühenden, die die guten Menschen darstellten, die tugendhaft lebten, auch um die verblühten Blumen, damit sie wieder zu Kräften kommen sollten, und um die vertrockneten Blumen, damit ihnen neues Leben geschenkt werden konnte. Es ist ein sehr schönes Bild für die mütterliche Sorge, die die Jungfrau Maria allen Menschen ohne Ausnahme zukommen lässt. Die selige Jungfrau, die »Mittlerin aller Gnaden«, schenkt die Güte Gottes allen, Guten wie Schlechten, nicht nach den Verdiensten, sondern nach den Bedürfnissen jedes Einzelnen. Gott ist der Vater jedes Menschen und seine Liebe gilt allen ohne Ausnahme (vgl. Lk 11,2–4; Mt 6,26).

Dieses ständige Vorhandensein von Wasser im Verlauf der Erscheinungen von Kibeho erinnert natürlich an das Bild eines anderen Wassers, von dem Jesus mit der Samariterin am Brunnen von Sichem sprach. In der Ausdrucksweise der Erscheinungen von Kibeho wurde es »wunderbarer Regen des Segens« oder »Segensquelle« genannt. Pater Gabriel Maindron hat dazu folgende Erklärung abgegeben:

> »Ein großes Wunder hat bereits in Kibeho stattgefunden, nämlich dieses Verlangen nach Bekehrung und Gebet: eine Quelle lebendigen Wassers, das für die Menschen wichtiger ist als eine wunderbare Quelle reinsten Trinkwassers. Dieser Regen des Segens ist auch eine Ausgießung von Charismen, die sich durch Kibeho auf die Menschen und die Gemeinschaften ergießen.«

Die Pilger von Kibeho, die nach Gott dürsten wie der Hirsch, der nach der Quelle sucht (vgl. Ps 42,2–3a) stillen ihren Durst bei der »Mutter des Wortes«.

9. Das ewige Leben ist eine Realität

In ihren Botschaften, die sie den Seherinnen von Kibeho übermittelt hat, wies die »Mutter des Wortes« auch auf die Gefahr hin, die in der Anhänglichkeit an den Reichtum, einem Hindernis für den geistlichen Fortschritt, besteht. Daraus erwachsen zwei Fragen, die es uns ermöglichen, zu diesem Thema eine geistliche Lehre zu erhalten: Wie lautet die Lehre von Kibeho in Bezug auf den guten Gebrauch der weltlichen Güter im Zusammenhang mit dem Streben nach Heiligkeit? Warum kommt bei den Erscheinungen von Kibeho das Thema der Eschatologie vor? Ich werde diesen Themenbereich untersuchen – die Loslösung von den weltlichen Gütern und die Anhänglichkeit an die himmlischen Güter – unter Berücksichtigung weiterer Tatsachen und Aussagen, die im Anschluss an die Erscheinungen gesammelt wurden.

9.1 Die gegenwärtige Welt vergeht, sucht also nach den ewigen Gütern

In dem Buch »Nachfolge Christi«, das die Gottesmutter Nathalie bereits bei der ersten Erscheinung vom 12. Januar 1982 empfohlen hatte, steht: »Die Dinge dieser Welt sind vergänglich, doch die des Himmels sind ewig.« Der »Mutter des Wortes« zufolge ist die Anhänglichkeit an weltlichen Reichtum der Grund für den dramatischen Zustand der Welt und für die Gottvergessenheit, die heute beobachtet werden kann:

»Wenn wir im Aufruhr sind, dann wegen der irdischen Reichtümer [...]. Derzeit besitzen viele Menschen einen großen Reichtum, sodass sie keinerlei Geschmack für die göttlichen Dinge haben. Warum seid ihr so eifrig, wenn ihr für die irdischen Güter arbeitet, aber warum strengt ihr euch nicht gleichermaßen für die himmlische Herrlichkeit an?«

Indem die selige Jungfrau Maria dazu riet, sich vom irdischen Reichtum zu »lösen«, schlug sie auch vor, voll und ganz auf sie zu vertrauen:

»Nathalie, meine Tochter, die Menschen und die Dinge sind vergänglich, du aber halte dich an mir fest und vertraue mir mehr als ein kleines Kind seinen eigenen Eltern vertraut.«

Zweifellos warnt uns die selige Jungfrau in Kibeho vor der Gefahr des irdischen Reichtums: »Die Herzen der Menschen werden böse aufgrund ihrer Anhänglichkeit an die weltlichen Güter, vor allem an das Geld.« Dies betrifft aber ebenso die Abkehr vom weltlichen Ruhm oder von den Sorgen der gegenwärtigen Zeit. Die Botschaften von Kibeho bezüglich des Gebrauchs der weltlichen Dinge und des Strebens nach den ewigen Gütern sind ja keine neue Lehre: Sie gehören zur überlieferten Lehre der Kirche, die als Verzicht auf die Vergötterung der irdischen Güter und als Streben nach den himmlischen Gütern zu verstehen ist. Die biblische Überlieferung lehrt uns, dass die Liebe zum Geld die Wurzel aller Übel sei (vgl. 1 Tim 6,10) und dass derjenige, der sich daran bindet, niemals satt werden wird (vgl. Koh 5,9). Die Liebe zum Reichtum nimmt das Herz des Menschen in Beschlag, »denn wo sein Schatz ist, da ist auch sein Herz« (Lk 12,34). Hat Judas denn nicht den Menschensohn für dreißig Silberlinge verkauft? (Mt 26,14f.). Die irdischen Güter stellen eine große Gefahr für die Seele dar (vgl. 1 Tim 6,6–10). »Doch der Mensch bleibt nicht in seiner Pracht; er gleicht dem Vieh, das verstummt« (Ps 49,13), und ein Reicher wird nur schwer in das Reich Gottes gelangen (vgl. Mt 19,23–26; Mk 10,23–27).

Der heilige Thomas von Aquin lehrt, dass, wenn wir unser Herz an die Güter der Welt hängen, wir uns von den geistlichen Gütern entfernen:

>»Der Mensch befindet sich zwischen der Wirklichkeit dieser Welt, in der sein Leben stattfindet, und den geistlichen Gütern, durch die er die ewige Glückseligkeit findet, und zwar in der Art, dass, wenn er sich zu der einen Seite hinneigt, er sich von der anderen entfernt und umgekehrt. Vollständig in die irdische Realität einzutauchen bis zu dem Punkt, an dem sie zum eigentlichen Zweck der Existenz, zum Grund und zur Regelung aller Handlungen wird, bedeutet, sich vollständig von den geistlichen Gütern zu entfernen.«

Das Geld versklavt den Menschen, indem es verspricht, alles zu gewinnen, sich alles aneignen zu können. Die Übel, die aus der Liebe zum Geld erwachsen, sind unzählig, denn sie verblenden das Herz und machen die Ohren taub für die Stimme Gottes. Im Übrigen ist es für jeden von uns leicht feststellbar, dass hinter jedem Übel in unserer Gesellschaft ganz oder zumindest teilweise das Geld steckt: Drogen, Mafia, Entführungen, Korruption, Herstellung von Waffen und der Handel damit und noch vieles mehr.

9.2 Die Abkehr von der Welt bedeutet keine Weltverachtung

Wenn der Reichtum eine Gefahr für die Seele darstellt, dann ist es offensichtlich, dass man sich bewusst sein muss, wie man in die Ewigkeit investiert. Das ist die weise Lehre Jesu: »Macht euch Freunde mithilfe des ungerechten Mammons« (Lk 16,9). Der geistliche Mensch muss wissen, dass er in diese Welt kommt, ohne von dieser Welt zu sein (vgl. Joh 15,18), und dass er Gott dienen muss und sich nicht dem Geld unterwerfen darf (vgl. Mt 6,24). Auch die Botschaften von Kibeho stellen uns vor eine radikale Entscheidung: entweder Gott oder das Geld.

Aus alldem dürfen wir jedoch nicht ableiten, dass die weltlichen Dinge in sich selbst schlecht sind. Das wäre das Gegenteil dessen, was die Bibel lehrt, denn der Schrift zufolge befand Gott nach der Schöpfung alles für gut (vgl. Gen 1,10). Es ist vielmehr das Herz des Menschen, das verdorben wird und sich von Gott abwenden kann (vgl. Mt 15,19). Wer betet, soll Gott darum bitten, dass sein Herz sich nicht der Habgier zuneigt (vgl. Ps 119,36). Es ist bekannt, mit welchem Eifer auch die Heiligen diesem Weg gefolgt sind. Der heilige Franziskus von Assisi verabscheute den Reichtum und empfahl, vor ihm zu fliehen wie vor dem Teufel in Person, und er verbot seinen Brüdern, Geld anzurühren. Auch der heilige Thomas von Aquin sprach von der Verachtung der Welt, *contemptus mundi*, entwickelte jedoch eine sehr ausgewogene Überlegung in Bezug auf die irdischen Güter:

> »Von sich aus führen die Geschöpfe nicht von Gott weg, sondern sie führen zu ihm hin. Wenn sie sich jedoch von Gott entfernen, so aufgrund des Irrtums. Deshalb auch die Worte des Buches der Weisheit (14,11): ›Darum kommt auch über die Götzenbilder der Völker das Gericht, weil sie in Gottes Schöpfung zum Gräuel geworden sind, zu Fallen für die Seelen der Menschen und zur Schlinge für die Füße der Toren.‹ Gerade die Tatsache, dass sie von Gott wegführen können, beweist, dass sie von Gott sind. Denn anziehen können sie die Menschen nur durch das Gute, das in ihnen ist und das ihnen von Gott her zukommt.«

Die Abkehr darf also nicht im Sinne einer Verachtung der Welt als solcher aufgefasst werden. Es geht darum, den irdischen Gütern ihren richtigen Stellenwert zuzuweisen, indem wir sie relativieren und nicht an die Stelle des Schöpfers setzen. Der geistliche Mensch lernt den genügsamen Umgang mit den Gütern. Auch die Botschaften von Kibeho rufen das in Erinnerung: »Ihr dürft euch nicht von den weltlichen Dingen beherrschen lassen, sondern lernt stattdessen, sie zu beherrschen.« Es ist doch genau das, wozu der Mensch seit Beginn der Schöpfung berufen ist: »Füllt die Erde und unterwerft sie« (Gen 1,28). Gegenüber den weltlichen Dingen ist also eine positive Einstellung notwendig: sie zu beherrschen und sie auf das ewige Gut auszurichten, für das wir geschaffen wurden. Die heilige Therese von Lisieux hat mit wenigen Worten ausgedrückt, was der wahre Reichtum jedes Christen ist: »Wer Jesus hat, hat alles.« Wenn Jesus also die Armen im Geiste seligpreist, so meint er diejenigen, die sich durch einen Willensakt von den Verführungen der Welt losgesagt haben, um in sich einen jungfräulichen, freien Raum zu schaffen, den Gott mit seinen unendlichen Reichtümern füllen kann. Der Christ ist somit berufen, in der Wirklichkeit dieser vergänglichen Welt zu leben und seine Augen auf das himmlische Jerusalem zu richten. Die »Mutter des Wortes« lässt uns wissen, dass dies tatsächlich möglich ist: »Hier in Ruanda habe ich noch demütige Menschen gefunden, die nicht am Reichtum und am Geld hängen.« Es ist eine Weise, in der Welt zu sein, aber nicht von der Welt.

9.3 Wir sind alle Pilger zum Himmel

In Kibeho hat die selige Jungfrau den Schwerpunkt auf die Tatsache gelegt, dass »die weltlichen Dinge schnell vergehen, aber die des Himmels niemals«. Sie betonte, dass diejenigen, »die für den Himmel arbeiten, dieser Arbeit niemals überdrüssig werden, wohingegen diejenigen sich plagen, die für die Welt arbeiten«. Wir wissen auch, dass Maria zur Bestätigung dieser Worte den Seherinnen drei eschatologische Orte gezeigt hat: die Hölle, das Fegefeuer und das Paradies.

Daher existiert das Paradies ganz sicher. Aber auch das Fegefeuer und die Hölle existieren. Das Erste ist ein zeitlich begrenzter Ort, um dort jene Läuterung zu erfahren, zu der die Seele auf der Erde nicht bereit war. Das Zweite ist die Hölle, von der viele sich wünschen, dass sie nicht existierte, die es aber doch gibt als extremen Beweis für die Freiheit des Menschen, sich

Gott vollständig zu verweigern. Dort wird es als Folge der Verfehlungen und der Verweigerung des Menschen somit das unendliche Leiden geben. Die selige Jungfrau Maria sagte in Kibeho: »Im nächsten Leben wird die Seele ewig leben. Wenn ihr Verhalten auf der Erde gut war, wird sie im anderen Leben in der Freude leben, wenn ihr Verhalten schlecht war, im Leiden.«

Der geistliche Mensch, den die »Mutter des Wortes« beabsichtigt zu formen, der Christ, ist somit jemand, der schon im Besitz des ewigen Lebens ist (vgl. Joh 17,3), der auf dieser Erde unterwegs ist und seine Augen fest auf das himmlische Jerusalem gerichtet hat (vgl. Offb 21,2). Mit diesem leuchtenden Ziel vor Augen lädt die Jungfrau Maria uns ein, freiwillig Verzicht zu üben. Unser Leben hier unten wird auf diesem Weg zu einer Pilgerfahrt der Armen, die zwar mit leeren Händen unterwegs sind, doch darauf warten, die Ewigkeit in der Fülle zu erleben. Dies war die frohe Überzeugung der heiligen Therese von Lisieux, die schrieb:

> »Ich hoffe, nach diesem irdischen Exil in die ewige Heimat zu gelangen und mich an dir zu erfreuen, aber ich will keine Verdienste für den Himmel anhäufen. Am Abend dieses Lebens werde ich vor dir mit leeren Händen erscheinen.«

So will die »Mutter des Wortes« auch in Kibeho einmal mehr daran erinnern, dass jeder von uns ein *homo viator,* ein Pilger, ist auf dem Weg zur ewigen Heimat.

10. Kibeho ist eine Schule der Spiritualität

Ich wiederhole nochmals, dass die selige Jungfrau Maria am Ende all ihrer Erscheinungen auf der Erde an das »vergessene Evangelium« erinnert. Sie passt sich jeweils an die jeweiligen Lebensumstände und die Zeit an, in der die Menschen gerade leben. Um sich verständlich zu machen, verwendet sie eine bestimmte »geistliche Pädagogik«, die an die Menschen, die sie empfangen, und deren Lebenswirklichkeit angeglichen ist. Die Erscheinungen von Kibeho haben zu einer Zeit stattgefunden, die durch verschiedene geistliche Herausforderungen geprägt war: In diesem Zusammenhang erscheint es wichtig, zwei Fragen in diesem abschließenden Teil zu klären. Zunächst die Frage, welche geistliche Pädagogik die »Mutter des Wortes« anwendet, um die Kirche der heutigen Zeit zu erneuern. Dann ergibt sich die weitere Frage, in welcher Hinsicht die Botschaft von Kibeho ein geeignetes Mittel für eine geistliche Erneuerung von Kirche und Welt sein kann. Beginnen wir mit dem ersten Punkt.

10.1 Das »Evangelium vom Kreuz«: ein besonderes Charisma

Wenn man die Botschaften, die den Seherinnen von Kibeho anvertraut wurden, näher betrachtet, kann man, ohne zu zögern, von einer »Schule der Spiritualität« sprechen. Dies hat Msgr. Augustin Misago, der Ortsbischof, folgendermaßen ausgedrückt:

»Mit Aufmerksamkeit betrachte ich den Wunsch vieler Christen, dem ich mich auch anschließe, dass Kibeho wirklich zu einem wichtigen geistlichen Ort wird, an dem der Herr Jesus und die Jungfrau Maria, seine Mutter und die Mutter der Kirche, in besonderer Weise verehrt werden. Es soll ein Ort sein für Menschen, die Gott suchen, und für alle, die eine Erneuerung in ihrem christlichen Leben erfahren wollen, ein Ort, an dem echte Wunder der Bekehrung und der geistlichen Veränderung geschehen, ein Ort, an dem die Gebete der Christen zum Himmel steigen, um dadurch zur Rettung vieler Seelen beizutragen und einen großen Segen für die junge Diözese von Gikongoro und für ganz Ruanda, für den ganzen Kontinent Afrika zu erwirken. All dies hat bereits begonnen.«

Die in die Wege geleitete geistliche Wiederbelebung ist als eine Dynamik der Erneuerung zu verstehen. Es ist eine Spiritualität, welche die Jungfrau Maria in ihren Botschaften den Seherinnen übermitteln wollte und die sie geduldig gelehrt hat. Dies kann man als echtes und wirkliches Charisma bezeichnen, das Charisma von Kibeho.

Um diese Besonderheit genauer betrachten zu können, werde ich mich hauptsächlich auf die konkreten Botschaften stützen und einige Fakten aufzeigen, die darauf hinweisen, wie man in die Nachfolge Christi eintritt. Außerdem sollten wir betrachten, welche Erfahrungen die Christen gemacht haben, die diese Botschaft gehört und in ihrem Leben umgesetzt haben, allen voran die drei Seherinnen. Als Drittes müssen wir der spirituellen Auslegung und Deutung dieser Botschaften und der sie begleitenden Ereignisse durch den Verantwortlichen der Kirche, den Bischof, der für Kibeho zuständig ist, vertrauen. Wie wir erkennen können, führen diese drei Aspekte zu der Schlussfolgerung, dass Unsere Liebe Frau von Kibeho ihre Kinder zu einem christlichen Leben, gegründet auf dem »Evangelium des Kreuzes«, anleiten will.

Es handelt sich deshalb um ein christologisches Charisma, weil das fleischgewordene Wort im Zentrum steht, das uns in das Geheimnis des Leidens Christi und seiner Auferstehung hineinnimmt, durch die der Mensch erlöst wird. Es ist sicher kein neues Charisma in der Geschichte der Kirche. Bereits in der Vergangenheit, gerade in schwierigen Zeiten wie der unsrigen, können wir es immer wieder feststellen. Es ist deshalb nicht verwunderlich, dass die Gottesmutter heute mit so viel Nachdruck wieder darauf hinweist.

Es ist ein wirksames Gnadenmittel, das die Gottesmutter selbst den Seherinnen bei ihren Erscheinungen vermittelt hat, indem sie sie in eine tiefer gehende und wiederholte Betrachtung des Leidens Christi eingeführt hat, die zu einem tieferen Glauben an Jesus Christus führt. Dieser Glaube bewirkt seinerseits wiederum eine vollständige und wahrhaftige Umwandlung des Herzens, aus der schließlich eine Läuterung entspringt, die zur Selbsthingabe in der liebevollen Vereinigung mit Jesus Christus führt. Die »Mutter des Wortes« leitet in Kibeho die Seherinnen und uns alle an, jenen Pfad zu beschreiten, der von der Passion Christi ausgehend eine neue Form der vertrauensvollen Hingabe an den göttlichen Willen in der sühnenden Vereinigung mit dem fleischgewordenen Wort aufzeigt.

10.1.1 Ein Charisma, das auf dem fleischgewordenen Wort gründet

An ihrer Bezeichnung als »Mutter des Wortes« kann man mit Klarheit erkennen, dass die Gottesmutter ihre Kinder zu einer Spiritualität, einem Gnadenmittel, führen will, in dessen Zentrum das fleischgewordene Wort steht. Da zwischenzeitlich andere Punkte erwähnt wurden, ist es gut, nachstehend noch einmal auf die diesbezüglichen Einzelheiten einzugehen. Hier verweise ich vor allem auf die Unterweisungen der seligen Jungfrau Maria über die Annahme des Leidens, das heißt, das eigene Kreuz auf sich zu nehmen und dadurch Jesus Christus nachzufolgen, weiterhin auch auf die Visionen der drei Seherinnen vom

Leiden Christi, schließlich auch auf den »Sieben-Schmerzen-Rosenkranz«, wie er Marie Claire gelehrt worden ist, zusammen mit der Bitte, Sühneleiden zu übernehmen.

Auch der Kreuzweg, von dem Maria wünscht, dass er täglich gebetet werden soll, kann gemeinsam mit der Betrachtung des Leidens Christi eine geistliche Übung sein, um des Opfertodes Jesu Christi am Kreuz zu gedenken (vgl. Joh 19,37). Was den »Sieben-Schmerzen-Rosenkranz« betrifft, so ist auch der Umstand interessant, dass die Gottesmutter selbst die Seherin gelehrt hat, wie man ihn betet und meditiert. Sie hat ihr den besonderen Auftrag gegeben, ihn bekannt zu machen und an so viele Menschen wie möglich weiterzugeben. Dieses Gebet ist ein Nachvollziehen des Kreuzweges, es ist nichts anderes als eine Betrachtung des Leidensweges des Herrn mit und durch die Mutter des Erlösers.

Wir dürfen überdies nicht vergessen, dass viele Ereignisse, die in Kibeho geschehen sind, sich auf die Betrachtung des Leidens Christi beziehen. Dazu gehört das lange Fasten von Nathalie, das auf das Fasten Jesu in der Wüste verweist, aber auch die Stürze, die oftmals sehr schwer waren, die die Seherinnen während der Erscheinungen erlitten, und auch andere Opfer, die sie auf Wunsch der Jungfrau Maria brachten und die zum Ziel hatten, sie am Leiden Christi teilhaben zu lassen als Sühne für ihre Sünden und die Sünden der ganzen Welt. Wenn die »Mutter des Wortes« so stark auf der Betrachtung der Leiden und des Todes ihres Sohnes bestanden hat wie auch auf Bußübungen zur Sühne für die Sünden, zu denen sie aufrief, um in der Vereinigung mit Christus zu leiden, dann geschah dies deshalb, weil sie den Christen das Kreuz als einen sicheren Schlüssel zu einem geistlichen Leben aufzeigen wollte, das geeignet ist für die Erfordernisse unserer Zeit.

Auch Msgr. Misago erkannte bereits von Beginn der Erscheinungen an das besondere Charisma von Kibeho, das ganz eng mit dem »Evangelium des Kreuzes« in Verbindung steht:

»Möge Kibeho bald zu einer Pilgerstätte und zu einem Begegnungs-
ort werden für die Menschen, die Gott suchen und die hierherkom-
men, um zu beten. Möge es ein besonderer Ort der Umkehr, der
Buße für die Sünden der Welt und ein Ort der Versöhnung werden,
eine Begegnungsstätte für die Verzweifelten sowie für jene, denen
keine Wertschätzung entgegengebracht wird, ein Ort der Brüderlichkeit über alle Grenzen hinweg, ein wärmendes Feuer, welches
die Menschen an das ›Evangelium vom Kreuz‹ erinnert.«

Aus dieser Aussage geht die Einschätzung eines Seelsorgers hervor, der aus nächster Nähe die Ereignisse von Kibeho mitver-
folgt hat: zunächst als Mitglied der theologischen Kommission,
danach als Verantwortlicher dieser Kommission, schließlich als
Bischof der Diözese. Msgr. Misago verfügte somit über eine
umfangreiche Erfahrung, die ihn in die Lage versetzt hat, nicht
nur die Ereignisse und die Botschaften genau kennenzulernen,
sondern die konkreten Auswirkungen im Leben der Seherinnen
und der Gläubigen zu beurteilen, indem er zunächst einen Stil
des geistlichen Lebens, ein Charisma, feststellte, welches sich
um dieses von der Mutter unseres Erlösers vorgestellte »Evangelium des Kreuzes« entwickelt hat.

Deshalb ist es auch nicht verwunderlich, dass der Bischof,
um diese besondere Spiritualität zu betonen, das neu erbaute
Heiligtum in Kibeho, das an die Erscheinungen erinnert, der
»Mutter der Sieben Schmerzen« geweiht hat.

10.1.2 Die Erinnerung an das Leiden des Sohnes bewahren

Das Gebet des »Sieben-Schmerzen-Rosenkranzes«, die Betrachtung des Kreuzwegs und die anderen geistlichen Übungen, die
sich auf das Geheimnis des Kreuzes beziehen, die von der Gottesmutter empfohlen wurden, zielen darauf ab, das Leiden Christi stets in Erinnerung zu behalten. Gemäß den Unterweisungen
der seligen Jungfrau Maria während der Erscheinungen hat

dieses Gedächtnis einen zweifachen Nutzen für die Seele des Einzelnen: Erstens erinnert es die Gläubigen daran, dass Jesus Christus aufgrund der Undankbarkeit der Menschen immer noch leidet. Zweitens hilft es, die Gabe der Reue bei den Menschen zu erwecken.

Natürlich steht das Gedächtnis des Leidens Jesu im Zentrum aller Spiritualität der Kirche. Die neutestamentliche Überlieferung berichtet davon, wie die Jünger Jesu dies erlebt haben. Die Wunden Jesu, zugefügt bei der Kreuzigung, waren für den Apostel Thomas der Beweis, dass Christus auferstanden war (vgl. Joh 20,25–27). Der Apostel Petrus bezeugt, dass wir durch die Wunden Jesu am Kreuz geheilt werden (vgl. 1 Petr 2,24). Und nach Pfingsten scheuten sich die Apostel auch nicht, in ihren Predigten von der Kreuzigung und Auferstehung Jesu zu sprechen. Die Apostelgeschichte berichtet davon, dass diese Verkündigung bei den Menschen Gottesfurcht erweckte und sie zur Umkehr führte (vgl. Apg 2,37). Besonders der Apostel Paulus beschäftigte sich stark mit dem gekreuzigten Herrn. Er lehrte, dass das Leiden Christi das einzige Kriterium war, um den Messias zu erkennen (vgl. Röm 6,6; 1 Kor 1,13.23; 1 Kor 2,2.8; 2 Kor 13,4; Gal 3,1; Phil 2,8). Denn die Juden und die Griechen glaubten nicht an Jesus den Gekreuzigten (vgl. 1 Kor 1,23). Die Lehre der Apostel, welche die Spiritualität der Kirche begründet hat, ist in dem Geheimnis von Leiden, Tod und Auferstehung Jesu verwurzelt.

Das Gedächtnis der Passion Christi hat nicht nur die Apostel, sondern auch die Heiligen stark beeinflusst, die im Laufe der Kirchengeschichte das Charisma erhielten, die Seelen zu erleuchten, indem sie ihr eigenes Leben als Sühneopfer einsetzten. Hier denken wir besonders an die großen Heiligen wie Franziskus von Assisi und Pater Pio von Pietrelcina, welche, wie auch andere, die Wundmale Christi am eigenen Leib getragen haben.

Diese Erfahrungen der Apostel und der Heiligen zeigen uns, dass das Gedächtnis des Leidens Christi die Spiritualität begründet, die Christus selbst im Geheimnis seines Leidens und seiner Auferstehung eröffnet hat. Dieses Gedächtnis hat in den Seelen der Seherinnen von Kibeho den Glauben an den Mensch gewordenen Sohn Gottes gefestigt und die Gnade der Hingabe an das Wort Gottes sowie die Bereitschaft der Teilhabe am Opfer des Erlösers begründet.

10.1.3 Durch die Meditation der Passion Christi zu einem stärkeren und tieferen Glauben

Das Gedächtnis der Passion Christi erzeugte bei den Seherinnen von Kibeho, wie ihr geistlicher Weg es zeigt, eine sofort einsetzende und beständige Festigung des Glaubens an Jesus Christus, ebenfalls eine feste Überzeugung und ein Bekenntnis, dass er tatsächlich für uns gelebt und gelitten hat. Dies weist darauf hin, dass die Betrachtung des Leidens Christi es ermöglicht, einen tieferen Blick auf das Geheimnis der Menschwerdung Christi zu werfen. Der Jünger, welcher den Gekreuzigten mit Liebe betrachtet, erhält von Jesus Christus selbst das Geschenk, in seinem Glauben an ihn zu wachsen.

Die neutestamentliche Überlieferung bezeugt, dass die Betrachtung des Gekreuzigten den Glauben an die Gottheit Jesu Christi hervorbringt. Der römische Hauptmann ist ein Beispiel dafür: Als er Jesus am Kreuz sterben sah, konnte er nur noch seinen Glauben bekennen und ausrufen: »Wahrhaftig, dieser Mensch war Gottes Sohn« (Mk 15,39). Es ist vorhergesagt, dass alle, die im Glauben auf den blicken, der durchbohrt worden ist, gerettet werden: »Und sie werden auf mich blicken, auf ihn, den sie durchbohrt haben« (Sach 12,10). Kibeho erinnert daran, dass das Kreuz auf die Wahrheit der Gottheit Christi hinweist (vgl. Jes 53,1–12). Jesus selbst hat angekündigt, dass der Menschensohn für die Sünder leiden und sterben muss (vgl. Mt 17,12; Mk 9,19; Lk 24,46). Auch die Seherinnen von

Kibeho haben die Erfahrung gemacht, dass jeder spirituelle Weg mit dem Glauben an die Gottheit Christi beginnt.

10.1.4 Durch den Glauben zur Gnade der Bekehrung

Wenn ein Jünger Jesu einmal erkannt hat, dass der Gekreuzigte wirklich der Sohn Gottes ist, der für seine Sünden gestorben ist, dann bleibt ihm nichts anderes übrig, als zu erkennen, dass er ein Sünder ist und die Umkehr nötig hat. Die Erfahrung der Seherinnen verdeutlicht diesen zweiten Schritt. Das Gedächtnis der Passion, das ihren Glauben an das Geheimnis des Wortes, das für die Sünden aller Menschen gestorben ist, verstärkt hat, führte bei ihnen in der Tat zu der Entwicklung eines demütigen Bewusstseins ihrer Sünden und brachte sie auf den Weg der Bekehrung durch ein Leben des Gebets und des Verzichts. Den Seherinnen wurde persönlich bewusst, dass sie zum Volk der Sünder gehören, für die Christus sein Leben hingegeben hat. Im Prozess der Bekehrung ist der Übergang vom »wir« zum »ich«, vom allgemeinen Glauben zu einem persönlichen Glauben, wichtig, denn dieser erlaubt der Seele, in Demut die eigenen Sünden zu bekennen und sich für die göttliche Barmherzigkeit zu öffnen. Dieser persönliche Glaube hat die Seherinnen dazu bewegt, sich auf den Weg der Bekehrung zu machen.

Alphonsine, Nathalie und Marie Claire, normale Mädchen, auch in geistlicher Hinsicht, beschritten einen Weg, der von einer radikalen Umkehr geprägt war. Die Mitglieder der theologischen Kommission bemerkten, dass die Mädchen ohne jede Vorbereitung für ein mystisches Leben in kürzester Zeit über die Merkmale eines tiefen geistlichen Lebens verfügten. Die Seherinnnen versetzten alle, die ihnen begegneten, besonders die Menschen, die sie schon vorher gekannt hatten, dadurch in Erstaunen, dass sie die Fähigkeit erworben hatten, weise, scharfsinnig und ausgewogen zu urteilen, eine Fähigkeit, über die sie zuvor nicht verfügt hatten. In jeder Seherin von Kibeho erweckten die Erscheinungen ein starkes Verlangen nach Heiligkeit, das von einem intensiven Gebetsleben genährt wurde. Während die Liebe zu den himmlischen Dingen wuchs, verstärkte sich bei ihnen die Abkehr von den irdischen Dingen. Dieser Geist der Armut zeigte sich besonders im Dienst an den Bedürftigen.

Dies sind die grundlegenden Elemente, die jeden Weg der Bekehrung prägen, wie es auch die Überlieferung der Kirche lehrt. Aus den Evangelien geht hervor, dass jede Bekehrung den Glauben an Jesus Christus zur Grundlage hat. Das Lukasevangelium des berichtet von der Erfahrung des guten Schächers, der gläubig auf den Gekreuzigten blickte und sich dabei selbst als Sünder erkannte (vgl. Lk 23,42). Der im Glauben auf den Gekreuzigten gerichtete Blick erleuchtet den Sünder, führt ihn dazu, seine Sünde zu erkennen, und richtet ihn auf die Umkehr aus. Das Kreuz bewirkt die Stunde, in der die Sünden der Welt offenbar werden und die Seele dem Licht ausgesetzt wird, das der gekreuzigte Christus ist.

10.1.5 Von der Bekehrung zur Selbsthingabe

Die Erfahrung, die die Seherinnen unter der Führung der seligen Jungfrau Maria gemacht haben und die durch das »Evangelium vom Kreuz« geprägt wurde, zeigt, dass eine aufrichtige Bekehrung – nachdem Jesus als das fleischgewordene Wort erkannt worden und das Eingeständnis der eigenen Sünden erfolgt ist – noch eine dritte Auswirkung nach sich zieht: die Selbsthingabe, die aus der Identifikation der Seele mit dem Wort, das heißt aus der tiefen Vereinigung der Seele mit dem Wort erwächst.

Um diese Stufe der Hingabe zu erreichen, empfahl Unsere Liebe Frau von Kibeho den Seherinnen (und damit allen Menschen) konkrete Akte der Entsagung, *kwigomwa*, der Buße, *kwihana*, und der Abtötung, *kwibabaza,* mit dem Ziel, sich selbst von allen Dingen, wirklich allen, zu lösen, um so die volle Einheit mit Christus und die Teilhabe am Sühneleiden des Erlösers zu ermöglichen. Diese Bußübungen, die die Gottesmutter wünscht, sollen, wie gesagt, im Geist der liebenden Hingabe, in der Nachahmung Christi (vgl. Joh 15,13) verstanden werden. In diesem Geist kann jede Art des Leidens mit der Passion Jesu vereinigt werden im Hinblick auf eine Teilhabe an der Erlösung der Welt.

In ihren Gebeten erbaten die Seherinnen nichts weiter als das Heil der Menschen und boten ihr eigenes Leben als Sühneopfer für die Erlösung aller an. Alphonsine betete folgendermaßen:

»Mutter voller Güte, höre auf meine Bitte: Ich bitte dich nicht um weltlichen Reichtum. Ich bitte dich nicht um weltliche Freuden. Ich bitte dich um die Liebe zu den Menschen. Ich bitte dich um Frieden. Ich habe Schmerzen. Ich bitte dich nicht, mich zu heilen, sondern ich biete dir meine Beschwerden an, damit du die anderen rettest.«

Die Seherin zögerte nicht, um Leiden zu bitten, wenn nur die Welt gerettet würde: »Wenn du willst, dass die Leiden, die du uns auferlegst, für die anderen Menschen von Nutzen sein sollen, dann lass uns weiter leiden. Mache mit mir, was deinem Willen entspricht.« Nachdem sie siebenmal in ein Dornengestrüpp gestürzt war, bot auch Marie Claire sich selbst der »Mutter des Wortes« als Opfergabe für das Heil der Menschen an:

»Ich habe mich dir übergeben, tue mit mir, was du willst. Damit diejenigen, die Gott bekämpfen, sich bekehren und ihm dienen, damit du denen, die ihn nicht kennen, die Gnade schenkst, ihn kennenzulernen, und damit du den Durst all derer stillst, die sich danach sehnen, ihn kennenzulernen, damit alle erfahren, wer er ist. Ich kann jedoch nichts anderes tun, als mich für die Erlösung der Welt anzubieten und mich in deine Arme zu werfen. Mache mit mir, was du willst, doch den Sündern vergebe. Mache mit mir, was immer du willst, aber gewähre, dass Frieden auf der Welt herrsche. Mache mit mir, was immer dir gefällt, aber gewähre, dass die Welt gerettet sein möge.«

Ebenso wie ihre Kameradinnen bot auch Nathalie sich bedingungslos als Sühneopfer an: »Mutter, ich nehme alles an, ich biete mich dir an, damit ich zu einer vollkommenen Opfergabe werde, zu einer vollständigen Opfergabe, zu einer wahren Opfergabe.« Diese Gebete der Seherinnen drücken einen Akt der Hingabe aus und kennzeichnen eine entscheidende Etappe in ihrer Spiritualität, die auf dem »Evangelium vom Kreuz« gründet.

10.1.6 Die Weihe: Hingabe an den göttlichen Willen

Diesen Akt der Hingabe der Seherinnen können wir unter Berücksichtigung des Charismas des »Evangeliums vom Kreuz« vielleicht noch besser verstehen. Der geistliche Gehalt dieser Worte der Hingabe kann als Weiheakt verstanden werden. Dies lässt erahnen, dass die Spiritualität, die die Jungfrau Maria in Kibeho fördern wollte, in der Hingabe an Gott (durch ihre Vermittlung), in der Entsagung und Selbstverleugnung besteht. Dies geschieht in vollkommener Freiheit mit Blick auf die Nachfolge Christi und in Zusammenarbeit mit ihm für das Heil der Seelen. Um die geistliche Tragweite dieses Hingabeaktes der Seherinnen zu verstehen, müssen wir ihn mit dem Weiheakt in Verbindung bringen, den Jesus seinen Jüngern gespendet hat: »Und ich heilige mich für sie, damit auch sie in der Wahrheit geheiligt sind« (Joh 17,19).

Den Seherinnen war bewusst, dass sie durch die Weihe an die Gottesmutter einen Akt der Ganzhingabe an Gott vollzogen hatten, so wie Jesus in die Arme der seligen Jungfrau gelegt wurde und die vollständige Bereitschaft zum Ausdruck brachte, den göttlichen Willen zu erfüllen. Sie gaben damit ihren Wunsch zu erkennen, am Heil der Sünder mitzuwirken. Man kann wohl davon ausgehen, dass diese Liebesgabe der Höhepunkt war, zu dem Unsere Liebe Frau von Kibeho ihre Töchter geführt hat: das Angebot eines geistlichen Opfers, das Gott gefällt (vgl. Phil 2,17; 2 Tim 4,6; 1 Petr 2,5).

Die geistlichen Unterweisungen, die die »Mutter des Wortes« in Kibeho ihren Kindern erteilte, münden also in die Antwort des Menschen ein, der sich Gott als geistliches Opfer anbietet. Es kann deshalb festgestellt werden, dass dieser Akt der Hingabe die gleiche Bedeutung hat wie die Weihe, um die Unsere Liebe Frau von Fatima gebeten hat: »Jesus will in der Welt die Verehrung meines Unbefleckten Herzens begründen.« Die Kirche hat diese Bitte durch die Weihe Russlands und der ganzen Menschheit an das Unbefleckte Herz Mariens erfüllt. Diese Weihe, um die die selige Jungfrau ihre Töchter bittet, ist dabei kein kurzzeitiges Ritual, sondern die Verpflichtung, sich Christus anzugleichen, wozu jeder Christ aufgefordert ist. Dadurch wird der Jünger wie Jesus von Nazareth zu einer »vollkommenen Opfergabe«, um es mit den Worten Nathalies auszudrücken. Indem die Jungfrau Maria das »Evangelium vom Kreuz« als einen geistlichen Lebensstil vorstellte, wollte sie die grundlegenden Elemente jeder christlichen Spiritualität hervorheben: das Gedenken an das Geheimnis des Leidens und der Auferstehung Christi, den Glauben an die Gottheit des Wortes, des Erlösers der Menschheit, und die Umkehr, die durch einen asketischen Lebensstil zur Gemeinschaft mit Christus führt und zur Selbsthingabe für das Heil der Seelen.

Zusammenfassend lässt sich sagen, dass das Charisma von Kibeho, das bereits eingehend betrachtet wurde, eine vollkommene und kompromisslose Rückkehr zum Zentrum des christlichen Geheimnisses zu sein scheint, zum gekreuzigten und auferstandenen Jesus Christus. Genau jener Jesus, der uns in den Evangelien eindringlich aufgefordert hat, ihm zu folgen bis zur Hingabe des eigenen Lebens für die Brüder, wie er es getan hat (vgl. Joh 15,13). Heute wollen viele Menschen, auch unter den Christen, diese Worte nicht hören. Sie würden ein Evangelium vorziehen, das ein wenig verwässert und nicht so anspruchsvoll ist. Aber die »Mutter des Wortes« hat in Kibeho stets auf diesem Punkt beharrt, indem sie versucht hat, verständlich zu machen, dass es nicht möglich ist, die Übel der Welt zu lindern, ohne diesen Weg zu beschreiten, der schmal ist, wie das Evangelium es betont, und der doch der einzige Weg zum wahren Leben ist.

Kibeho bringt eine Botschaft, die hart klingen mag, ein Charisma, das nur wenige verstehen, aber das stimmt so nicht. Die Herausforderung besteht darin, dass dieses »Evangelium vom Kreuz« nicht unter dem Gesichtspunkt des Leidens betrachtet werden darf, das Angst erzeugen kann, sondern dass es, wie bereits erwähnt, unter dem Gesichtspunkt der Liebe zu betrachten ist, die stattdessen hilft, dies alles zu verstehen und letztlich auch im Leben umzusetzen. Dabei müssen wir uns immer vor Augen halten, dass das Ziel des Menschen, jedes Menschen, nicht der Tod, sondern das Leben ist. So erwartet uns am Ende dieses Weges nicht etwa düstere Traurigkeit, sondern im Gegenteil eine Freude, die sich immer weiter steigert, je mehr die Seele geläutert wird und wir allmählich verstehen, was es wirklich bedeutet, am göttlichen Leben teilzuhaben. Dies ist nur dadurch möglich, dass das Wort nicht zögerte, Mensch zu werden und am Kreuz zu sterben.

11. Das Licht von Kibeho fällt auf die Herausforderungen der heutigen Welt

Ich habe soeben das Charisma von Kibeho beschrieben. Dieses »Evangelium vom Kreuz«, das uns wieder zurückführt zum Zentrum des christlichen Geheimnisses, zu Jesus, dem Gekreuzigten und Auferstandenen, und das somit in der Lage ist, unseren Glauben zu erneuern, damit wir schließlich in Liebeseinheit mit Jesus Christus zur freien und vollen Selbsthingabe an Gott fähig werden.

Es ist auch davon auszugehen, dass all dies nicht nur den persönlichen Glauben erneuert, sondern durch das Netz der geistlichen Solidarität, zu der es anregt, sich auch in ein machtvolles Instrument verwandeln kann, das die Erneuerung der Kirche voranbringt, die den ernsthaften Herausforderungen der modernen Welt gegenübersteht. Es ist eine Welt, die sich, wie Maria immer wieder betont hat, am Rande eines Abgrunds befindet. Übrigens hat Unsere Liebe Frau von Kibeho auch immer wieder darauf hingewiesen, dass sie nicht nur gekommen ist, um Ruanda oder Afrika zu helfen, sondern um der ganzen Welt beizustehen. Deshalb gehe ich davon aus, dass ihre Botschaft große Aktualität besitzt und nicht nur dazu führen kann zu begreifen, was heute dem Glauben im Wege steht, sondern auch, warum diese Welt der Menschen beinahe unbewohnbar geworden ist.

11.1 Der universale Charakter der Botschaften

Die Botschaften von Kibeho sind universal. Indem Nathalie auf die Worte der himmlischen Mutter zurückkam, wiederholte sie: »Du hast gesagt, dass deine Botschaften sich nicht an eine einzelne Person richten und nicht nur für die jetzige Zeit gedacht sind, sondern dass sie an alle gerichtet sind.« Marie Claire gab ebenfalls die Worte der Jungfrau Maria wieder, indem sie diese wiederholte: »Wenn ich jemandem erscheine, um mit dieser Person zu sprechen, dann möchte ich mich durch sie an die ganze Welt wenden. Wenn ich jetzt in die Pfarrei von Kibeho gekommen bin, dann bedeutet dies nicht, dass ich nur in die Pfarrei von Kibeho komme oder nur in die Diözese von Butare oder nur nach Ruanda oder Afrika, sondern ich wende mich an die ganze Welt.«

Es ist festzustellen, dass diese Hinweise Mariens in Bezug auf die Tragweite ihrer Erscheinungen in Kibeho gut aufgenommen und dass ihre Botschaften als ein der ganzen Weltkirche geschenktes Charisma betrachtet wurden. Kardinal Crescenzio Sepe, damals Präfekt der Kongregation für die Evangelisierung der Völker, hat dies in seiner Predigt vom 31. Mai 2003 anlässlich der Weihe des neu errichteten Heiligtums von Kibeho deutlich herausgestellt: »Dieses Marienheiligtum, das mittlerweile zu einer internationalen Wallfahrtsstätte geworden ist, soll ein Ort der menschlichen, geistigen und religiösen Erneuerung sein.« Auch Msgr. Misago, der Ortsbischof, der, wie schon ausführlich dargelegt wurde, der beste Experte der Geschehnisse ist, hat bei vielen Gelegenheiten immer wieder geäußert, dass das Geschenk von Kibeho wahrhaft eine »frohe Botschaft« ist, die die »Mutter des Wortes« den heutigen Menschen gebracht hat. Aus diesem Grund ist es notwendig, sie mit Freude und Dankbarkeit zu empfangen.

Was die Aktualität der Botschaften betrifft und ihre Möglichkeit, der Kirche im Ganzen, aber auch jedem einzelnen Christen zu helfen, auf die Herausforderungen der Moderne an den Glauben zu antworten, so stammt wohl die beste Zusammenfassung von Pater Laurentin, der als qualifizierter und anerkannter Mariologe unserer Zeit gilt und ein guter Kenner der Ereignisse von Kibeho ist. Er hat Folgendes geschrieben:

»Die Gnade, die in solch beispielhafter Weise aus Kibeho strömt, kann auch über Afrika hinaus die dürre Lebenswelt, die fast schon an ihrer Verhärtung und an ihrer unstrittigen Säkularisation gestorben ist, fruchtbar machen. Unsere Kirchen in Europa haben allzu oft die Inspiration durch die Technokratie ersetzt und die geistliche Anstrengung durch Mühelosigkeit. Sie haben das Freud'sche Lustprinzip an die Stelle der christlichen Liebe und der unverzichtbaren Askese gesetzt, an die Stelle des Kreuzes, das die tief reichende Wurzel jedes christlichen Werkes ist. Doch unsere Ideologien und die westliche Wissenschaftsgläubigkeit werden Afrika nicht retten. Darauf wollte die Jungfrau Maria offenbar hinweisen. Nicht mit einer ideologischen und künstlichen Äußerlichkeit, sondern sie ist dem Evangelium entsprechend von innen her gekommen, um die afrikanischen Ressourcen und Möglichkeiten zu wecken. Ihre anspruchsvolle Forderung lautete: Umkehr, Gebet, strikte Keuschheit, Nächstenliebe, Fürsorge für die Armen und alle anderen. In Kibeho wurden keine spezifisch afrikanischen Botschaften gegeben trotz der afrikanischen Formen. Sie scheinen eine weltweite Dimension zu haben trotz der Isolation eines kleinen Volkes, das keinen Zugang zum Meer hat. Es gibt ja nichts Universales, was das Menschliche und Christliche betrifft, das nicht im Besonderen verwurzelt ist.«

Die nun folgende Untersuchung, die als Gegenüberstellung zu den spirituellen Bedürfnissen unserer Welt konzipiert ist, erlaubt es, diese Beobachtungen zu bestätigen. Inzwischen scheint sich in Kibeho nach dreißig Jahren genau das zu verwirklichen, worauf viele gehofft haben und was Pater Gabriel Maindron damals hoffnungsvoll vorweggenommen hatte: »Wird Kibeho eines Tages das afrikanische Lourdes werden? Dies wird sich mit der Zeit zeigen. Unterdessen wird deutlich, dass viele Pilger, die aus allen Erdteilen stammen, immer zahlreicher dorthin kommen.«

11.2 Unsere Liebe Frau von Kibeho will die Welt vor den Kräften des Bösen retten

Bei den Erscheinungen von Kibeho hat die selige Jungfrau erklärt, dass sie gekommen sei, um uns an unsere Bedürftigkeit zu erinnern und uns zu unterstützen. Damit hat sie uns zu verstehen gegeben, dass ihr Erscheinen ein Akt der Barmherzigkeit einer Welt gegenüber ist, die, wie sie selbst sagte, an einem Punkt angelangt ist, an dem sie in den Abgrund zu stürzen droht. Mit den Worten von Msgr. Misago: »Wir Menschen sind umgeben von Sünden und Lastern: Wir freuen uns über das Unrecht, wir bevorzugen die Lüge, der Hass ist noch gegenwärtig, die Tötungen nehmen immer neue Formen an. Wir übertreten die Gebote Gottes.«

11.2.1 Der Mensch als Rivale Gottes

»Die Welt hat sich gegen Gott aufgelehnt und droht, in den Abgrund zu stürzen. Geht in euch, um herauszufinden, ob ihr nicht wie die vertrockneten Blumen seid.« Diese Worte wurden mehrmals von den Seherinnen wiederholt. Doch warum hat Unsere Liebe Frau solche drastischen Worte gebraucht, um den dramatischen Zustand der Welt zu beschreiben? Mit ihrem prophetischen Aufschrei gegen das Böse in der Welt hat sie unsere verhärteten Herzen wachrütteln wollen, damit wir aufrichtig und tief unsere Gewissen erforschen. Dies ist die Grundlage für jeden echten Bekehrungsweg und ermöglicht uns, den wahren Geist der brüderlichen Verantwortung zu entwickeln.

Um uns zu helfen, diesen Weg, auf den die selige Jungfrau Maria uns führen will, zu beschreiten, und um uns das Verständnis der Botschaften von Kibeho zu erleichtern, folge ich kurz einem Schema, das sich auf die Erzählung von den Versuchungen Jesu in der Wüste im Matthäusevangelium (vgl. Mt 4,1–10) stützt.

Es wird noch durch die Lehren des heiligen Johannes über die drei Formen der Begierde (vgl. 1 Joh 2,16) ergänzt.

Die erste Versuchung des Menschen zu allen Zeiten war, in seinem eigenen Namen und zu seinem eigenen Ruhm über die Welt herrschen zu wollen und sich das Recht anzumaßen, zwischen Gut und Böse zu unterscheiden (vgl. Gen 3,5.22). Der heilige Johannes nennt dies die Begierde der Augen. Wir könnten heute dazu analog auch »Begierde der Erkenntnis« sagen. Dieser Stolz zeigt sich in der Art und Weise, wie der moderne Mensch seine Fähigkeiten wahrnimmt und benutzt. Es ist die Versuchung, sich für den absoluten Herrscher über das Universum zu halten und darüber zu bestimmen, was es gibt und was es nicht gibt, was sein darf und was nicht sein darf. Und daraus folgt die Versuchung zu glauben, dass alles, was mit der Vernunft nicht zu erfassen ist, als »nicht existent« betrachtet werden kann. Diese Einstellung bringt zum Ausdruck, was als Identität des »höchsten Ich« beschrieben werden kann, als das der Mensch sich selbst erkennen will. Voller Stolz, aufgebläht mit der Erkenntnis, die sich selbst vergöttert, will der Mensch mit einer solchen Einstellung nicht, dass irgendjemand über ihm steht, von dem er abhängig ist. Er will wie Gott sagen: »Ich bin, der ich bin«, und alles andere ist meinem Willen unterworfen. Der praktische Atheismus, das heißt, so zu leben, als würde Gott nicht existieren, und der subtile Unglaube, der ihn begleitet, werden bei den Erscheinungen von Kibeho mit Nachdruck angeprangert. Sie können in der Tat als Wille des Menschen verstanden werden, sich zum absoluten Herrscher über das Universum aufzuschwingen und den Schöpfer aus seinem eigenen Leben auszuschließen.

Dieser moderne Mensch, der ganz allein sein eigenes Reich errichten möchte, hat deshalb große Schwierigkeiten, das Reich Gottes anzunehmen. Für ihn ist jede Vorstellung eines höchsten Wesens abwegig und befremdlich. Und so unternimmt er alles, um sie abzuwehren, sie zu ignorieren und zu bekämpfen.

Zusammenfassend kann gesagt werden, dass der Mensch zum Rivalen Gottes geworden ist. Weil er glaubt, der Herr der Welt und das Maß aller Dinge zu sein, weigert er sich, auf Gott Bezug zu nehmen, auch nicht bei den ethischen Normen, aufgrund deren er seine Urteile und Entscheidungen trifft. Vielmehr maßt er sich das absolute Recht an zu bestimmen, was gut und was schlecht ist. Anstatt Jesus, das Wort, als die Wahrheit anzuerkennen (vgl. Joh 14,16f), ist er davon überzeugt, selbst die Wahrheit zu sein.

Einige Gesetze, die inzwischen in vielen Staaten in Kraft sind, wie zum Beispiel die Genmanipulation oder die Reduzierung der Familie auf einen schlichten Vertrag über das Zusammenleben von zwei Individuen, die die Regeln nach ihren Vorlieben gestalten können, sind ein eklatantes Beispiel für diese Art, das Leben des Menschen selbst zu entwerfen. Doch dieser »Ort der Welt« oder des »höchsten Ich« ist kein Reich des Dienstes, sondern der Herrschaft, da von einem zügellosen Egoismus geprägt. Jeder möchte sich über die anderen erheben, um sie zu beherrschen, zu unterwerfen und auszubeuten. Alles, was nicht den Eigeninteressen dient, muss bekämpft und vernichtet werden. Heute ist der Mensch mehr denn je zur Selbstvernichtung fähig.

Diese Begierde hat Unsere Liebe Frau von Kibeho als die Sünde der Auflehnung gegen Gott bezeichnet: »Die Welt hat sich gegen Gott aufgelehnt«, *isi yarigometse*. Tatsächlich bedeutet der Ausdruck *kwigomeka*, den Unsere Liebe Frau benutzte, sich als Herr über die Autorität des Königs zu erheben, um sich selbst zum König auszurufen. Dies drückt den Willen des Menschen aus, sich gegen Gott zu stellen und seinen Platz einzunehmen.

Es wird nun verständlich, weshalb Unsere Liebe Frau, als sie sich Alphonsine vorstellte, den Titel »Mutter des Wortes« wählte, der sehr stark an die Demut Gottes erinnert. Gegen den Hochmut der Welt wollte die selige Jungfrau Maria die Menschwerdung des Wortes in den Vordergrund stellen, die das Geheimnis der Demut Gottes ist, der sich aus freiem Willen dazu entschlossen hat, Mensch zu werden. Dies ist somit auch das überragende Vorbild für den Menschen, der, wenn er wahrhaft seiner tiefen Berufung entsprechen will, dieses Geheimnis Gottes in seinem Leben akzeptieren muss.

11.2.2 Das Verlangen nach Vergnügen

Die zweite Versuchung des heutigen Menschen liegt in seinem Verhältnis zu den weltlichen Gütern, die vom Schöpfer gewollt sind, doch es ist nicht immer einfach, damit richtig umzugehen (vgl. Gen 1,29). Diese Versuchung, die der heilige Johannes die »Begierde des Fleisches« nennt, lässt sich im Zusammenhang mit der »Begierde der Augen« verstehen. In dem Moment, in dem der Mensch von heute sein eigenes Reich errichten will, ohne sich in irgendeiner Weise der Autorität seines Schöpfers zu unterwerfen, betrachtet er die Befriedigung seiner fleischlichen Bedürfnisse als Ziel seines Lebens: ein Ziel, dass sich für ihn nur auf die sichtbare Welt beschränkt.

Der allgemeine Sprachgebrauch nennt diese Haltung das Gesetz des *Carpe diem*, das heißt: »Ergreife jedes mögliche Glück, wann immer es sich dir darbietet, ergreife es sofort, schiebe es nicht auf, lass dir nichts entgehen, ergreife den Augenblick, setze nicht auf die Zukunft, die es vielleicht gar nicht geben wird.« Deswegen ist unsere Welt begierig nach Vergnügen, das man um jeden Preis erhalten will. Bei dieser Sichtweise gilt: »Alles ist erlaubt.« In diesem Wettlauf um das Vergnügen sollen alle Gebote aus dem Weg geräumt werden: »Es ist verboten zu verbieten« war das Motto der Studenten, die im schicksalhaften Mai 1968 auf den Pariser Straßen demonstrierten. Inzwischen hat sich dies die ganze Welt zu eigen gemacht. Und um dieses »Vergnügen um jeden Preis« zu erhalten, zögert der Mensch nicht, seine eigene Würde und das Leben der anderen aufs Spiel zu setzen. Es genügt, als Beispiele auf die Ausbreitung folgender Phänomene hinzuweisen: die Pädophilie, das Geschäft mit der Prostitution vor allem von schutzlosen Minderjährigen, der in Mode gekommene Hedonismus, der vorgibt, jede Art von Leid aus dem Leben verbannen zu können, und so weiter.

Hier befinden wir uns in einem verhängnisvollen Gegensatz zur Botschaft und zum Geist des Evangeliums: Während die Heilige Schrift uns lehrt, zuerst das Reich Gottes und seine Gerechtigkeit zu suchen, und dabei verspricht, dass alles andere dazugegeben wird (vgl. Mt 6,33), strebt der Mensch von heute zuallererst und um jeden Preis nach der Befriedigung seiner fleischlichen Gelüste. So hat er keine Zeit mehr und vor allem kein Interesse, das Reich Christi zu suchen. Statt Gott von ganzem Herzen, aus ganzer Seele und den Nächsten wie sich selbst zu lieben (vgl. Joh 13,34), liebt der Mensch mit aller Kraft sich selbst und den Nächsten nur im Hinblick darauf. Die schreckliche Folge davon ist, dass der andere nur im Hinblick darauf geliebt wird, was er zu bieten vermag gemäß dem Motto: »Ohne Gegenleistung kein Interesse.«

Angesichts dieser Weltanschauung, bei der der Mensch nach nichts anderem strebt als nach der selbstsüchtigen Freude an irdischen Gütern, erinnert die Botschaft von Kibeho eindringlich daran, dass die Welt, wie wir sie kennen, enden wird. Diese Lehre können wir auch aus den Visionen der Seherinnen von Hölle, Fegefeuer und Paradies entnehmen. Die Eindringlichkeit der Unterweisungen Unserer Lieben Frau sind somit gut verständlich, wenn sie zur Abkehr von den irdischen Gütern aufruft und uns auffordert, nach den himmlischen Gütern zu streben.

11.2.3 Sklaven des Besitzes

Die dritte Versuchung des Menschen liegt in seinem Verhältnis zum Besitz. Das war schon immer so, gilt aber ganz besonders für den modernen Menschen. In ihren Botschaften, wie bereits erwähnt, hat Unsere Liebe Frau darauf hingewiesen, dass die Menschen sich gegen Gott aufgelehnt haben, weil sie am Reichtum hängen, ganz besonders am Geld. Es ist notwendig, genau darauf zu achten, wann und wie die Schwelle beim Gebrauch der weltlichen Güter überschritten wird, denn diese sind für den Menschen geschaffen (vgl. Gen 1,29f.) und dürfen nicht zu einem gefährlichen Götzen werden (vgl. Bar 6,3). Das Problem ist, dass das Geld in der Logik der modernen Welt es ermöglicht, alles zu kaufen und zu besitzen, sodass der Mensch schließlich so weit kommt zu sagen: »Ich besitze, also bin ich.« Um zu verstehen, wie weit diese »Herrschaft des Geldes« reicht, genügt es zu beobachten, dass die Würde des Menschen des Öfteren gegen Geld getauscht wird.

Es ist leicht verständlich, dass diese Anhänglichkeit an irdische Güter eine Gefahr für den Glauben darstellt. Sobald man alles mit Geld haben und kaufen will und das Geld dabei die Herrschaft über alle Dinge zu sichern scheint, brauchen wir Gott nicht mehr. Es scheint vielmehr so zu sein, dass das Geld den ganzen Menschen ausmacht, das heißt, dass es ihn in seinen Absichten und Zielen bestimmt. Anstatt den Schöpfer anzubeten, betet der Mensch das Geld an, das heißt, er liebt es mehr als alles andere: Das Geld bedeutet alles für ihn.

Durch die Botschaften von Kibeho erzieht die »Mutter des Wortes« zu einer Haltung der christlichen Verantwortung: zu einem aufrichtigen Blick auf unsere Sünden, der eine Umkehr ermöglicht. Die verschiedenartigen Ausprägungen des Bösen, die unter der Bezeichnung der Begierde aufgeführt wurden, stehen in grundlegendem Widerspruch zum Reich Gottes. In den Botschaften von Kibeho benutzt die Gottesmutter eindrückliche

Worte, die wir auch in ihrer symbolischen Bedeutung kennen, um den dramatischen Zustand der Welt anzuzeigen: »Die Welt hat scharfe Zähne, sie droht, in den Abgrund zu stürzen.« Mit dieser Aussage will die Jungfrau Maria uns nicht erschrecken, sondern uns die Augen öffnen für die Gegenwart der bösen Mächte, die die Welt beherrschen.

Angesichts dieser Offensichtlichkeit des Bösen scheint der Mensch gleichgültig zuzusehen und nicht willens, die Verantwortung für seine Sünden zu übernehmen. Um die Gewissen wachzurütteln, prangert die selige Jungfrau Maria diese Verhärtung der Herzen an: »Die Menschen wollen ihre Sünden nicht mehr wahrhaben.« Wie wir wissen, hat Unsere Liebe Frau in Kibeho, um diese Verhärtung zu besiegen, auch auf die Sprache der Tränen zurückgegriffen als letztes Mittel, mit dem sie zur Umkehr aufrief. Diese Sprache bringt jedoch auch die Hoffnung zum Ausdruck, dass ihre Kinder angesichts ihrer Tränen endlich aufwachen und sich bekehren. In ihren Botschaften hat die Jungfrau Maria auch auf die Waffen hingewiesen, mit denen Jesus gegen die Verführungen des Bösen gesiegt hat: die Unterwerfung unter den Willen des Vaters im Himmel und die Umsetzung seiner Gebote im täglichen Leben. Im Geiste ihres Sohnes, der das Böse durch sein Liebesopfer bezwungen hat, bat Unsere Liebe Frau um Sühneopfer.

Diese Pädagogik Gottes, großzügige Seelen zu rufen, die sich in der Aufopferung ihres eigenen Lebens für das Heil der Sünder hingeben, ist uns in der Spiritualität der Kirche wohlbekannt. Ich habe schon Franz von Assisi erwähnt, der sich selbst Gott übergab, als es nötig war, »die zerfallene Kirche Christi wieder aufzubauen«, und den heiligen Pater Pio von Pietrelcina, ein *alter Christus*, der viele Jahre lang unzählige Seelen zu Jesus hingeführt und bekehrt hat. Auch die Seherkinder von Fatima erhielten in sehr jungen Jahren den Auftrag, durch ihr Opfer am Heil der Welt mitzuwirken. In dieser Welt herrschten die Not des Krieges und eine Ablehnung Gottes, die so bezeichnend ist für das 20. Jahrhundert, das damals gerade erst begonnen hatte. Unsere Liebe Frau hat in Kibeho insbesondere Nathalie gebeten, den Auftrag anzunehmen, für die Bekehrung der Sünder zu beten und das eigene Leben als Sühneopfer hinzugeben.

11.3 Kann der Völkermord in Ruanda uns etwas lehren?

Marienerscheinungen sind, wie bereits erwähnt, Ausdruck der prophetischen Mission der seligen Jungfrau Maria, durch die sie uns einlädt, wieder in die Gemeinschaft mit Gott zurückzukehren. In diesem Geist sah die Jungfrau Maria in Kibeho das Unglück voraus, das Ruanda (und die ganze Welt) treffen würde, falls die Menschen nicht umkehrten. Wie bekannt ist, hat sich diese Vorhersage für Ruanda vollständig erfüllt.

Das Feuer des Völkermords in Ruanda, der fünf Jahre nach Ende der Erscheinungen im Jahr 1994 geschah, hatte schon lange unter der Asche geschwelt, doch niemand versuchte wirklich, ihn aufzuhalten. Gerade deshalb ist dieser Völkermord mit seinen verschiedenen Stadien ein hervorragendes Beispiel dafür, wohin die Kultur des Todes, von der die selige Jungfrau sagte, dass sie sich in der modernen Welt immer weiter verbreite, führen kann, wenn sie nicht rechtzeitig gestoppt wird. Dieses Ereignis, das uns gerade wegen seiner schrecklichen Grausamkeit zur Lehre und Mahnung wird, muss dahingehend verstanden werden, dass es eine Grenze gibt, nach deren Überschreitung sich das Böse nicht mehr eindämmen lässt. Der Völkermord kann uns als Warnung dienen, als weitere Bestätigung der Notwendigkeit, die wiederholten Aufforderungen Mariens zu einer wahrhaft echten Bekehrung zu vernehmen und sie im täglichen Leben umzusetzen.

11.3.1 Die Vorbereitungsphasen des Massakers

Dieser Weg der Kultur des Todes begann in Ruanda damit, dass sich nach und nach eine entzweiende und diskriminierende Ideologie entwickelte. Zu Beginn wurden einem Teil der Einwohner einige Bürgerrechte entzogen. Dadurch wurden die Tutsi ins Exil gezwungen und die Regierung verweigerte ihnen das Rückkehrrecht. Diese Ausgrenzung war von einer Propaganda begleitet, die darauf abzielte, die Tutsi zu diffamieren, um sie abzuwerten und zu entmenschlichen. Es finden sich hier zwei Elemente wieder, welche die Ideologie der Diskriminierung charakterisieren: die Entmenschlichung und der Entzug der Bürgerrechte. Diese Ideologie der Diskriminierung kann leider in den Beziehungen zwischen den Bürgern und den Völkern auftreten und sie zeigt sich gegenwärtig in verschiedenen Formen. So sind zum Beispiel alle diskriminierenden Verhaltensweisen, die sich auf Hautfarbe, Religion, Geschlecht oder andere Aspekte beziehen und die in der Welt von heute vorkommen, Bestandteile der Kultur des Todes in ihren Anfängen.

Nach der Diskriminierung und Entmenschlichung eines Teils der ruandischen Bevölkerung ging man zur nächsten Phase über, in der der Hass eines Bevölkerungsteils auf den anderen zunehmend geschürt und als berechtigt erklärt wurde. Es ist bedrückend, heute noch einmal gewisse Zeitungsartikel aus den Fünfzigerjahren in die Hand zu nehmen und zu lesen, die schon damals voller Hetze waren, und sich bewusst zu werden, dass niemand bemerkte, welches Unrecht nach und nach entstand: ein Unrecht, das einige Jahrzehnte später in einer Tragödie von ungeheuerlichem Ausmaß endete. Die Diskriminierung, die im Bewusstsein der Menschen und in den Gesetzen entwickelt, verbreitet und gerechtfertigt wurde, war immer öfter begleitet von Gewalttaten, vor allen Dingen gegen die Tutsi und alle, die lästig werden konnten. Und all dies geschah völlig ungestraft.

Die oben erwähnten Ereignisse beziehen sich auf das Land Ruanda, und niemand möchte dabei die spezifische Verantwortung bestreiten oder relativieren. Doch es ist offensichtlich, dass die ganze Welt diese diffuse tödliche Ideologie, die allgemein verbreitet wird, als gerechtfertigt anerkennt. In den Massenmedien findet diese diskriminierende Hetze große Resonanz und die Gesetze, die den Tod von Unschuldigen rechtfertigen, werden von den Großmächten skrupellos angewandt. Die Verträge zur Ausbeutung der Armen durch die Reichen mit der Genehmigung von räuberischen Regierungen sind ein weiteres Beispiel für die Legitimation jeglicher Art von Diskriminierung. So ist etwa die Tötung der ungeborenen Kinder, die freiwilliger Schwangerschaftsabbruch genannt wird, fast überall legitim. Laut den Statistiken wird die Zahl der jährlichen Abtreibungen weltweit auf 50 Millionen geschätzt und die Zahl der Abtreibungen, die infolge der seit dem Ende des Zweiten Weltkriegs eingeführten Gesetze »legal« durchgeführt wurden, auf eine Milliarde. Doch die internationale Gemeinschaft scheint den Genozid an den Unschuldigen, die keinen Schutz haben, mit Gleichgültigkeit zur Kenntnis zu nehmen und, was noch schwerwiegender ist, sie scheint solche Verbrechen auch noch ohne jeden Skrupel zu legitimieren, indem man sie sogar als Entscheidungsfreiheit der Menschen, als Errungenschaft auf dem Weg des Fortschritts propagiert.

Die dritte Phase bestand leider im Völkermord, der auch durch die Stimme der »Mutter des Wortes« nicht aufgehalten werden konnte. Die Gemüter waren schon zu aufgewühlt und die Menschen wollten nicht hören. Sie setzten dem prophetischen Aufschrei die hartnäckige Verweigerung der Bekehrung entgegen. Von Kibeho aus hat Unsere Liebe Frau sehr klar gesprochen und lange hat sie versucht, zu verstehen zu geben und sogar bildhaft zu zeigen, welche Tragödie Ruanda bevorstehen würde – aber vergebens. Vielleicht ist keine Prophezeiung in der Geschichte der Marienerscheinungen von den tatsächlichen

Ereignissen so präzise bestätigt worden. Es gibt tatsächlich eine beeindruckende Übereinstimmung zwischen den Visionen der Seherinnen und dem tragischen Geschehen, das die Einwohner von Ruanda vom 6. April bis zum 4. Juli 1994 wirklich erlebten.

11.3.2 Das Bild einer unfassbaren Tragödie

Dies ließ die »Mutter des Wortes« die Seherinnen in Visionen sehen:

11.3.2.1 »Die Berge und Steine bekämpfen sich gegenseitig«

Während des Völkermords in Ruanda wurden Menschen in einer irrsinnigen, teuflisch grausamen Orgie getötet, niedergeschossen und in Stücke gehackt. Man hat die Menschen auch an heiligen Orten umgebracht. Die Kirchen, in die die Christen sich geflüchtet hatten, wurden in wahre Schlachthäuser verwandelt. Die Mörder stießen die Kreuze um, zerstörten die heiligen Bilder, brachen die Tabernakel auf und schändeten die konsekrierten Hostien. Doch auch an keinem anderen Ort ruhten die Waffen. Es gab keinen Berg und keine Anhöhe, die nicht Zeugen dieses Blutbades wurden. Das »Land der tausend Hügel«, wie Ruanda wegen seiner geografischen Beschaffenheit auch genannt wird, das bekannt für seine Schönheit und Gastfreundschaft war, konnte keine Zuflucht gewähren und die Verfolgten, die zu entrinnen suchten, nicht schützen. Man kann beinahe sagen, dass, wie durch die Visionen vorhergesagt – die Seherinnen beschrieben Berge und Steine, die sich gegenseitig bekämpften – sogar die Hügel von Ruanda scheinbar gegen die Opfer gewesen sind. Auch Jesus hat das Gleiche erlebt. Er kam in sein Eigentum, aber die Seinen nahmen ihn nicht auf (vgl. Joh 1,11).

11.3.2.2 »Menschen, die andere mit Lanzen töten«

Dieses Bild der Mörder stammt aus Nathalies Vision. Die Lanze repräsentiert alle anderen Waffen, sowohl die traditionellen als auch die modernen. Die Wahl der Lanze kann auf zwei Arten verstanden werden: Von jeher wurde die Lanze in Ruanda als Kriegswaffe eingesetzt. Es kann sich aber auch um einen Verweis auf jene Lanze handeln, mit der die Seite Jesu durchbohrt wurde. Die Lanze stellt im weitesten Sinne die Sünde des Tötens dar, die sich gegen die Opfer richtet, welche wie Jesus von einer Lanze durchbohrt worden sind.

11.3.2.3 »Abgeschlagene Köpfe, die miteinander kämpfen«

Während des Völkermords wurden die Opfer mit jeder Art von Waffen enthauptet. »Er wurde bedrängt und misshandelt, aber er tat seinen Mund nicht auf. Wie ein Lamm, das man zum Schlachten führt, und wie ein Schaf vor seinen Scherern verstummt, so tat auch er seinen Mund nicht auf« (Jes 53,7). Die Opfer des Völkermords erlitten dasselbe Schicksal: Sie wurden zu den Hinrichtungsstätten geführt wie die Lämmer zum Schlachthof und dort erbarmungslos enthauptet. In Ruanda wurden sehr viele Menschen getötet: ungefähr eine Million innerhalb von drei Monaten, das waren zehntausend Menschen pro Tag, vierhundertzwanzig pro Stunde, sieben Menschen pro Minute. An den Gedenkstätten, die im ganzen Land errichtet wurden, werden die schrecklichen Erinnerungen an jene Schädel und Skelette wachgehalten. In den Herzen der Ruander werden diese Schreckensbilder bewahrt, ohne dass sie jemals in Vergessenheit geraten könnten.

11.3.2.4 »Das Blut ergoss sich in Strömen«

Das »ausgeblutete Ruanda« wurde in sehr viel Blut gebadet. Kibeho selbst, der Ort der Erscheinungen, wurde ganz besonders vom Blut der Opfer getränkt. Hunderte Tutsis verbrannten in der Pfarrkirche. Man spricht von siebentausend Menschen, die allein an diesem Ort massakriert wurden. Das Blut, das in Strömen floss, symbolisiert die Schwere und Tragweite dieser Tragödie. Die barmherzige Mutter hat dieses Blut gesehen und sie zeigte es auch ihren hilflosen Töchtern. Sie war genauso ohnmächtig zugegen wie beim Martyrium ihres Sohnes auf Golgatha. Wir können die mystische Ähnlichkeit zwischen dem Blut der Opfer und dem Blut Christi feststellen: Dieses unschuldige Blut diente gewiss als Sühne für den Frieden und für die Versöhnung in Ruanda.

11.3.2.5 »Ein Baum in Flammen«

Das ganze Land wurde in Brand gesetzt, Häuser und Kirchen wurden angezündet und die Opfer verbrannten in den Flammen. Das Bild des Baumes in Flammen wurde von der Jungfrau Maria gewählt, um diese schändlichen Gräuel zu zeigen, doch verweist es auch auf eine mehr spirituelle Bedeutung: Der Baum des Lebens ist im Buch Genesis das Symbol für Freude und Fruchtbarkeit (vgl. Gen 2,9). Ein Baum ist das konkrete Zeichen für die Lebenskräfte, die der Schöpfer der Natur verliehen hat (vgl. Gen 1,11f.). In der Wüste steht der Baum an der Stelle, an der durch Wasser das Leben ermöglicht wird (vgl. Ex 15,27; Jes 41,19). So wird sowohl der Gerechte, den Gott segnet, mit dem Baum des Lebens verglichen (vgl. Ps 1,3; Jer 17,8) als auch das Volk, das er mit seinen Wohltaten erfüllt (vgl. Hos 14,6). Jesus hat dieses Bild des Baumes, der reiche Frucht bringt, oft gebraucht und sich selbst mit dem Weinstock und die Jünger mit den Reben verglichen (Joh 15,1f.). Unsere Liebe Frau von Kibeho hat den Seherinnen einen brennenden Baum gezeigt, um die Zerstörung des Lebens zu versinnbildlichen: Das Feuer symbolisiert das, was das Leben zerstört. Jesus selbst, der Baum des Lebens (vgl. Joh 15,1f.), wurde in der Person der Opfer verachtet und verbrannt. Schließlich hat er es uns selbst gesagt, dass wir das Böse, das wir einem der Seinen antun, ihm selbst antun (vgl. Mt 25,31f.).

11.3.2.6 »Abgründe und Menschen, die hineinstürzten«

Die Seherinnen sahen auch tiefe Abgründe und viele Leute, die hineinstürzten. Während des Völkermords wurden viele Menschen lebendig in Schluchten, in Flüsse und in Latrinen geworfen. Diese Abgründe aus der Vision können also durchaus eine reale Bedeutung haben, so wie die Henker real waren, die die Lebenden und Toten hineinwarfen. Das Bild könnte aber auch einen übertragenen Sinn haben. Der Abgrund könnte auch den »Sündenfall« bedeuten. Unsere Liebe Frau hätte somit den Seherinnen diese Abgründe gezeigt, um in ihnen das Bedürfnis zu erwecken, durch Gebet und Opfer all jene Menschen zu retten, die in die Schlingen der Sünde geraten sind.

11.3.2.7 »Berge von nicht bestatteten Leichen«

Sehr viele Ruander haben diese furchtbaren Bilder mit eigenen Augen gesehen: nackte, geschändete Leichen voller Blut, die überall verstreut herumlagen und auf schändliche Weise von Geiern und Hunden gefressen wurden. Indem sie den Seherinnen diese unbestatteten Leichen zeigte, wollte die Mutter der Hoffnung sicherlich verdeutlichen, zu welcher Barbarei der Mensch fähig ist, doch andererseits wollte sie auch Anteilnahme und

Mitgefühl erwecken, die auch sie empfand, als sie ihren toten Sohn empfing, bevor er ins Grab gelegt wurde. Nach dem Völkermord hat die Gemeinschaft von Ruanda sich mit Unterstützung einer Regierung, der sogenannten »Nationalen Einheit«, dazu verpflichtet, alle verscharrten Überreste der Opfer wieder auszugraben und sie würdig zu bestatten. Es ist bemerkenswert, dass Unsere Liebe Frau von Kibeho den Großteil dieser tragischen Visionen am 15. August 1982, am Fest Mariä Himmelfahrt, den Seherinnen zeigte. Offensichtlich wollte die Jungfrau Maria zur Umkehr aufrufen, doch dem Volk von Ruanda, das in der Kultur des Todes verstrickt war, gelang es nicht, sich diesen prophetischen Aufruf zur Umkehr zunutze zu machen und die Tragödie des Genozids zu verhindern. Die selige Jungfrau wollte jedoch trotz alldem auch unsere Hoffnung auf die Zukunft stärken. Denn ihre Aufnahme in den Himmel ist das Zeichen ihrer Verherrlichung, die auch die unsrige sein wird, wenn wir ihr Vorbild nachahmen.

11.4 Die Welt: ein Ort der Brüderlichkeit

Die spirituellen Aspekte der Botschaften von Kibeho wurden nun ausführlich besprochen. Wenn wir das Bild in einem größeren Rahmen in Bezug auf seine sozialen Auswirkungen betrachten, dann ist festzustellen, dass Unsere Liebe Frau von Kibeho hier zu einer »Revolution der Liebe« erziehen wollte. Daran erinnert vor allem der Titel »Mutter des Wortes«, das heißt Mutter des Messias, auf den die Schrift verweist: »Denn er ist unser Friede. Er vereinigte die beiden Teile (Juden und Heiden) und riss durch sein Sterben die trennende Wand der Feindschaft nieder« (Eph 2,14), und er weist somit auf die Verwirklichung unserer Versöhnung mit Gott hin (vgl. 2 Kor 5,19). Aber Jesus ist auch der Anlass dafür, dass endlich jeder Mensch unter dem göttlichen Blick den anderen als seinen Bruder wiederfinden kann.

Dies ist der Weg, auf den uns die »Mutter des Wortes« Schritt für Schritt führen wollte, indem sie uns dazu erzog, einander zu lieben bis hin zu der Bereitschaft, unser Leben wie Jesus hinzugeben für das Heil der Menschen. An diesem Punkt tritt klar zutage, dass die Berufung von Kibeho notwendigerweise auch darin besteht, aus der Welt einen Ort des Friedens und der Brüderlichkeit zu machen. Innerhalb dieser Sendung, im Dienst der Einheit unter den Menschen, hat die selige Jungfrau Maria den Seherinnen immer wieder ihr Entsetzen über den Hass und alles, was dem Leben entgegensteht, kundgetan. Maria, die Mutter Christi, der das Leben ist (vgl. Joh 11,25; 14,6), und Mutter der Lebenden (vgl. Gen 3,20), hat leiderfüllte Tränen wegen jener Menschen geweint, die das Leben bekämpfen, so wie in jener bekannten Erscheinung vom 15. August 1982, als sie den Seherinnen in einer Vision die Gräuel des Völkermords zeigte.

Ihre Unterweisungen hierzu sind sehr ausdrucksstark. Zu Alphonsine, die ihr einmal eingestand, dass sie Schwierigkeiten habe, anderen zu vergeben, sagte die Gottesmutter: »Wenn dich jemand hasst und du ihm zeigen willst, dass du dies weißt und dass auch du ihn hasst, dann gibt es auf der Ebene des Glaubens keinerlei Unterschied zwischen euch beiden.« Für die »Mutter des Wortes« ist der Hass nicht einfach nur eine Sünde, sondern er ist die buchstäbliche Verneinung des Glaubens, eine Art Rückfall ins Heidentum: »Jeder, der seinen Bruder hasst, ist ein Menschenmörder, und ihr wisst: Kein Menschenmörder hat ewiges Leben, das in ihm bleibt« (1 Joh 3,15). Als Gegensatz zum Hass hat die »Mutter des Wortes« die grenzenlose christliche Liebe gelehrt:

»Liebt einen Menschen nicht, weil er schön oder tüchtig ist, sondern weil er ein Geschöpf Gottes ist. Ihr müsst wissen, dass jeder Mensch ein Geschöpf Gottes ist und dass ihr ihn unterschiedslos lieben müsst. Es dürfen keine Unterschiede zwischen den Menschen gemacht werden, ob sie nun weiß oder schwarz sind, sie sind alle gleich.«

Die Mutter aller Menschen unterstreicht ausdrücklich, dass sie nicht gekommen ist, um zu spalten, sondern um zu vereinen: »Ich bin gekommen, damit ihr zusammenbleibt, und nicht, damit ihr euch trennt.«

Erinnern wir uns in diesem Zusammenhang an das Bild der Blumen, das für sich selbst spricht: Die selige Jungfrau Maria hat den Seherinnen nicht nur verschiedenfarbige Blumen gezeigt, sondern auch Blumen, die sich in einem unterschiedlichen Zustand befanden. Und doch hat sie alle »ihre Blumen« oder »ihre Saat« *(imbuto zanjve)* genannt. Zu hören, dass wir alle »Blumen Mariens« genannt werden, führt zu einer neuen christlichen Identität, die aus einer grenzenlosen Gleichheit und Brüderlichkeit erwächst. Die Welt soll nach dem Willen der »Mutter des Wortes« ein Garten voller Blumen in allen Farben werden. Das Ritual der Segnungen der »Blumen Mariens«, das auch heute noch in Kibeho gefeiert wird, erinnert die Pilger daran, dass alle Menschen mit gleichem Recht »Blumen Mariens« sind, denen sie ihre mütterliche Fürsorge schenkt.

Diese universale Brüderlichkeit beruht auf der Tatsache, dass alle Menschen die gleiche Würde haben. Unsere Liebe Frau hat deutlich an diese Wahrheit erinnert: »Jeder muss so respektiert und geliebt werden, wie er ist. Wenn du jemanden verabscheust, musst du wissen, dass du Gott verabscheust. Respektiert euch gegenseitig.« Wir haben es recht verstanden: In Kibeho will die Mutter aller Völker zu einer universalen Brüderlichkeit erziehen, eine Revolution der Liebe auslösen.

11.5 Ein geistiges Erwachen, das Hoffnung verleiht

Die Botschaften von Kibeho haben das geistige Erwachen der Christen zum Ziel, aber auch, allgemeiner, das geistige Erwachen aller Menschen. Sie wurden bereits als eine geistliche Schule vorgestellt, in der die »Mutter des Wortes« wie bei der Hochzeit zu Kana die Kinder dazu auffordert, das zu tun, was Jesus ihnen sagt. Dies führt zur Wiederentdeckung des »vergessenen Evangeliums« und damit auch zur Hilfe für das eigene Leben. In diesem Sinne ist das Charisma von Kibeho nicht als eine einfache Erinnerung an die Ereignisse der Erscheinungen zu verstehen, sondern als ein regelrechtes »Projekt«, bei dem sich die »Mutter des Wortes« dafür eingesetzt hat, ihren Kindern bei der Erneuerung ihres Glaubenslebens zu helfen.

Nicht umsonst hat Unsere Liebe Frau ihre mütterliche Gegenwart und Unterstützung versprochen: »Ihr sollt wissen, dass ich immer, an jedem Tag, bei euch sein werde.« Diese Worte bei ihrer letzten Erscheinung vom 28. November 1989 sind nicht nur bewegend, sondern sie zeigen uns auch eine Mutter an der Seite ihrer Kinder, die auf dem Weg der Umkehr sind:

»Meine Kinder, betet, betet! Folgt dem Evangelium meines Sohnes und lebt danach. Meine Kinder, meine Kinder! Ich segne euch alle, wo auch immer ihr seid! Mein Segen gebe ich nicht nur jenen, die nach Kibeho gekommen sind, sondern ich gebe ihn auch der ganzen Welt. Wie ich euch schon gesagt habe, möchte ich einfach noch einmal wiederholen, wie sehr ich mich über euch freue! Ich freue mich über die Früchte, die nach und nach heranwachsen, seit ich nach Ruanda gekommen bin. Beunruhigt euch nicht zu sehr über die Tragödien, die über euch hereinbrechen, denn nichts ist stärker als Gott selbst. Meine Kinder, ich liebe euch! Ich liebe euch! Ich liebe euch! Ich liebe euch sehr! Ich bin euretwegen gekommen, ich bin euretwegen gekommen, ich bin euretwegen gekommen! Denn ich habe gesehen, dass ihr Unterstützung braucht.«

In diesen Sätzen ist alles enthalten: die warme und herzliche Liebe der Mutter, ihre Freude, die aus der Erkenntnis stammt, dass manch gute Frucht herangewachsen ist, die Ermahnung, nicht müde zu werden und auf dem guten Weg voranzuschreiten. Auch die Bischöfe von Ruanda erkannten in einer gemeinsamen Erklärung einmütig an, dass durch die Erscheinungen die Erneuerung des Christentums in Ruanda gefördert wurde:

»Wir bezeugen, dass eine ansehnliche Anzahl von Gläubigen von diesen Ereignissen profitiert hat: Sie haben sich bekehrt und geistlich erneuert, sie sind zum Gebet und zu den Sakramenten zurückgekehrt, sie haben die Verehrung der Jungfrau Maria, der Mutter des Erlösers und der Kirche, vertieft.«

Es kann festgestellt werden, dass Kibeho somit sowohl für die lokale als auch für die universale Kirche ein Ort der Begegnung für jene geworden ist, die Gott suchen und sich nach einer echten geistlichen Erneuerung sehnen. Alle Diözesen des Landes pilgern abwechselnd entsprechend einem Plan der Bischofskonferenz nach Kibeho. Das Charisma von Kibeho erneuert somit wie ein Sauerteig die geistliche Gestalt Ruandas und darüber hinaus. Von überallher kommen immer mehr Pilger, um der »Mutter des Wortes« zu begegnen. Jeder ist eingeladen, sich dieser Bewegung der Glaubenserneuerung anzuschließen.

Beim Angelusgebet am 6. April 2014 hat Papst Franziskus die ganze Kirche eingeladen, den mütterlichen Beistand der »Mutter des Wortes« von Kibeho anzurufen. Diese vom Stellvertreter Christi auf Erden ausgesprochene Einladung ermutigt uns, Maria bei uns aufzunehmen und ihren Glauben und ihre Botschaften, die sie in Kibeho überbracht hat, zu akzeptieren.

Doch es steckt noch mehr in diesen letzten Worten der Gottesmutter: »Beunruhigt euch nicht zu sehr über die Tragödien, die über euch hereinbrechen, denn nichts ist stärker als Gott selbst.« Diese Worte hat Maria vor dem Völkermord ausgesprochen, doch wenn wir sie heute lesen nach den Gräueln, die geschehen sind, machen sie uns noch nachdenklicher. Vor allem darüber, dass es für ein Volk sicher nicht leicht ist, die Grausamkeiten, zu denen es fähig war, bis ins Letzte sich einzugestehen, ohne von den Schuldgefühlen erdrückt, ja fast zerstört zu werden. Sie machen uns aber auch nachdenklich darüber, dass es sicher nicht leicht ist, nach einer solchen Tragödie wieder neu anzufangen und zu versuchen, versöhnt zu leben und den Versöhnungsprozess, der auf jeden Fall noch Jahrzehnte benötigen wird, weiter voranzubringen

Die Gottesmutter, die vorhergesagt hatte, was sich ereignen würde, wenn ihre Kinder nicht auf sie hören würden, scheint schon seit damals ihre Hand den Überlebenden eines solchen Gräuels entgegenzustrecken, indem sie sie auffordert, nicht zu verzweifeln, auch wenn die Versuchung dazu groß wäre. Denn letztlich »ist nichts stärker als Gott selbst«. Folglich können wir sicher sein, dass er immer fähig ist, das Böse, jedes Böse, auch das schrecklichste, zu besiegen, und dass wir, wenn wir echte Reue zeigen, Vergebung erlangen können, die es ermöglicht, uns auch untereinander zu vergeben, und die uns die Kraft gibt, neu anzufangen und weiterzumachen.

Nachwort

Und nun?

Die Erscheinungen von Kibeho ereigneten sich zwischen 1981 und 1989. Vittorio Messori hat in seinem hervorragenden Vorwort zum vorliegenden Werk die überraschendsten Aspekte dieser Ereignisse hervorgehoben, die nach einer sorgfältigen Untersuchung auch von der Kirche umgehend anerkannt worden sind. Denn wie dieses Buch aufzeigt, betreffen die bei diesen Erscheinungen übermittelten Botschaften die heutige Welt. Es sind Botschaften, auf die wir sehr genau hören sollten. Wir haben bereits die Schwelle des dritten Jahrtausends überschritten. Deshalb können wir uns die Frage stellen: Und nun, was ist mit Kibeho und seinen Botschaften?

Ich stelle diese Frage aus der Perspektive, dass Gott, wie die Überlieferung der Kirche besagt, der Herr der Zeit und der Geschichte ist und in das Leben seines Volkes eingreift. Er handelt auf vielerlei Weise: durch die Heiligen, durch die Menschen guten Willens, durch das Volk der Christen im Allgemeinen, durch das Lehramt ... Doch scheint es, dass die Jungfrau Maria seit einiger Zeit in gewissem Sinne aktiver geworden ist oder dass sie zumindest ihr Eingreifen unmittelbarer zeigt. Das lässt sich aus ihren wichtigsten Erscheinungen schließen: Rue du Bac, Paris 1830, danach, wieder in Frankreich; La Salette 1846, Lourdes 1858, Pontmain 1871, Pellevoisin 1876, Fatima in Portugal 1917, Beauraing in Belgien 1932, Banneux, ebenfalls Belgien, 1933, L'Île-Bouchard, Frankreich 1947, Amsterdam, Holland, von 1945 bis 1959, Zeitoun, Ägypten 1968 und schließlich Akita in Japan von 1973 bis 1981. Ganz zu schweigen von den Erscheinungen, zu denen die Kirche sich bislang noch nicht geäußert hat.

Man hat das Gefühl, dass die Welt in eine schwierige, möglicherweise entscheidende Phase ihrer Geschichte eingetreten ist, dass sie sich in einer Zeit befindet, in der ihr Schicksal auf dem Spiel steht, in einer Zeit, in der der Teufel sich von seinen Fesseln befreit hat und bisweilen den gesamten Raum einzunehmen scheint, indem er das Volk und seine Regierenden verführt. Aber es scheint auch eine Zeit zu sein, in der die Frau, mit der Sonne bekleidet, um die Terminologie der Apokalypse zu gebrauchen, ihre Kinder zum Kampf ermutigt, sie unterstützt und es ihnen ermöglicht, die Pläne Gottes auszuführen.

In Kibeho wurden tragische Ereignisse vorhergesagt. Ein Mitglied der Untersuchungskommission hat mir anvertraut, dass viele im Grunde nicht daran glaubten. Doch diese Ereignisse haben in Ruanda wirklich stattgefunden, in dem Land, in dem die Jungfrau Maria erschienen ist, und sogar auf der Anhöhe, auf der die Erscheinungen stattfanden. Sie haben viele Menschen persönlich betroffen, die bei den Erscheinungen zugegen waren. Heute aber ist das Leben auf diese Anhöhe zurückgekehrt, das Heiligtum steht offen und ist gut besucht, neue Gebäude werden errichtet und die Herzen der Ruander erfahren tiefe Verwandlungen. Andererseits waren schon während des Völkermords gerade inmitten des entfesselten Schreckens einige Zeichen des göttlichen Schutzes wahrzunehmen, die manchmal fast schon unglaublich schienen. Das Gute ist auch inmitten des Bösen anwesend.

Die Botschaften von Kibeho betreffen jedoch nicht nur Ruanda oder die Länder um die großen afrikanischen Seen. Sie gelten für die ganze Welt – ebenso wie jene von Akita in Japan, die viele übereinstimmende Punkte mit jenen von Kibeho aufweisen. Unsere Welt von heute steckt in einer tiefen Krise, der sie sich nicht bewusst werden will. Sie hört nicht auf die weisen

Worte des Papstes. Im Laufe weniger Jahrzehnte hat das päpstliche Lehramt auf gewisse Weise alle Bewohner des Planeten erreicht: Dies konnte man sehr gut anlässlich der Beerdigungsfeierlichkeiten von Johannes Paul II. beobachten, bei denen man den klaren Eindruck erhielt, dass hier die ganze Welt den eigenen Vater zu Grabe trug. Nun sind die Päpste optimistisch, sie äußern sich ermutigend, sind zugleich auch beunruhigt, sogar sehr beunruhigt über die Entscheidungen, welche die Regierungen der ganzen Welt treffen. Wohin wird uns das führen? Wie wird es mit unserem Planeten weitergehen? Besteht nicht die Gefahr einer Ausweitung der Ereignisse von Ruanda auf einen großen Teil der Welt? Die Menschheit unternimmt alles, um Gott zu betrüben. Aber wenn Gott die Menschen sich selbst überließe, wie weit würden wir kommen?

Im Moment ist es besser, die Hoffnung zu bewahren, denn es gibt ermutigende Zeichen der Gegenwart Gottes und seines Handelns. In Ruanda konnte man das Leben nach der Tragödie wieder aufblühen sehen. In Europa sind wir Zeugen des unglaublichen Zusammenbruchs des Kommunismus geworden. Es war eine Zeit, in der ebenso gut der Dritte Weltkrieg hätte ausbrechen können, der im Jahr 1947 verhindert wurde, ebenfalls bei der Kubakrise 1962 und auch später ... Stattdessen herrscht Frieden. Die Jungfrau Maria hat dies in Fatima versprochen. Länder, die einander hassten und sich jahrhundertelang bekriegten, wie Deutschland und Frankreich oder Deutschland und Polen, haben sich versöhnt und einen Weg der Verständigung gefunden, um eine bessere Welt aufzubauen. Viele Christen haben diesen Prozess der Befreiung und des Friedens geprägt. Gott hat durch sie gehandelt.

Es gibt ganz gewiss bedrohliche Elemente, was die Zukunft der Welt betrifft: Die Gottesmutter hat uns davor gewarnt. Doch sie tut dies, damit die Menschen sich bekehren. Wie wir aus dem Alten Testament wissen, ist die Hand Gottes jederzeit bereit, uns zu Hilfe zu eilen. Doch es ist notwendig, auf das zu hören, was die »Mutter des Wortes« uns gesagt hat. Deshalb ist es wichtiger denn je, die Botschaften von Kibeho zu beachten. Wir müssen sie kennen und sie verstehen. Das Buch des Priesters Edouard Sinayobye leistet dazu einen wesentlichen Beitrag. Wir danken ihm von ganzem Herzen, dass er uns dieses Buch geschenkt hat.

Pater Bernard Peyrous

Zeitlicher Überblick

Die Erscheinungen von Kibeho dauerten acht Jahre lang, wobei die ersten drei am fruchtbarsten waren. Ab 1983 erschien die Gottesmutter nur noch Alphonsine. Diese Erscheinungen erfolgten bis zum Jahr 1989. Sie lagen jedoch zeitlich ziemlich weit auseinander.

Anzumerken ist, dass sich dieser Zeitrahmen auf die Dauer der öffentlichen Erscheinungen bezieht, also auf jene, bei denen die »Mutter des Wortes« Botschaften überbrachte, die durch die kirchlichen Verantwortlichen an alle übermittelt wurden, da sie für alle bestimmt waren. Das schließt nicht aus, dass die einzelnen Seherinnen weitere private Erscheinungen hatten, wovon man bei vielen Mystikern ausgeht. Auch im vorliegenden Buch wurde diese Möglichkeit im Zusammenhang mit dem Ereignis erwähnt, bei dem Nathalie etwa drei Monate vor dem Völkermord in Ruanda eine Erscheinung der seligen Jungfrau Maria erlebte, die sie mit Angst erfüllte. Mit der Auswertung der privaten Erscheinungen wird sich jedoch eine andere Untersuchung befassen müssen, denn die folgende Zeittafel konzentriert sich auf den universalen Charakter der Ereignisse in Kibeho. Dieser Charakter tritt in aller Klarheit im eben abgesteckten Zeitraum zutage. Der Vollständigkeit halber wurden jedoch auch die privaten Erscheinungen aufgelistet, von denen ich Kenntnis erhalten habe.

Im Folgenden gebe ich somit den Gesamtablauf der Erscheinungen von 1981 bis 1989 wieder. Für die darauffolgenden Jahre bis heute werden einige zusätzliche Ereignisse erwähnt, die im Zusammenhang mit dem Wesenszug der Marienerscheinungen von Kibeho bedeutsam sind.

Die Informationen zu diesen Ereignissen sind zuverlässigen Dokumenten entnommen worden wie den Tagebüchern und den Aufzeichnungen der Seherinnen sowie den Berichten der Untersuchungskommissionen. Die Jesus-Erscheinungen von Nathalie werden nicht erwähnt, da sie auch privater Natur sind.

28.11.1981 Die Jungfrau Maria erscheint Alphonsine zum ersten Mal im Speisesaal des Internats. Die Gottesmutter stellt sich mit dem Titel *Nyina wa Jambo* – »Mutter des Wortes« vor. Dieses Datum gilt als offizieller Beginn der Erscheinungen von Kibeho. Am Abend dieses Tages hatte Alphonsine eine private Erscheinung, bei der die Jungfrau Maria sie mit einer Miene des Missfallens gefragt hat, warum in Kibeho an ihrem Kommen gezweifelt würde.

29.11.1981 Die Jungfrau Maria erscheint Alphonsine zum zweiten Mal öffentlich im Schlafsaal zur selben Zeit wie am Vortag.

1.12.1981 Die Jungfrau Maria erscheint Alphonsine zum dritten Mal öffentlich im Schlafsaal nach dem Abendgebet.

2.12.1981 Die Jungfrau Maria erscheint Alphonsine zum vierten Mal öffentlich. Sie lehrt die Seherinnen zwei Lieder: »Jedes Kind, das mich liebt« und »Die Mutter, die ihre Kinder liebt«.

4.12.1981 Die Jungfrau Maria erscheint Alphonsine zum fünften Mal öffentlich während des Tages im Schlafsaal.

6.12.1981 Die Jungfrau Maria erscheint Alphonsine zum sechsten Mal öffentlich abends im Schlafsaal und vertraut ihr einen Satz an, den sie an die Menschen weitergeben soll: »Der Glaube und die Ungläubigkeit werden auftreten, ohne dass ihr es bemerkt.«

9.12.1981 Die Jungfrau Maria erscheint Alphonsine zum siebten Mal öffentlich. An diesem Tag wird der Bereich des Schlafsaals, in dem Alphonsines Bett steht, an dem die Erscheinungen stattgefunden haben, freigeräumt. Nur Alphonsines Bett bleibt stehen. So entsteht ein behelfsmäßiger Gebetsraum, der »Kapelle« genannt wird.

17.12.1981 Die Jungfrau Maria erscheint Alphonsine zum achten Mal öffentlich nach dem Abendgebet.

12.1.1982	Die Jungfrau Maria erscheint Nathalie zum ersten Mal öffentlich gegen 19 Uhr. Die selige Jungfrau stellt sich mit dem Titel *Umubyeyi w'Imana,* »Muttergottes«, vor.
13.1.1982	Die Jungfrau Maria erscheint Nathalie zum zweiten Mal öffentlich. Sie beruhigt die Seherin: »Nathalie, meine Tochter, hab keine Angst, ich, die zu dir spricht, bin die Muttergottes.«
16.1.1982	Die Jungfrau Maria erscheint Alphonsine zum neunten Mal öffentlich. Von diesem Zeitpunkt an finden die sogenannten öffentlichen Erscheinungen vor dem Schlafsaal draußen vor dem Gebäude statt. Hier werden später zunächst eine Umzäunung aus Holz und ein Podium aufgebaut, damit die Menschen den Ereignissen besser folgen können. Zum ersten Mal äußert die selige Jungfrau den Wunsch, dass ihr bald eine Kirche geweiht werden soll.
22.1.1982	Erstes Treffen der Seherin Alphonsine mit dem Bischof von Butare, Msgr. Jean-Baptiste Gahamanyi. Das Treffen findet in Kibeho bei der Gemeinschaft der Benebikira-Schwestern statt.
27.1.1982	Die Jungfrau Maria erscheint Alphonsine zum zehnten Mal öffentlich. Bei dieser Erscheinung stürzt die Seherin zu Boden.
29.1.1982	Die Jungfrau Maria erscheint Alphonsine zum elften Mal öffentlich. Am selben Tag erschien die Jungfrau Maria ihr auch privat.
6.2.1982	Die Jungfrau Maria erscheint Alphonsine zum zwölften Mal öffentlich gegen 14 Uhr. Die Seherin wird von einer Krankheit geheilt, an der sie einige Tage lang gelitten hatte. Am selben Tag erschien die Jungfrau Maria Nathalie zum dritten Mal öffentlich, diesmal vor dem Gebäude.
11.2.1982	Die Jungfrau Maria erscheint Alphonsine zum dreizehnten Mal öffentlich nach dem Abendgebet.
26.2.1982	Die Jungfrau Maria erscheint Nathalie zum vierten Mal öffentlich.
28.2.1982	Die Jungfrau Maria erscheint Alphonsine zum vierzehnten Mal öffentlich nach dem Abendgebet.
1.3.1982	Beginn der sonderbaren Phänomene, die bei der zukünftigen Seherin Marie Claire gegen 10 Uhr morgens auftreten. Dieses Erlebnis ist nicht als Erscheinung zu betrachten, sondern als Angriff böser Geister.

2.3.1982	Zum ersten Mal hört Marie Claire eine geheimnisvolle, besänftigende und liebevolle Stimme, jedoch ohne die Jungfrau Maria zu sehen. Am selben Tag erscheint die Jungfrau Maria Nathalie zum fünften Mal öffentlich. Während dieser Erscheinung kommt es zu einem richtigen Gespräch zwischen der Jungfrau Maria und der Seherin.
3.3.1982	Marie Claires zweites öffentliches mystisches Erlebnis nach dem Abendgebet. Die Seherin hört wieder die geheimnisvolle Stimme, konnte jedoch die Jungfrau Maria nicht sehen, die diesmal das *Stabat Mater dolorosa* singt und einige »Gegrüßet seist du, Maria« rezitiert. Die Stimme fragt, ob Marie Claire den »Sieben-Schmerzen-Rosenkranz« kennt.
6.3.1982	Die Jungfrau Maria erscheint Marie Claires öffentlich. Es ist ihr drittes mystisches Erlebnis. Zum ersten Mal kann die Seherin mit eigenen Augen die Gestalt der Frau sehen, die vom 2. März an zu ihr sprach. Von ihr lernt sie, den »Sieben-Schmerzen-Rosenkranz« zu beten. Die Jungfrau erscheint ihr mit einem Rosenkranz in der Hand. An diesem Tag erscheint sie Nathalie zum sechsten Mal und Alphonsine zum fünfzehnten Mal öffentlich. Zum ersten Mal befinden sich alle drei Seherinnen zusammen in Ekstase, jedoch ohne gemeinsame Erscheinung. Die Jungfrau Maria erscheint den Seherinnen in dieser Reihenfolge nacheinander: Alphonsine, Marie Claire, Nathalie.
12.3.1982	Die Jungfrau Maria erscheint Marie Claire öffentlich nach dem Abendessen. Es ist das vierte Mal, wenn man die ersten mystischen Erlebnisse mitzählt.
13.3.1982	Die Jungfrau Maria erscheint Nathalie zum siebten Mal öffentlich nach dem Abendgebet.
14.3.1982	Bei einer privaten Erscheinung macht Alphonsine die Erfahrung eines »mystischen Traums«, in dem ihr die Jungfrau Maria ankündigt, dass sie eine mystische Reise machen wird. Diese Erfahrung unterscheidet sich von der normalen Ekstase und von der mystischen Reise im strengen Sinne.
15.3.1982	Die Jungfrau Maria erscheint Marie Claire zum fünften Mal öffentlich.
19.3.1982	Die Jungfrau Maria erscheint Marie Claire zum sechsten Mal öffentlich nach dem Abendgebet. Sie erscheint

Nathalie zum achten Mal, bei der diese von ihrer Blindheit befreit wird.

20.3.1982 Die Jungfrau Maria erscheint Alphonsine zum sechzehnten Mal öffentlich. Am Ende erlebt sie zum ersten Mal eine mystische Reise, die von 14 Uhr bis 6 Uhr des folgenden Tages dauert. Am Abend richtet Msgr. Gahamanyi die medizinische Untersuchungskommission ein.

25.3.1982 Die Jungfrau Maria erscheint Marie Claire zum siebten Mal öffentlich während des Abendgebets. Sie erscheint an diesem Tag auch Nathalie zum neunten Mal öffentlich.

27.3.1982 Die Jungfrau Maria erscheint Marie Claire zum achten Mal öffentlich gegen 21.45 Uhr am späten Abend. Die selige Jungfrau lehrt sie erneut, den »Sieben-Schmerzen-Rosenkranz« zu beten, und erteilt ihr den Auftrag, die Botschaft des »Sieben-Schmerzen-Rosenkranzes« an den Bischof weiterzugeben.

31.3.1982 Die Jungfrau Maria erscheint Alphonsine zum siebzehnten Mal öffentlich. Die Jungfrau spricht erneut von der Kirche.

1.4.1982 Die Jungfrau Maria erscheint Alphonsine zum achtzehnten Mal abends öffentlich. Am selben Tag erscheint sie Marie Claire zum neunten Mal öffentlich.

2.4.1982 Die Jungfrau Maria erscheint Nathalie zum zehnten Mal öffentlich, die sie bittet, die mitgebrachten Rosenkränze zu segnen. Am selben Tag erscheint die Muttergottes Marie Claire zum zehnten Mal öffentlich.

24.4.1982 Die Jungfrau Maria erscheint Alphonsine zum neunzehnten Mal öffentlich gegen 18 Uhr. Sie erklärt der Seherin drei wichtige Dinge: den Grund für ihr Kommen, weshalb sie sich entschieden hat, sich mit dem Titel »Mutter des Wortes« vorzustellen, und den Namen der Kapelle. Sowohl Marie Claire als auch Nathalie haben ihre elfte Erscheinung; Nathalie bleibt danach mehrere Stunden lang in Ekstase.

30.4.1982 Die Jungfrau Maria erscheint Alphonsine zum zwanzigsten Mal öffentlich. Sie zeigt der Seherin in Visionen einige Szenen ihres irdischen Lebens, danach Szenen vom Leiden und von der Auferstehung Jesu. Die Jungfrau Maria erscheint Nathalie zum zwölften Mal öffentlich, bei der diese die verschiedenen Opfer sieht, die ihren Leidensweg kennzeichnen werden. Die Jungfrau

Maria zeigt ihr die Kirche, wie sie nach ihrem Wunsch gebaut werden soll. Sie erscheint an diesem Tag auch Marie Claire zum zwölften Mal öffentlich.

1.5.1982   Die Jungfrau Maria erscheint Alphonsine zum einundzwanzigsten Mal öffentlich gegen 18.30 Uhr. Sie erscheint auch Marie Claire zum dreizehnten Mal öffentlich. Ihr wird ein Garten mit Blumen gezeigt, die gegossen werden sollen. Die Jungfrau Maria erscheint auch Nathalie zum dreizehnten Mal öffentlich.

6.5.1982   Die Jungfrau Maria erscheint Alphonsine zum zweiundzwanzigsten Mal öffentlich gegen 18.30 Uhr draußen unter freiem Himmel.

8.5.1982   Die Jungfrau Maria erscheint Alphonsine zum dreiundzwanzigsten Mal öffentlich. Sie erscheint auch Marie Claire zum vierzehnten Mal öffentlich. Bei dieser Erscheinung sieht sie in einer Vision einige Szenen des Leidens Jesu.

14.5.1982   Einsetzung der theologischen Untersuchungskommission durch Bischof Msgr. Gahamanyi.

15.5.1982   Die Jungfrau Maria erscheint Nathalie zum vierzehnten Mal gegen 16.30 Uhr. Sie hat eine Vision von sehr vielen Menschen in weißen Gewändern, die von einer geheimnisvollen Person angeführt werden.

19.5.1982   Die Jungfrau Maria erscheint Nathalie zum fünfzehnten Mal öffentlich. Sie sieht die größere der beiden Kirchen, die gebaut werden sollen: die Größe, Einrichtung, den Schmuck und auch den Kirchennamen.

22.5.1982   Die Jungfrau Maria erscheint Nathalie zum sechzehnten Mal öffentlich. Die Seherin, die sehr krank ist, hat die Vision von vier Engeln, die die selige Jungfrau begleiten. Nach der Erscheinung bleibt Nathalie in einem Zustand der Ekstase und singt während der ganzen Nacht. Die Jungfrau Maria erscheint Alphonsine zum vierundzwanzigsten Mal öffentlich und auch Marie Claire zum fünfzehnten Mal.

23.5.1982   Die Jungfrau Maria erscheint Alphonsine zum fünfundzwanzigsten Mal öffentlich von 11 bis 17 Uhr. Während dieser Zeit legt sich das Mädchen mit einem Kreuz in der Hand nieder und weint drei Stunden lang. Sie erscheint auch Nathalie zum siebzehnten Mal, die von 11 bis 15 Uhr in Ekstase verbleibt.

24.5.1982	Nathalie bleibt den ganzen Tag in einer Art Ekstase im Bett und singt während des ganzen Tages.
25.5.1982	Die Jungfrau Maria erscheint Alphonsine zum sechsundzwanzigsten Mal öffentlich. Sie erscheint auch Nathalie zum achtzehnten Mal öffentlich nach dem Abendgebet.
26.5.1982	Die Jungfrau Maria erscheint Alphonsine am Abend privat. Sie bittet die Seherin um Opfer und um körperliche Abtötungen mithilfe des Kreuzes.
28.5.1982	Die Jungfrau Maria erscheint Marie Claire zum sechzehnten Mal abends.
30.5.1982	Die Jungfrau Maria erscheint Alphonsine zum siebenundzwanzigsten Mal öffentlich. Sie erlebt eine dramatische Vision über die Ereignisse, die in Ruanda geschehen werden, und was Gott von dem Land erwartet.
31.5.1982	Die Jungfrau Maria erscheint Alphonsine zum achtundzwanzigsten Mal öffentlich. In Kibeho fällt ein wunderbarer Regen, den die Muttergottes als »Segensregen« bezeichnet. Sie erscheint Nathalie zum neunzehnten Mal öffentlich. Die Seherin bleibt danach bis zum nächsten Morgen in Ekstase. Die Jungfrau Maria erscheint auch Marie Claire zum siebzehnten Mal öffentlich.
6.6.1982	Die Jungfrau Maria erscheint Nathalie zum zwanzigsten Mal öffentlich. Sie verlangt von der Seherin, nicht mehr zu sprechen, bis sie von ihr die Erlaubnis erhalte, wieder zu sprechen. Das Schweigen dauert dreizehn Tage lang vom 6. bis zum 19. Juli 1982.
24.6.1982	Die Jungfrau Maria erscheint Nathalie zum einundzwanzigsten Mal öffentlich. In einer Vision sieht sie drei verschiedene Orte, die symbolische Namen tragen und für Paradies, Fegefeuer und Hölle stehen. An diesem Tag erhält sie von der Jungfrau die Anweisung, ihre Ausbildung abzubrechen und in Kibeho zu bleiben.
25.6.1982	Die Jungfrau Maria erscheint Alphonsine zum neunundzwanzigsten Mal öffentlich um 15.40 Uhr. Sie erscheint auch Nathalie zum zweiundzwanzigsten Mal. In einer Vision sieht sie nochmals die verschiedenen Phasen, die im Laufe des Lebens ihren Leidensweg prägen werden.
4.7.1982	Die Jungfrau Maria erscheint Nathalie zum dreiundzwanzigsten Mal öffentlich.
6.7.1982	Die Jungfrau Maria erscheint Nathalie zum vierundzwanzigsten Mal tagsüber öffentlich. In dieser Nacht

sieht sie bei einer privaten Erscheinung in einer Vision dramatische Szenen.

10.7.1982	Die Jungfrau Maria erscheint Nathalie zum fünfundzwanzigsten Mal öffentlich um 18 Uhr. Die Jungfrau zeigt ihr die »Kapelle der Schmerzen«.
16.7.1982	Die Jungfrau Maria erscheint Nathalie abends privat.
17.7.1982	Die Jungfrau Maria erscheint Nathalie zum sechsundzwanzigsten Mal öffentlich um 18 Uhr. Sie zeigt ihr beide Kirchen zusammen. Während der Ekstase nimmt die Seherin die Maße für die Kapelle, die im Innenhof des Internats gebaut werden soll.
21.7.1982	Die Jungfrau Maria erscheint Marie Claire privat. Währenddessen findet in der Schule ein Treffen der ehemaligen Schülerinnen von Kibeho statt.
22.7.1982	Die Jungfrau Maria erscheint Nathalie zum siebenundzwanzigsten Mal öffentlich. Sie liegt im Bett und sieht in einer Vision Szenen der Passion Jesu.
27.7.1982	Die Jungfrau Maria erscheint Nathalie zum achtundzwanzigsten Mal öffentlich. Die Seherin betrachtet Szenen des Leidens Jesu.
3.8.1982	Die Jungfrau Maria erscheint Nathalie zum neunundzwanzigsten Mal öffentlich.
4.8.1982	Die Jungfrau Maria erscheint Nathalie zum dreißigsten Mal abends öffentlich.
5.8.1982	Die Jungfrau Maria erscheint Nathalie zum einunddreißigsten Mal öffentlich um 20 Uhr. Es fällt ein weiterer wunderbarer Regen. Den Erklärungen der seligen Jungfrau zufolge handelt es sich dabei um ein Zeichen ihres Segens.
15.8.1982	Ein besonders intensiver Tag, an dem die Jungfrau Maria den drei Seherinnen abwechselnd erscheint: Nathalie (zum zweiunddreißigsten Mal, Alphonsine (zum dreißigsten Mal) und Marie Claire (zum achtzehnten Mal). Die selige Jungfrau zeigt ihnen dramatische Szenen, welche die Tragödien vorhersagen, die das Land während des Völkermords im Jahr 1994 heimsuchen werden. Die himmlische Mutter zeigt sich in einem Zustand von tiefer Traurigkeit und voller Tränen.
28.8.1982	Die Jungfrau Maria erscheint Nathalie privat. Bei dieser Erscheinung erhält Nathalie den Auftrag, zur »Mutter der Gläubigen« zu werden. Die Sendung besteht da-

rin, zusammen mit der seligen Jungfrau an der Erlösung der Seelen mitzuwirken, indem sie intensiv betet und einen Weg des Leidens und der Sühne geht. Die Jungfrau Maria erscheint auch Marie Claire zum neunzehnten Mal öffentlich. In einer Vision sieht sie die drei unterschiedlichen Kategorien von Christen.

4.9.1982   Die Jungfrau Maria erscheint Nathalie zum dreiunddreißigsten Mal öffentlich. Sie sieht in einer Vision erneut eine große Anzahl von Schädeln, die von den Menschen abgeschlagen worden waren. Am diesem Tag macht Nathalie auch die Erfahrung einer mystischen Reise, die vier Stunden dauert.

11.9.1982   Die Jungfrau Maria erscheint Nathalie zum vierunddreißigsten Mal öffentlich um 16 Uhr. Sie sieht drei Arten von Blumen, die die drei Arten von Christen repräsentieren.

15.9.1982   Die Jungfrau Maria erscheint Nathalie zum fünfunddreißigsten Mal öffentlich. Sie erscheint auch Marie Claire zum zwanzigsten und letzten Mal.

2.10.1982   Die Jungfrau Maria erscheint Alphonsine zum einunddreißigsten Mal. Sie sieht in einer Vision die Passion Christi.

7.10.1982   Die Jungfrau Maria erscheint Nathalie zum sechsunddreißigsten Mal öffentlich. Auch sie sieht in einer Vision das Leiden Christi.

9.10.1982   Die Jungfrau Maria erscheint Nathalie zum siebenunddreißigsten Mal öffentlich. Sie sieht in einer Vision alle Geheimnisse des Rosenkranzes.

11.10.1982   Die Jungfrau Maria erscheint Nathalie nachts privat.

30.10.1982   Die Jungfrau Maria erscheint Nathalie zum achtunddreißigsten Mal öffentlich. Die Erscheinung dauert fünf Stunden lang von 16 bis 21 Uhr. Dies ist die längste aller Erscheinungen in Kibeho. An ihrem Ende erlebt die Seherin eine mystische Reise.

31.10.1982   Die Jungfrau Maria erscheint Nathalie zum neununddreißigsten Mal öffentlich. Sie sieht in einer Vision die verschiedenen Arten von Menschen.

4.11.1982   Aufgrund einer Anweisung der »Mutter des Wortes« und mit Genehmigung des Bischofs von Butare begegnet Marie Claire allen Bischöfen Ruandas, um ihnen die Botschaft vom »Sieben-Schmerzen-Rosenkranz« der seligen Jungfrau Maria zu überbringen.

6.11.1982	Die Jungfrau Maria erscheint Alphonsine privat.
8.11.1982	Die Jungfrau Maria erscheint Alphonsine privat.
12.11.1982	Die Jungfrau Maria erscheint Alphonsine privat.
13.11.1982	Die Jungfrau Maria erscheint Marie Claire privat. Bei dieser Erscheinung übermittelt die Muttergottes ihr eine Botschaft in Bezug auf die vermeintliche Seherin Salima Vestine.
15.11.1982	Die Jungfrau Maria erscheint Alphonsine privat.
17.11.1982	Die Jungfrau Maria erscheint Nathalie privat. Sie offenbart den Namen der kleineren Kapelle: *igaruriro*, »Ort der Rückkehr zu Gott«. Die Seherin hat um den Bau dieser Kapelle am 29. Oktober 1982 gebeten.
20.11.1982	Die Jungfrau Maria erscheint Alphonsine zum zweiunddreißigsten Mal öffentlich.
22.11.1982	Die Jungfrau Maria erscheint Nathalie privat. Sie kündigt ihr an, dass sie einem Tier begegnen wird, auf das sie dann während des Nachtgebets im Wald tatsächlich trifft.
27.11.1982	Die Jungfrau Maria erscheint Nathalie zum vierzigsten Mal öffentlich um 15.30 Uhr. Während dieser Erscheinung wird ein Akt der geistlichen Heilung durch ein Segnungsritual gefeiert.
28.11.1982	Die Jungfrau Maria erscheint Alphonsine morgens im Büro der Schulleiterin privat und nochmals um 12.30 Uhr im Speisesaal der Schülerinnen. Abends während der Gebetswache, die zum Dank an die Jungfrau Maria gehalten wird, erscheint die Muttergottes ihr ein drittes Mal (das dreiunddreißigste Mal).
30.11.1982	Die Jungfrau Maria erscheint Alphonsine privat im Beisein der Schulleiterin im Haus des Bischofs, Msgr. Gahamanyi.
3.12.1982	Die Jungfrau Maria erscheint Alphonsine vor der Nachtruhe privat.
8.12.1982	Die Jungfrau Maria erscheint Alphonsine um 13.15 Uhr privat.
17.12.1982	Die Jungfrau Maria erscheint Nathalie um 21 Uhr privat. Die himmlische Mutter zeigt ihr in einer Vision verschiedene Menschen, die sich außerhalb von Kibeho befinden und einer Heilung bedürfen.
22.12.1982	Die Jungfrau Maria erscheint Nathalie zum einundvierzigsten Mal öffentlich. Sie sieht in einer Vision vier Or-

te, durch die der Stand der Gnade der Seelen dargestellt wird.

12.1.1983 Die Jungfrau Maria erscheint Nathalie zum zweiundvierzigsten Mal öffentlich. Die Seherin spricht das Thema des Fastens an, das sie im folgenden Monat beginnen wird.

22.1.1983 Die Jungfrau Maria erscheint Nathalie zum dreiundvierzigsten Mal öffentlich. Sie sieht in einer Vision dramatische Szenen mit Strömen von Blut. Die selige Jungfrau zeigt ihr ihren Weg, der mehr von Leiden als von Freude geprägt sein wird.

25.1.1983 Die Jungfrau Maria erscheint Alphonsine zum vierunddreißigsten Mal öffentlich.

27.1.1983 Die Jungfrau Maria erscheint Alphonsine zum fünfunddreißigsten Mal öffentlich. Sie stürzt elfmal. Das ist die höchste Anzahl von Stürzen bei einer Erscheinung.

29.1.1983 Die Jungfrau Maria erscheint Alphonsine abends privat.

12.2.1983 Die Jungfrau Maria erscheint Nathalie privat.

16.2.1983 Der Beginn von Nathalies mystischem Fasten.

21.2.1983 Am sechsten Tag des Fastens geschah ein teuflischer Angriff.

23.2.1983 Die Jungfrau Maria erscheint Alphonsine privat. Sie erscheint ebenfalls Nathalie privat während ihres Fastens.

26.2.1983 Die Jungfrau Maria erscheint Nathalie zum vierundvierzigsten Mal öffentlich. Sie stürzt siebenmal. Es ist der elfte Tag des Fastens.

28.2.1983 Die Jungfrau Maria erscheint Marie Claire privat.

2.3.1983 Nathalie beendet ihr mystisches Fasten.

6.3.1983 Die Jungfrau Maria erscheint Marie Claire privat.

12.3.1983 Die Jungfrau Maria erscheint Alphonsine zum sechsunddreißigsten Mal öffentlich. Die Botschaft betrifft hauptsächlich das Verhalten während der 40-tägigen Fastenzeit.

13.3.1983 Die Jungfrau Maria erscheint Marie Claire privat.

26.3.1983 Die Jungfrau Maria erscheint Nathalie zum fünfundvierzigsten Mal öffentlich. Inhalt des Gesprächs war die richtige Art des Betens und die Notwendigkeit des Gebets für die Seelen im Fegefeuer.

1.4.1983 Die Jungfrau Maria erscheint Nathalie privat. Die Erscheinung endet mit einer dritten mystischen Reise, die um 2.30 Uhr beginnt und bis um 9.30 Uhr am nächsten Morgen dauert. Am 2. April erscheint die Jungfrau Maria Marie Claire privat.

16.4.1983	Die Jungfrau Maria erscheint Nathalie privat.
23.4.1983	Die Jungfrau Maria erscheint Nathalie zum sechsundvierzigsten Mal öffentlich. Sie gibt der Seherin einige Ratschläge für das Gebetsleben.
30.4.1983	Die Jungfrau Maria erscheint Nathalie zum siebenundvierzigsten Mal öffentlich. Sie sieht wieder ihren Weg vor sich, der mehr von Leiden als von Freude geprägt sein wird.
20.5.1983	Die Jungfrau Maria erscheint Nathalie in Vorbereitung auf die öffentliche Erscheinung des folgenden Tages privat.
21.5.1983	Die Jungfrau Maria erscheint Nathalie zum achtundvierzigsten Mal öffentlich. Das Ritual der Heilung wird zum letzten Mal durchgeführt.
11.6.1983	Die Jungfrau Maria erscheint Nathalie zum neunundvierzigsten Mal öffentlich. Inhalt des Gesprächs ist das tugendhafte Leben.
17.6.1983	Die Jungfrau Maria erscheint Alphonsine zum siebenunddreißigsten Mal abends öffentlich.
23.6.1983	Die ersten 56 ehemaligen Schülerinnen des Internats versammeln sich in Kibeho, um Jesus und seiner Mutter als Zeichen ihrer Dankbarkeit für die Erscheinungen eine Ikone der seligen Jungfrau zu schenken.
4.7.1983	Die Jungfrau Maria erscheint Nathalie zum fünfzigsten Mal öffentlich. Die Seherin erhält von der seligen Mutter die Erlaubnis, für kurze Zeit ihre Familie zu besuchen.
9.7.1983	Die Jungfrau Maria erscheint Nathalie zum einundfünfzigsten Mal öffentlich. Die einzelnen Elemente der Botschaften werden zusammengefasst.
1.8.1983	Die Jungfrau Maria erscheint Alphonsine zum achtunddreißigsten Mal öffentlich abends im Schlafsaal anlässlich ihres Namenstages.
14.8.1983	Die Jungfrau Maria erscheint Nathalie zur Vorbereitung auf das Fest der Aufnahme Mariens in den Himmel, das am folgenden Tag gefeiert wird, privat.
15.8.1983	Die Jungfrau Maria erscheint Alphonsine zum neununddreißigsten Mal öffentlich.
1.9.1983	Die Jungfrau Maria erscheint Nathalie privat.

3.9.1983	Die Jungfrau Maria erscheint Nathalie zum zweiundfünfzigsten Mal öffentlich. Sie wird an die wesentlichen Elemente der Botschaften erinnert und daran, wie man das Segnungsritual durchführt.
7.10.1983	Die Jungfrau Maria erscheint Nathalie zum dreiundfünfzigsten Mal öffentlich und gibt ihr verschiedene Ratschläge für ein christliches Leben.
29.10.1983	Die Jungfrau Maria erscheint Nathalie zum vierundfünfzigsten Mal öffentlich. Der Inhalt des Gesprächs betrifft das tugendhafte Leben.
1.11.1983	Die Jungfrau Maria erscheint Nathalie zum fünfundfünfzigsten Mal öffentlich. Das Gespräch beinhaltet den geistlichen Fortschritt derer, die die Botschaften verstanden haben.
8.11.1983	Die Jungfrau Maria erscheint Nathalie zum sechsundfünfzigsten Mal öffentlich. Der Dialog betrifft das Leiden, das Nathalie annehmen soll.
18.11.1983	Die Jungfrau Maria erscheint Alphonsine zum vierzigsten Mal öffentlich und auch Nathalie zum siebenundfünfzigsten Mal um 18.30 Uhr.
19.11.1983	Die Jungfrau Maria erscheint Nathalie zum achtundfünfzigsten Mal öffentlich um 14.30 Uhr. Es erfolgt die Zusammenfassung der Elemente der Botschaften.
28.11.1983	Die Jungfrau Maria erscheint Alphonsine zum einundvierzigsten Mal um 16.30 Uhr. Die Seherin fasst die Botschaften zusammen.
29.11.1983	Die Jungfrau Maria erscheint Nathalie zum neunundfünfzigsten Mal öffentlich.
30.11.1983	Die Jungfrau Maria erscheint Alphonsine zum zweiundvierzigsten Mal öffentlich.
3.12.1983	Die Jungfrau Maria erscheint Nathalie zum sechzigsten Mal öffentlich. Die »Mutter des Wortes« erscheint ihr heute zum letzten Mal öffentlich.
3.3.1984	Die Jungfrau Maria erscheint Alphonsine im Zimmer der Schulleiterin privat.
30.3.1984	Die Jungfrau Maria erscheint Alphonsine gegen 3 Uhr morgens privat.
24.9.1984	Die Jungfrau Maria erscheint Nathalie privat.
7.11.1984	Schwester Germaine Nagasanzwe, die Schulleiterin von Kibeho, stirbt in Belgien.
4.12.1984	Die Jungfrau Maria erscheint Nathalie privat.

26.11.1985	Die Jungfrau Maria erscheint Alphonsine privat.
28.11.1985	Die Jungfrau Maria erscheint Alphonsine um 12.30 Uhr (es ist eine vorbereitende Erscheinung) und um 17.15 Uhr zum dreiundvierzigsten Mal öffentlich.
27.11.1986	Die Jungfrau Maria erscheint Alphonsine abends privat.
28.11.1986	Die Jungfrau Maria erscheint Alphonsine zum vierundvierzigsten Mal öffentlich um 17 Uhr.
22.8.1987	Marie Claire heiratet Elie Ntabadahiga in der Pfarrei Mushubi.
28.11.1987	Die Jungfrau Maria erscheint Alphonsine zum fünfundvierzigsten Mal öffentlich.
15.8.1988	Zum Abschluss des Marianischen Jahres macht Msgr. Gahamanyi seine erste öffentliche Wallfahrt nach Kibeho und genehmigt die private Verehrung am Ort der Erscheinungen.
28.11.1988	Die Jungfrau Maria erscheint Alphonsine zum sechsundvierzigsten Mal öffentlich.
28.11.1989	Die Jungfrau Maria erscheint Alphonsine um 12.30 Uhr (es ist eine vorbereitende Erscheinung) und am Nachmittag dann zum siebenundvierzigsten Mal öffentlich. Dieses Datum markiert das offizielle Ende der Erscheinungen von Kibeho. Zusammenfassung: In einem Zeitraum von acht Jahren erschien die Jungfrau Maria Alphonsine Mumureke siebenundvierzig Mal öffentlich und zwanzig Mal privat. Sie erschien Nathalie Mukamazimpaka sechzig Mal öffentlich und vierzig Mal privat und Marie Claire Mukangango zwanzig Mal öffentlich und neun Mal privat.
30.3.1992	Papst Johannes Paul II. errichtet die Diözese Gikongoro, Msgr. Augustin Misago wird zum Bischof ernannt. Am selben Tag wird Msgr Frédéric Rubwejanga, der bis dahin der theologischen Kommission für die Erscheinungen in Kibeho vorstand, zum Bischof von Kibungo ernannt.
1.12.1994	Die Jungfrau Maria erscheint Nathalie privat, bei der sie folgende Botschaft erhält: »Nathalie, meine Tochter, bete viel, damit du nicht schwach wirst. Eine finstere Nacht wird bald über euer Land hereinbrechen.«
… 4.1994	Marie Claire stirbt unter noch ungeklärten Umständen.
29.6.2001	Msgr. Augustin Misago veröffentlicht seine Abschlusserklärung zu den als »Erscheinungen von Kibeho« be-

kannten Tatsachen und erkennt ihren übernatürlichen Charakter an.

31.5.2003 Weihe des Marienheiligtums, das »Unserer Lieben Frau der Schmerzen« gewidmet ist. Kardinal Crescenzio Sepe, damaliger Präfekt der Vatikanischen Kongregation für die Evangelisierung der Völker, später Erzbischof von Neapel, steht der Zeremonie vor.

31.3.2007 Feier anlässlich des 25-jährigen Jubiläums der Erscheinungen in Kibeho. Kardinal Ivan Dias, damaliger Präfekt der Kongregation für die Evangelisierung der Völker, steht der Zeremonie vor.

12.3.2013 Plötzlicher Tod von Msgr. Augustin Misago, dem ersten Bischof von Gikongoro.

6.4.2014 Während des Angelusgebets auf dem Petersplatz in Rom fordert Papst Franziskus die ganze Kirche auf, Unsere Liebe Frau von Kibeho anzurufen.

24.1.2015 Bischofsweihe von Msgr. Célestin Hakizimana, dem neuen Bischof von Gikongoro.

Literaturverzeichnis

Quellen

Die Seher und das kirchliche Lehramt
MUMUREKE A., MUKAMAZIMPAKA N., MUKANGANGO M. C., *Diaires et cahiers personnels.*
GAHAMANYI J. B., *Première lettre pastorale sur les événements de Kibeho*, Butare 1983.
GAHAMANYI J. B., *Deuxième lettre pastorale sur les évènements de Kibeho*, Butare 1986.
GAHAMANYI J. B., *Troisième lettre pastorale sur les évènements de Kibeho*, Butare 1988.
MISAGO A., *Déclaration de l'Évêque de Gikongoro portant jugement définitif sur les faits dits »apparitions de Kibeho«*, Gikongoro 2001.

Veröffentlichungen

ANGE D., *Kibeho le ciel à fleur de terre. Des apparitions de Marie au Ruanda?* Lion de Juda, 1985.
BAHUJIMIHIGO K., *Bikira Mariya Nyina wa Jambo, Ubutumwa yatangiye i Kibeho*, Pallotti Presse, Kigali 2012.
GETREY G., *Kibeho ou la face cachée de la tragédie Ruandaise*, F.-X. de Guilbert, Paris 1998.
ILIBAGIZA I., *Die Erscheinungen von Kibeho. Maria spricht zur Welt aus dem Herzen Afrikas*, Media Maria, Illertissen [3]2019.
ILIBAGIZA I., *A Visit from Heaven, The Last Apparition to Alphonsine*, New York 2010.
ILIBAGIZA I., *Der Junge, dem Jesus begegnete*, Media Maria, Illertissen 2017.
JAKACKI A., *Aspect dogmatique du message des apparitions mariales à Kibeho (Ruanda, 28.11.1981 – 28.11.1989)*, thèse de doctorat, Université Catholique Jean Paul II, Lublin 2009.

MAINDRON G., *Des apparitions à Kibeho, Annonce de Marie au cœur de l'Afrique*, O.E.I.L., Paris 1984.

MISAGO A., *Les apparitions de Kibeho au Ruanda*, Kinshasa 1991.

NIYONZIMA E., *Kibeho, abakobwa batatu babonekewe, Igisubizo ku bibazo by'ibanze abantu babibazaho*, Kigali 2010.

RUZINDAZA C., *The fascinating Story of Kibeho, Mary's prophetic tears in Ruanda*, Kibeho Sanctuary 2013.

SGREVA G., *Le apparizioni della Madonna in Africa, Kibeho*, Shalom, Camerata Picena 2004.

TENTORI M. A., *Apparizioni della Madonna in Africa, Nostra Signora di Kibeho*, Paoline, Milano 2009.

Marienerscheinungen im Allgemeinen

CANIATO R., *La Madonna si fa la strada*, Ares, Milano [2]2005.

DE MUIZON F., *Un nouveau regard sur les apparitions. Le Laus – La rue du Bac – La Salette – Lourdes – Pontmain – Fatima*, Emmanuel, Paris 2007.

LAURENTIN R., *Lourdes, récit authentique des apparitions*, Lethielleux, Paris 1987.

LAURENTIN R., *La Vergine appare a Medjugorje?* Queriniana, Brescia 1990.

LAURENTIN R., *Multiplication des apparitions de la Vierge aujourd'hui. Est-ce elle? Que veut-elle dire?*, Édition revue et mise à jour, Fayard, Paris 1995.

MESSORI V., *Ipotesi su Maria*, Ares, Milano [4]2015.

MUCCI G., *Rivelazioni private e apparizioni*, Elledici, Roma 2000.

PERRELLA S. M., *Le apparizioni mariane. Dono per la fede e sfida per la ragione. Segno, presenza e mediazione della Vergine glorificata nella nostra storia*, San Paolo, Milano 2007.

PERRELLA S. M., *Le mariofanie. Per una teologia delle apparizioni*, Messagero Padova, Padova 2009.

PERRELLA S. M., *L'impronta di Dio nella storia. Apparizioni e Mariofanie*, Messaggero di sant'Antonio, Padova 2011.

SUH A., *Le rivalazioni private nella vita della Chiesa*, Edizioni Studio Domenicano, Bologna 2000.

Theologie und Mariologie

AMPI, *La Mère du Seigneur, mémoire – présence – espérance. Quelques questions actuelles sur la figure et la mission de la Bienheureuse Vierge Marie,* Salvator, Paris 2005.

BERNARD C. A., *Traité de la théologie spirituelle,* Cerf, Paris 2005.

CERBELAUD D., *Marie un parcours dogmatique,* Cerf, Paris 1995.

CURIA GENERALIS OSM, *Corona dell'Addolorata, celebrazione della Compassio Virginis,* Marianum, Roma, 1986.

DE FIORES S., *Maria nella teologia contemporanea,* Roma 1987.

DE FIORES S., *Maria Madre di Gesù. Sintesi storico salvifica,* Bologna 1992.

DE FIORES S., »Maria ›Icona vivente del vangelo della sofferenza‹ e il pathos di Dio Trinità« in *Camillianum* 12 (2004) 455–501.

DE FIORES S., *Maria sintesi dei valori, Storia culturale della mariologia,* San Paolo, Milano 2005.

DE FIORES S., »Il pianto di Maria e il nostro pianto«, in: *Madre di Dio* 7 (2006), 23–30.

DE FIORES S., *Educare alla vita buona del vangelo con Maria,* San Paolo, Torino 2012.

DE GOEDT M., »Un schéma de révélation dans le quatrième évangile«, *NTS* 8 (1962).

DE LA POTTERIE I., »Et à partir de cette heure, le disciple l'accueillit dans son intimité (Jn 19,27b), Réflexions méthodologiques sur l'interprétation d'un vers et johannique«, in: *Marianum Ephemerides mariologiaie,* 124 (1980), 84–125.

DE LA SOUJEOLE B. D., *Initiation à la théologie mariale. »Tous les âges me diront Bienheureuse«,* Parole et silence, Paris 2007.

DE MONFORT L.M., *Traité de la vraie dévotion à la Vierge Marie,* Médiaspaul, Paris 1987.

DE VINCENTIIS A., *Estasi, stimate e altri fenomeni mistici,* Avverbi, Roma 1999.

FORTE B., *Maria la donna icona del mister. Saggio di mariologia simboliconarrativa,* San Paolo, Milano 1989.

FRANZI F., *Maria educatrice della Chiesa.Commento all'esortazione apostolica »Signum magnum«,* Salone-Roma 1996.

GAMBERO L., *Maria nel pensiero dei Padri della Chiesa,* (in Ippolite, Commento su Daniele 4,11, Gcs 1,1, 212–214), Paoline, Milano 1991.

JOHANNES VOM KREUZ: *Sämtliche Werke*, Herder, Freiburg i. Br. 1995–2000.

LACOUTURE D., *Marie Médiatrice de toutes les grâces, Raisons, enjeux, conséquences*, Béatitudes, Saint-Amand 1997.

LAURENTIN R., *Vie authentique de Marie*, Éditions de l'oeuvre, Paris 1978.

LAURENTIN R., *Marie, clé du mystère chrétien, la plus proche des hommes, parce que la plus proche de Dieu*, Fayard, Paris 1994.

LAURENTIN R., *Maria vergine e madre. La verginità feconda di Maria tra fede, storia e teologia*, San Paolo, Milano 2003.

LAURENTIN R., *La Madre di Gesù nella coscienza ecclesiale contemporanea*, Pontificia Academia Mariana Internalis, Roma 2005.

LAURENTIN R., *Ecco tua Madre (Gv 19,27), La madre di Gesù nel mistero di Giovanni Paolo II e nell'oggi della Chiesa e del mondo*, San Paolo, Milano 2007.

LAURENTIN R., *Court traité sur la Vierge Marie*, OEIL, Paris 2009.

LAURENTIN R., *Magnificat. Action de grâce de Marie*, Desclée de Brouwer, Paris 2011.

LAURENTIN R., *Marie, source directe de l'évangile de l'enfance*, François-Xavier de Guilbert, Paris 2012.

POULAIN A., *Des grâces d'oraison. Traité de Théologie mystique*, Paris 1921.

RATZINGER J., *Einführung in das Christentum*, Kösel, München [15]2018.

RATZINGER J., *Glaube und Zukunft*, Kösel, München 2007.

RATZINGER J., *Gott und die Welt, Glauben und Leben in unserer Zeit, ein Gespräch mit Peter Seewald*, Knaur, München 2013.

RATZINGER J., *Die Tochter Zion, Betrachtungen zum Marienglauben der Kirche*, Johannes Verlag Einsiedeln, Freiburg i. Br. [5]2007.

RIBET M. J., *La mystique divine distinguée des contrefaçons diaboliques et des analogies humaines*, Librairie Ch. Poussiegue, Paris 1903.

SERRA A., *Maria a Cana e presso la croce. Saggio di mariologia giovannea Gv 2,1–12; 19,25–27*, Centro di cultura Mariana »Mater ecclesia«, Roma 1978.

SERRA A., *Le nozze di Cana (Gv 2,1–12). Incidenze cristologico-mariane del primo segno di Gesù*, Messagero Padova, Padova 2009.

SERRA A., *Maria presso la Croce. Solo l'Addorolorata. Verso una rilettura dei contenuti di Giovanni 19,25–27,* Messagero, Padova 2011.

SESBOÜÉ B., *Jésus Christ l'unique Médiateur, Essai sur la rédemption et le salut,* Tome 1, *Problématique et relecture doctrinale,* Desclée de Brouwer, Paris 1988.

SESBOÜÉ B., *Marie, ce que dit la foi,* Bayard, Paris 2004.

TALMELLI R., *Ecco, io vedo i cieli aperti, Psicopatologie, feneomeni mistici, demonologia,* Edizioni OCD, Roma 2008.

THEOBALD C., *Le christianisme comme style. Une manière de faire la théologie en postmodernité,* Cerf, Paris 2007.

THEOBALD C., *Le christianisme comme style. Une manière de faire la théologie en postmodernité II,* Cerf, Paris 2008.

TERESA VON ÁVILA, *Werke und Briefe,* Herder, Freiburg i. Br. 2015.

THÉRÈSE DE LISIEUX, *Œuvres complètes,* Cerf, Paris 2009.

THOMAS D'AQUIN, *La Somma Teologica,* Edizioni Studio Domenicano, 4 tomi, nuova ed., Bolgona 2015.

TORRELL J. P., *La Vierge Marie dans la foi catholique,* Cerf, Paris 2010.

VON BALTHASAR H. U., *Kleiner Diskurs über die Hölle – Apokatastasis,* Johannes Verlag Einsiedeln, Freiburg ⁵2013.

VON BALTHASAR H. U., *Marie Première Église,* Paulines, Montréal 1981.